DU MÊME AUTEUR

Du monde entier

ALESSANDRO BARICCO

CETTE HISTOIRE-LÀ

roman

*Traduit de l'italien
par Françoise Brun*

GALLIMARD

Titre original :

QUESTA STORIA

OUVERTURE

Tiède la nuit de mai à Paris, mille neuf cent trois. Chez eux, cent mille Parisiens renoncèrent à une moitié de la nuit, pour s'écouler en masse vers Montparnasse et Saint-Lazare, vers les gares du chemin de fer. Certains n'allèrent même pas dormir, d'autres avaient mis le réveil à une heure absurde pour se glisser ensuite hors du lit, se laver sans faire de bruit, ni heurter les objets, en cherchant leur veste. Parfois c'étaient des familles entières qui partaient, mais ce furent pour la plupart des individus isolés qui entreprirent le voyage, souvent contre toute logique ou bon sens. Les épouses, dans les lits, ensuite, étendaient les jambes en travers du côté resté vide. Les parents échangeaient trois mots, en écho aux discussions de la veille, des jours d'avant, des semaines d'avant. Elles portaient sur l'indépendance des fils. Le père se redressait sur l'oreiller et regardait l'heure. Deux heures.

C'était un bruit très insolite car cent mille personnes à deux heures du matin sont comme un torrent qui déboule dans un lit inexistant, muette la grève, disparus les cailloux. De l'eau sur de l'eau. Ainsi leurs voix couraient entre des rideaux métalliques, des rues vides et des choses immobiles.

À cent mille ils prirent d'assaut les gares de Montparnasse et Saint-Lazare, parce qu'ils craignaient de ne pas trouver de place dans les voitures pour Versailles. Mais à la fin tous trouvèrent place dans les voitures pour Versailles. Le train partit à deux heures treize.   Il file, le train pour Versailles.

Dans les jardins du roi, à pâturer dans la nuit, momentanément paisibles, sous les carcasses de fer, autour de leur cœur de pistons, les attendaient 224 AUTOMOBILES, arrêtées sur l'herbe, dans une vague odeur d'huile et de gloire. Elles étaient là pour disputer la grande course, de Paris à Madrid, à travers l'Europe, des brouillards jusqu'au soleil.   Laisse-moi aller voir le rêve, la vitesse, le miracle, ne m'arrête pas avec ce regard triste, laisse-moi cette nuit vivre là-bas sur le bord du monde, cette nuit seulement, après je reviendrai   Des jardins de Versailles, *madame* [1] *, s'élance la course des rêves, *madame* *, Panhard-Levassor, 70 chevaux, 4 cylindres en acier perforé, comme les canons, *madame* *   Les AUTOMOBILES, elles pouvaient aller jusqu'à 140 kilomètres à l'heure, arrachés à des routes de terre et nids-de-poule, contre toute logique et bon sens, en un temps où les trains, sur l'étincelante sécurité des rails, arrivaient difficilement à 120. Au point qu'à l'époque ils étaient convaincus — convaincus — qu'un être humain ne pouvait pas aller plus vite : là était la limite ultime, et là était le bord du monde. Ceci explique

1. Les mots en italique suivis d'un astérisque sont en français dans le texte. (*Toutes les notes sont de la traductrice.*)

comment il fut possible que cent mille personnes aient débouché de la gare de Versailles, à trois heures du matin, dans la tiède nuit de mai, laisse-moi aller vivre là-bas, sur le bord du monde, cette nuit seulement, je t'en supplie, après je reviendrai   Si une seule d'entre elles remontait la route à travers la campagne, ils couraient à perdre haleine au milieu des blés pour aller à la rencontre de ce nuage de poussière, et des arrière-boutiques ils couraient comme des enfants pour en voir une passer devant l'église, en acquiesçant de la tête.   Mais 224 à la fois, c'était un pur émerveillement. Les plus rapides, les plus lourdes, les plus célèbres. C'étaient des reines — L'AUTOMOBILE était une reine, car elle n'avait pas encore été pensée servante, elle était née reine, et la course était son trône, sa couronne, les automobiles ça n'existait pas, pas encore, il n'y avait que des REINES, viens les voir à Versailles, en cette tiède nuit de mai, Paris mille neuf cent trois.

Pour partir elles attendirent l'aube. Puis, avec ordre, elles prirent la route pour Madrid.   Le règlement prescrivait qu'elles partent à une minute d'intervalle l'une de l'autre. Le parcours avait été dessiné en trois étapes : l'addition des temps désignerait le vainqueur. Il y avait aussi des motocyclettes : mais ce n'était pas pareil.
L'auto devant toi était un nuage de poussière parti un rien avant toi. Quand tu entrais dans l'épaisseur du nuage, tu la savais à ta portée. Tu ne la voyais pas, mais tu savais qu'elle était là. Alors tu te lançais dedans, sans rien voir. Ça pouvait durer comme ça des kilomètres. Quand enfin tu voyais son

dos, tu commençais à hurler, pour demander le passage. Tu restais dans cette poussière aveugle jusqu'à ce que tu arrives à sa hauteur et glisses ton museau devant le sien. Alors le nuage s'ouvrait et tu recommençais à voir ce qu'il y avait devant. Tout ce qui surgirait à présent, c'était pour toi, tu l'avais mérité dans cette folie du dépassement, et maintenant ça t'attendait. Un virage en coude, le goulet d'un pont, l'extase d'une ligne droite entre les peupliers. Les roues caoutchoutées frôlaient des fossés, des bornes, des parapets et les visages ébahis d'un public incrédule. Inimaginable, qu'on puisse en sortir vivant. Quant aux Espagnols, là-bas à Madrid, ils attendaient l'arrivée de la course pour le lendemain matin, à l'aube. Dans le doute, ils décidèrent de profiter de la nuit — en dansant. Les cheveux bien séparés comme des sillons de blé qui brillent sur la colline de ma cabeza, je suis le chef de rang de cette tablée qui compte maintenant 224 couverts, autant qu'en a voulu le roi, sous le grand dais bleu, de cette Espagne mille neuf cent trois. Face à la banderole de l'arrivée, ces miroitements de cristal et d'argent. L'une après l'autre j'ai essuyé toutes les coupes de cristal, et je recommencerai dans quelques heures, pour éliminer l'humidité du matin. J'ai promis qu'elles tinteraient parfaites au rugissement des automobiles reines — et je fais pour cela arroser les cent derniers mètres de route à des intervalles réguliers, toutes les deux heures et demie. Aucune poussière sur mon cristal, hombre   Donne-moi les lèvres des demoiselles qui se poseront sur le cristal, donne-moi leur souffle qui le voilera de buée — donne-moi le battement de leur cœur quand elles essaient leur robe, en ce moment même, devant des miroirs espagnols que je jalouserai toute ma vie   Alors que déjà les premières automobiles arrivent à Chartres. À

14

l'entrée des villes elles freinent et, au pas, escortées par des commissaires de course à bicyclette, elles traversent l'agglomération, comme des bêtes à la laisse. Frémissantes encore de la course à peine interrompue, elles avaient l'odeur grave des choses advenues. Les pilotes en profitaient pour boire, et nettoyer leurs lunettes. Ceux qui roulaient avec un mécanicien à bord, dans les automobiles les plus grosses, échangeaient quelques mots. Une fois en banlieue, le commissaire à bicyclette s'écartait, et les moteurs recommençaient à gronder vers la campagne. Le premier à arriver à Chartres fut Louis Renault. À Chartres il y avait la cathédrale, et dans la cathédrale il y avait les vitraux. Dans les vitraux il y avait le ciel.

Ils étaient des millions ceux accourus pour voir, agglutinés sur le bord des routes comme des mouches sur un sillage de sucre, goutte étirée qui s'écoule à travers les champs de France. Le premier à s'arrêter fut Vanderbilt, un cylindre fendillé dans le cœur de sa Mors, au profil de torpille. On le vit se ranger le long d'un canal. Le baron de Caters dépassa les trois hameaux de La Ronde, en saluant de la main, puis attaqua Jarrot et Renault, sur les interminables lignes droites qui longeaient le fleuve. À un endroit où se trouvait une courbe cachée, il déporta trop largement sa Mercedes et termina dans un coup de frein contre un marronnier. Le bois avait des siècles d'âge, il déchira l'acier. Une femme, à Ablis, depuis une demi-heure qu'elle entendait tout ce vacarme, sortit de chez elle pour aller voir. Elle ne posa même pas les œufs, deux œufs, qu'elle avait à la main, pour faire sa cuisine. Au milieu de la route elle attendit le prochain nuage de poussière, pour comprendre. Il arriva à une vitesse que la femme ne connaissait pas. La femme s'écarta avec une lenteur que le pilote avait oubliée. La main se referma sur les œufs. Le craquement des coquilles un dieu l'entendit, peut-être, au moment où la Panhard-Levassor de Maurice Farman balayait la vie de cette femme, l'envoyant rebondir à quelques mètres de là, où elle souffrit, puis mourut, d'une mort théoriquement hors de sa portée   Les premières nouvelles parlaient de Marcel Renault, un accident, mais rien de plus. On pouvait penser à une avarie. Puis le sillage de la course fut remonté par l'image d'un Marcel Renault couché par terre, sur le bord de la route, et d'un curé penché sur lui, tandis qu'à toute vitesse les autres passaient, suivant l'ordre de la course, couvrant de poussière l'extrême-onction. Quelque chose l'avait projeté au loin, dirent-ils plus tard, et les quatre roues sans contrôle s'en étaient allées vers le ventre noir de la foule. Nul ne pouvait dire pourquoi ça n'avait pas été un massacre. Marcel Renault, lui, était resté avec quelque chose de cassé à l'intérieur. À dire vrai il était mort.   Naturellement le vent soulève les nappes de lin et c'est agaçant, si bien que nous avons dû les enlever et la table n'est plus pareille. Au centre, des corbeilles de freesias. Rouges et jaunes, bien sûr, aux couleurs du royaume.   À la nouvelle de la mort de Renault, reçue par câblogramme, les Espagnols imaginèrent la minute de silence qu'ils observeraient en son honnour. Et en même temps l'idée se faisait jour dans les esprits que la course, par cette mort, avait acquis vraiment la dimension qui était la sienne, au point qu'aucune élégance ou richesse ne paraîtrait excessive, ou infantile, face à cela. Ils le comprirent avec un certain soulagement.

Alors qu'elle, la plus jeune, déclara qu'elle restait à la maison, jusqu'au coucher du soleil, et n'irait danser qu'à la nuit tombée. Pourquoi me fais-tu une chose pareille ? lui demanda son père. Elle était d'une beauté éblouissante. Elle s'arrangea une bouclette, sur la nuque Un grand tableau, installé près de la banderole de l'arrivée, donnait les informations sur la course, et à midi commencèrent à arriver de toute l'Espagne les connaisseurs, puis les premières familles nobles, certaines avec leurs enfants. Beaucoup avaient prévu de rentrer chez eux dans l'après-midi pour se changer et se rafraîchir avant la longue nuit. Puis quelqu'un dit que la Wolsley de Porter avait heurté un passage à niveau et qu'elle avait pris feu.

Ce que je ne peux oublier c'est le souffle des autres automobiles qui passent derrière moi, sans même ralentir, tandis que debout je regarde cet homme qui, avec une grande dignité, le dos droit contre son siège, les bras le long du corps, est en train de brûler, dans l'incendie de son automobile — sa tête seule penche sur le côté, pour nous dire qu'il est déjà mort. Il y a ceux qui arriveront chargés de seaux d'eau, bien après. La fumée noire sent la carcasse au soleil. Je vous dis que derrière moi les autos passaient, ce n'était pas une illusion. À l'entrée d'Angoulême, à trois kilomètres du contrôle, le paysan dit qu'il s'en foutait de ce qui pouvait bien se passer, il avait tout son travail à faire, alors il siffla son chien qui poussa les trois vaches pour traverser la route. Richard arriva à cent vingt kilomètres à l'heure, il n'essaya même pas de freiner, mais crut lire dans l'espace entre deux peupliers l'échappée ultime vers l'infini. Sa Mercedes répondit mal, et les deux peupliers se resserrèrent comme on n'aurait jamais cru. Richard mourut sur le coup, le bois luisant du volant telle une côte noire, parmi les siennes. Les câblogrammes répercutaient à Paris une histoire illisible, car partout où elle passait la course crachait dans le désordre des éclats télégraphiques semblables aux retombées d'une explosion. Signalons accident identifié. fantastique présence des foules. temps partiel au contrôle de Bartam. par mort survenue à 11 h 46. rend impossible garantir les conditions. Dans une telle confusion, les préposés au grand panneau de Madrid étaient à la peine sous le soleil haut à présent, accrochant et décrochant les pancartes, beaucoup opérant à la craie, pour écrire sur le noir du tableau. On leur passait des bouts de papier qu'ils piquaient sur un grand clou une fois qu'ils les avaient mémorisés puis retranscrits en grand pour les yeux de tous. Quand le clou débordait, un gamin le vidait dans les ordures. Mais ce gamin qui avait du talent ne jeta rien et le lendemain, chez lui, relut tout pour le plaisir. Et plus tard, dans la vie, fut incapable de lire quoi que ce soit d'autre, car toute littérature lui semblait une simplification pour enfants, ou une concession inutile aux sentiments En tout cas l'on convint que le mot approprié était *retirado*, qui ne faisait pas la distinction entre celui qui s'était arrêté sur le côté pour panne de moteur, et celui qui était mort une fois pour toutes dans un amas de ferraille et d'essence. Les *retirados* étaient inscrits dans la partie basse du grand panneau, en caractères d'imprimerie. Les gens regardaient la liste s'allonger, et certains commençaient en souriant à se demander s'il resterait quelque chose à voir, pour ceux qui attendaient dans la

dernière ligne droite à Madrid.   La beauté de
ma fille, voilà ce qu'il vous restera à voir, pensa-t-il
            Exactement à l'instant où l'énorme De Die-
trich pilotée par Stead décollait au-dessus du parapet d'un
pont, à Saint-Pierre-de-Palais, emportée par sa propre
vitesse. Les gens jurèrent que les roues tournaient encore
dans l'air comme des folles, brûlant les chevaux, un instant
avant que tout aille s'écraser dans le lit du cours d'eau. Elles
virent passer deux kilomètres en aval une eau troublée par
l'essence et le sang, les lavandières, et que pouvaient-elles y
comprendre.   Mais à Paris quelques-uns commencèrent à comprendre.

À portée de fusil du ruisseau qui saignait encore, en un endroit
appelé Bélamas, un brouillard de fatigue descendit sur les
paupières de Tourand, au trente-deuxième dépassement, et
l'automobile partit doucement sur le côté, comme si elle avait
seulement voulu aller faire un tour   L'enfant
cria, mais sans voix, rien que sa bouche grande ouverte
            Alors le soldat Dupuy, en permission, se lança
au milieu, entre l'automobile et l'enfant, pour interrompre la
ligne mortelle que le hasard dessinait et qui allait d'un
monstre à un enfant. L'énorme capot en forme de coquillage
le souleva de terre comme un chiffon, et le soldat Dupuy
avant de retomber était déjà mort en héros
Déviée par le pantin-soldat l'automobile revint au milieu de la
route mais tel un animal blessé s'emballa pour de bon et
coupa brusquement vers la droite, bondissant aveuglément
dans le public, et frappant au hasard. On apprit ensuite qu'un

homme était mort. Mais les pères amenaient encore leurs enfants, et les jeunes filles déambulaient par groupes, riant nerveusement, de long en large sur le bord de la route. Dans les boutiques les gens restaient des heures sur le seuil, à hocher la tête. Et ceux qui venaient acheter s'arrêtaient, et ils regardaient. Certains grimpaient dans les clochers pour mieux voir de là-haut, car tout semblait possible, ce jour-là. Trois millions de personnes, dit-on, alignées pour voir cette merveille, hypnotisées par ce miracle Dans les bureaux de Paris, petit à petit, les câblogrammes dessinèrent l'image d'un long serpent qui descendait la France sans contrôle, aveugle de fureur et d'épuisement, crachant son venin au hasard, exaspéré par la poussière et le fracas de la foule Pendant qu'autour du grand panneau de Madrid c'était encore tout un ballet fébrile de pancartes, propre et silencieux, dont personne n'aurait pu déduire autre chose que la juste animation d'une course et le fier enchaînement des épisodes sportifs. Les orchestres répétaient sous le soleil des musiques de cuivre, et les premiers à danser retrouvèrent des pas appris dans leur enfance et qui les élevaient à une beauté inattendue. Danseront-ils avec nous, les cavaliers couverts de poussière ? dis-moi, danseront-ils avec nous ? j'ai ce mouchoir, que je voudrais leur donner, et j'ai aussi un baiser, à conserver précieusement À Versailles, où tout a commencé, les jardiniers mesurent le désastre, dans le silence royal déserté, et tels des corbeaux sur les semailles ils vont et viennent sans trajectoire, penchés à ramasser les restes de la fête. L'un d'eux se redresse et regarde vers l'Espagne. Il a comme l'impression d'en voir une revenir, au ralenti, vaincue par un remords indicible. Mais les automobiles ne reviennent pas. On demanda à *monsieur le Pré-*

sident * ce qu'il en pensait, et il dit que c'était difficile à comprendre. Il dit que ce n'était pas bien clair, ce qui se passait. Il se tourna vers Dupin, parce qu'il avait confiance en lui. Dupin fit un geste dans l'air, comme pour indiquer un vol d'oiseaux. Une nuée d'oiseaux mis en fuite par un coup de fusil.

Pendant ce temps les premières automobiles arrivaient à Bordeaux, première ligne d'arrivée fixée dans la prose de la course. Des chronométreurs en complet élégant surveillaient les aiguilles sur les cadrans noirs, égrenant la poésie de nombres compliqués qui représentaient le temps. Les pilotes descendaient alors de leur siège et chancelants demandaient à boire, souriant par nécessité aux plaisanteries des gens. Aux grandes claques dans le dos. Quand ils relevaient leurs lunettes sur le front, leurs yeux hallucinés apparaissaient au milieu de la peau blanche. Comme les yeux de ceux qui ont vu des fantômes, ou des incendies.   De temps en temps je jette un coup d'œil au grand panneau parce qu'un chef de rang doit tout savoir, et ne se laisser surprendre par rien. Une plaisanterie sur le vainqueur, par exemple, peut adoucir le geste avec lequel on ramasse un couvert tombé, cela s'apprend avec le temps. Tout le temps que j'ai passé à virevolter entre des tables dressées. Si je mettais bout à bout mes pas, les pas de toute une vie, je pourrais arriver à Paris, un peu penché en avant, laissant derrière moi un sillage, discret, d'eau de Cologne. Un ange à contresens, hombre   Il ouvrit la porte, après avoir frappé, et lui dit qu'ils étaient arrivés à Bordeaux, mais sa fille ne

21

parut pas impressionnée, et ne daigna même pas se retourner, demandant seulement, d'une voix pleine d'ennui, si c'était une journée de vent. Je ne sais pas, dit-il. Tu ne sais pas, dit-elle, doucement.　　　　À Paris, les députés traînaient dans les couloirs, certains demandant avec énergie une intervention du gouvernement. Disons-le, la veille encore ils ne savaient pas vraiment ce qu'étaient les automobiles : ils les voyaient tout au plus comme des bijoux masculins hypertrophiés. Maintenant elles tuaient. Et ils en furent épouvantés : comme par la soudaine morsure d'un chien fidèle, ou la méchanceté d'un enfant, ou la lettre perfide d'une amante.　　　　Les aiguilles disaient que Fernand Gabriel était provisoirement premier, dans le chaos de Bordeaux. Il disait avoir effectué, entre le départ à Versailles et l'arrivée à Bordeaux, 78 dépassements. Ses mains tremblaient, et il se mit à rire car il n'arrivait même pas à allumer sa cigarette. Et tous rirent aussi, autour de lui.　　　　Levant les yeux vers Dupin, *monsieur le Président** demanda dans combien d'heures ils auraient tous disparu du sol français, pour aller ensanglanter les routes de l'Espagne. Dupin consulta une feuille de papier qu'il avait à la main.　　　　Au deux cent soixante et onzième kilomètre, encore en course, Loraine Barrow sentit que ses bras étaient ceux d'un autre, et le volant un objet étrange devant ses yeux. Il voyageait avec son mécanicien à côté de lui. Qui essaya de lui crier quelque chose, sans qu'un son sortît de sa gorge.　　　　Je n'ai peut-être pas encore dit que la famille royale viendra s'asseoir à cette table, ce qui explique le calme que j'affecte, et le silence des gestes, et la lumière dorée de cet *après-midi**　　　　Mais être mécanicien en course avait toujours été son rêve, et il ne fut pas trop triste quand il vit le hêtre séculaire foncer sur lui et

engloutir l'auto qui s'était elle-même égarée entre les bras endormis de Loraine Barrow.   Qui l'aurait cru, finir comme un vers de poète espagnol déroulé à la craie sur un grand tableau noir, *Retirado Loraine Barrow* — l'explosion, elle, resta en France, et le sang et la fumée — en Espagne, seulement ce vers, ce vers de poète, qui danse
Dupin corrigea l'information, ajoutant la vie tranchée du mécanicien au décompte de la folie / la minutie des chronométreurs, et les applaudissements joyeux des vieillards, sur le bord de la route / à la sortie de Bordeaux ils étaient déjà des milliers qui attendaient de les voir repartir / rappelez-moi combien elles en ont tués, dit *monsieur le Président**, fatigué   mais comme seuls courent les enfants, ils courent tous les deux, de la campagne vers la route, vers la grande course, tout seuls, tout petits, en cachette de tout le monde, courant puis marchant, puis courant à nouveau, et CRIANT quand la route est en vue, criant des sons, et non des mots, comme les oiseaux dans le ciel des avenues l'été : à la fin ils arrivent où sont les gens, ils se glissent entre les pantalons de ceux qui attendent, jusqu'au premier rang, la trace blanche de la route dans les yeux et là-bas la ligne de la colline, ultime horizon, ventre d'où jaillira le miracle, la bouffée d'un nuage de poussière, un bruit qu'ils ne connaissent pas, et quelque chose dont ils se souviendront éternellement comme de la première aurore de leur vie. Complètement haletants. Ils échangent un regard. Amis à la vie à la mort.   Mais : Dupin replie la feuille et la met dans sa poche. une rafale de vent espagnol soulève la nappe de lin, sous les coupes de cristal. à Versailles les corbeaux lèvent brusquement la tête comme au carillon d'un clocher inconnu. *monsieur le Président* fait un geste sec, de sa main ouverte, une main blanche, comme une lame. Arrêtez ces imbéciles, dit-il.* de la

main le chef de rang lisse à nouveau les plis de la nappe, le vent les dessine, et lui les efface. le paisible Dupin s'incline légèrement et sort de la pièce. ils sont quarante mille, à cet instant-là, qui dansent à Madrid, sans savoir. Que *c'est fini* *.

En effet, il mit fin à la course par un décret foudroyant et solennel, le gouvernement français. On étouffa le monstre, avant qu'il puisse tuer encore.   Ils n'étaient pas sans craindre, les Français, de déplaire au roi d'Espagne, Alphonse XIII, qui attendait à Madrid les automobiles reines, dans le luxe et les mondanités. Aussi suggérèrent-ils aux organisateurs de transporter les automobiles en train de Bordeaux jusqu'aux Pyrénées. Puis, en terre d'Espagne, de reprendre la course, jusqu'à la royale arrivée prévue. C'était une idée.   Toutefois elle ne plut pas au roi d'Espagne, pour des raisons qu'il ne jugea pas opportun de dévoiler. En signe de deuil il fit démonter avant le soir les loges qui auraient dû accueillir la crème de toute l'Espagne. Il interdit la musique et défendit les danses, à partir du coucher du soleil, pour trois jours. On dégonfla les grands dais bleus sous lesquels la magie de la lumière électrique était préparée. Et lentement, à larges coups de chiffon, quelqu'un balaya la craie sur le grand tableau noir, changeant la gloire des noms et la vérité de la sanction chronométrique en poussière blanche, dans le vent, sur les mains, et sur les habits   J'ai appris la nouvelle, la tête légèrement penchée en avant, avec le sourire. J'ai exigé de mes serveurs qu'ils n'enlèvent pas leurs gants de flanelle blanche, car on doit à cette table l'honneur, et le respect. Dans ces cas-là

24

— qui peuvent arriver — l'ordre à observer, pour débarrasser la table, est le suivant : cristallerie, couverts, assiettes, serviettes. Puis le décor de table. Pour finir nous soulèverons la grande nappe en lin — comme une voile — en la repliant sept fois, là où le tissu conserve encore la marque du fer chaud. Ainsi se fermera le cercle des choses non advenues qui, dans notre métier, comme dans la vie, veille sur le secret, et le sens profond, de tout ce qui est. Je rentrerai chez moi en marchant lentement, la tête droite, et une cigarette aux lèvres. Je puis assurer qu'il n'y aurait pas eu de poussière sur le cristal de mes coupes, si cela intéresse quelqu'un. Mais cela non plus, nul n'est tenu de le savoir, à part moi. Entre mes draps détrempés, lent à venir sera le sommeil, dans la sueur de la nuit. Que Dieu me sauve de ma solitude. Ma fille, pourquoi danses-tu seule sur la piste déserte de cette nuit ratée, au milieu d'hommes déjà disparus et de soupirs imaginaires ? Quel temps mesure donc ton cœur malade de lenteur et de présomption, pour arriver toujours à l'heure inutile ? Ils n'attendront pas plus longtemps ta beauté, et ma fierté mourra de n'être pas nourrie. Que le châtiment soit clément, après un tel gâchis. Et prudent l'ange qui veille sur nos solitudes. Les automobiles restées là furent tractées jusqu'à la gare, et chargées sur un interminable convoi ferroviaire qui, à petite vitesse, les ramena à Paris.

L'ENFANCE D'ULTIMO

Ultimo s'appelait ainsi parce qu'il avait été le premier enfant.

— Et le dernier, avait aussitôt précisé sa mère, dès qu'elle eut repris ses sens après l'accouchement.

Il fut donc Ultimo, le dernier.

Au début, il n'avait pas l'air de l'entendre ainsi. Durant les quatre premières années de sa vie, il se coltina toutes les maladies possibles. Il fut baptisé trois fois : le curé n'arrivait pas à donner l'extrême-onction à une aussi petite chose, avec des yeux pareils : si bien qu'il optait chaque fois pour le baptême, histoire de ne pas repartir sans avoir administré.

— Pourra pas lui faire de mal.

Et de fait, Ultimo en sortit toujours vivant : petit, sec, blanc comme un linge, mais vivant. Il a le cœur solide, disait son père. Il a du bol, disait sa mère.

C'est donc vivant qu'à l'âge de sept ans et quatre mois, en novembre 1904, son père l'emmena dans l'étable, lui désigna les vingt-six Fassones du Piémont qui étaient toute sa richesse, et l'informa qu'il ne fallait pas encore en parler à maman, mais qu'ils allaient s'en débarrasser, une fois pour toutes, de cette montagne de merde.

Il fit un grand geste, plutôt solennel, qui embrassait la

pièce tout entière, sombre et nauséabonde. Puis, très lentement, il scanda :

— *Garage* * Libero Parri.

Libero Parri, c'était son nom. Garage, c'était un mot français qu'Ultimo n'avait jamais entendu jusque-là. Sur le moment il pensa que ça devait vouloir dire quelque chose comme « élevage » ou à la rigueur « laiterie ». Mais la nouveauté, il ne la voyait pas.

— On réparera les automobiles, expliqua son père, lapidaire.

Ça, en effet, c'était une nouveauté.

— Elles n'existent pas encore, les automobiles, fit remarquer sa mère, quand elle finit par être informée de la chose, un soir au lit, toutes lumières éteintes.

— C'est une question de mois et elles existeront, décréta Libero Parri, son mari, en glissant la main sous sa chemise de nuit.

— Il y a le petit.

— Pas de problème, il y aura du travail pour lui aussi, il apprendra.

— Il y a le petit, enlève ta main.

— Ah, dit Libero Parri en se rappelant que l'hiver ils dormaient tous dans la même pièce, pour économiser le chauffage.

Ils restèrent un moment comme ça, la discussion en pause. Puis il repartit à la charge.

— J'en ai parlé avec Ultimo. Il est d'accord.

— Ultimo ?

— Oui.

— Ultimo est un enfant, il a sept ans, il pèse vingt et un kilos et il a de l'asthme.

— Quel rapport, il est spécial, cet enfant.

Dans la famille, on pensait que c'était un enfant spécial. À cause de toutes ces maladies, et d'autres histoires difficiles à expliquer.

— Tu ne pourrais pas en parler avec le Tarìn, plutôt?

— Il comprendrait pas. Il est comme les autres, il ne pense qu'à la terre, la terre et les bêtes, il me dirait que je suis fou.

— Il aurait peut-être raison.

— Non, il n'aurait pas raison.

— Qu'est-ce qui te fait dire ça?

— Il est de Trezzate.

Dans le coin, c'était un argument imparable.

— Alors parles-en avec le curé.

Si Libero Parri n'était pas athée ni socialiste, c'était par manque de temps. Il s'agissait de trouver une ou deux heures pour s'informer un peu, et il le deviendrait. En attendant, il détestait les curés.

— D'autres conseils? demanda-t-il.

— Je plaisantais.

— Non, tu ne plaisantais pas.

— Je te jure que je plaisantais —, et elle allongea la main vers le pantalon de son mari. C'était quelque chose qu'elle aimait bien.

— Le petit, marmonna Libero Parri.

— Fais comme si de rien n'était, suggéra-t-elle.

Elle s'appelait Florence. Son père était un Français qui avait tourné pendant des années dans toute l'Italie en vendant une chaussure de son invention. En fait, c'était une chaussure normale mais à laquelle on pouvait ajouter, si besoin était, un talon. Tu pouvais le mettre et l'enlever grâce à un système très commode de tendeurs. L'avantage c'était qu'avec une seule paire de chaussures tu en avais deux, une pour le travail et une pour le soir. Des inconvénients, selon lui, il n'y en avait aucun. Un jour il était allé à Florence, et il en était resté comme envoûté. C'est pourquoi il avait donné ce prénom-là à sa première fille. À Rome aussi, d'ailleurs, il avait pris du bon temps : si bien que son fils aîné il l'avait appelé Roméo. Du coup il avait viré shakespearien et depuis lors ce n'étaient plus que des Juliette, Richard et autres noms de même acabit. C'est important, comment les gens choisissent les prénoms. Mourir et donner des noms — on ne fait rien de plus *sincère*, sans doute, pendant tout le temps où on vit.

Florence compléta ce petit travail en se glissant sous les couvertures et en finissant avec la bouche. Ce n'était pas une pratique habituellement jugée conforme pour une épouse mais dans le coin, cette manière de faire l'amour s'appelait *à la française*, et elle s'y sentait par conséquent autorisée.

— J'ai fait du bruit ? demanda, ensuite, Libero Parri.

— Je ne sais pas, mais je ne crois pas.

— Espérons.

De toute façon Ultimo n'aurait rien entendu car s'il était physiquement dans son lit, au fond de la chambre, dans sa tête il était sur la route qui menait à la rivière, deux hivers plus tôt, à côté de son père, en train d'attendre. Matin, très tôt. La campagne crissant encore de la rosée de la nuit, sous la pâle lumière d'un soleil empli de bonne volonté. De la maison il avait apporté une pomme, pour la manger, et il était en train de la frotter sur la manche de son manteau. Son père fumait, et fredonnait. Ils avaient parcouru à pied la distance de la maison jusqu'au carrefour de Rabello, et maintenant ils étaient là, à attendre.

— Où tu l'emmènes ? avait demandé sa mère.

— Affaires d'hommes —, avait répondu Libero Parri,

après quoi Ultimo ne s'était plus posé de questions parce que si tu as cinq ans et que ton père t'emmène avec lui de cette manière-là, tu es content un point c'est tout. Alors il avait trottiné derrière lui jusqu'au carrefour de Rabello. Il l'avait fait sans savoir qu'une fois grand, il reverrait cette image sans cesse, précisément celle-ci : la silhouette massive de son père qui marchait à grands pas devant lui, sur fond de brouillard matinal, *sans jamais se retourner*, ni pour l'attendre ni pour vérifier s'il était toujours là. Dans cette sévérité, dans cette absence totale de doute, il y avait tout ce que son père lui avait appris de la manière d'être père : qui est de savoir marcher sans jamais se retourner. Marcher du pas long des adultes, sans pitié, mais un pas limpide et régulier, pour que ton fils puisse le comprendre et le suivre, malgré son pas d'enfant. Et le faire sans jamais se retourner, si tu en as la force : pour qu'il sache qu'il ne se perdra pas, et que marcher ensemble est un destin dont il ne faut jamais douter, puisqu'il est écrit dans la terre.

Puis, au loin, Ultimo vit s'élever un nuage de poussière. Son père ne dit rien mais jeta sa cigarette et posa la main sur son épaule. Le nuage descendait de Rabello, en suivant les courbes de la route. Et avec lui s'approchait un bruit qu'Ultimo n'avait jamais entendu, comme le grommellement d'un démon de métal. Il vit d'abord les grandes roues et le rictus d'un énorme radiateur. Puis un homme, assis incroyablement haut, raide dans la poussière, avec d'immenses yeux d'insecte. La chose étrange pointait droit sur eux, à une vitesse inouïe, dans le fracas grandissant de ses entrailles. C'était une vision effroyable, et Ultimo devina peut-être quelque chose de son destin quand il s'aperçut que dans sa tête, dans son cœur, dans ses nerfs il n'y avait pas de peur, à ce moment-là, nulle part, pas même un souffle, de peur, mais seulement le désir, inconditionnel, et l'urgence, de se laisser prendre par ce nuage de poussière qui fonçait maintenant sur eux dans un grand bruit de ferraille en descendant la colline, droit vers le carrefour : l'homme-insecte impassible là-haut, les roues qui encaissaient les trous de la chaussée, dans un roulis dégingandé de radeau naufragé en mer, mais un radeau qui sait ce qu'il fait et qui, dans un hurlement de fer de toutes ses entrailles, voit le carrefour et instantanément le déchiffre, le découpe, en un certain sens, en inclinant à droite la couple de ses roues caoutchoutées. Ultimo sentit la main de son père, sur son épaule, se serrer, et il vit l'homme là-haut se jeter sur le côté, les deux mains accrochées au volant, comme si c'était lui qui le retenait ce grand animal incandescent, par la seule force de ce geste audacieux qu'Ultimo lui envia tout de suite, le percevant presque en lui-même, comme s'il l'avait toujours connu — la fatigue des bras, la force invisible qui t'emporte, la vision oblique de la route, l'envol qui semble contre le vent. À la fin, se glissant avec solennité dans la nouvelle direction demandée, le grand animal découvrit à leurs yeux son flanc, et avec beaucoup d'élégance y révéla la silhouette d'une femme, invisible car posée dans un retrait plus intime entre les côtes de métal, sur un siège plus bas, qu'Ultimo devina cependant aussi royal qu'un trône, peut-être à cause du grand chapeau, rose, que la femme portait sur la tête, noué sous le menton par un foulard couleur d'ambre. Il ne l'oublierait plus jamais, cette femme, le cou penché sur le côté, comme pour accepter l'appel de la courbe, en un geste qui répétait l'acrobatie du pilote, mais avec une indicible gentillesse — ou un élégant scepticisme, qui sait.

Sur ses nouveaux rails, la proue tournée vers le fleuve et vers le midi, l'animal disparut rapidement à la vue, avalé par la poussière. Ultimo et son père restèrent immobiles au même endroit, à écouter les notes lointaines du concerto mécanique filer entre les peupliers, vers le néant. Il y avait dans l'air une odeur complètement étrangère à la campagne, et qui deviendrait plus tard, des années durant, leur parfum à eux, que leurs femmes apprendraient à aimer.

Libero Parri attendit que l'air redevînt limpide, et silencieux. Puis il parla clairement :

— Ta mère, on lui dit rien.

— Non, convint Ultimo.

Il venait de voir sa première automobile. Pour être plus précis, il l'avait vue *au moment de négocier une courbe*, c'est-à-dire dans la démonstration parfaite et contrôlée d'un changement de direction : ce qui pourrait expliquer la folie à laquelle cet enfant, devenu adulte, consacrerait une si grande part de sa vie.

Ferraillant dans la grande courbe, il était en train de la revoir, cette automobile, quand le sommeil s'empara de lui, dans le noir, à quelques mètres du lit où son père et sa mère venaient de finir de s'aimer *à la française*. Si bien qu'il ne les entendit pas rire tout bas, et ne s'aperçut pas non plus que son père se levait et allait chercher quelque chose dans l'autre pièce. Il revint tenant à la main une bougie allumée et une feuille de papier. Sur la feuille il était écrit que le comte Palestro lui achetait ses vingt-six Fassones du Piémont pour la somme, modérément élevée, de seize mille lires. Florence Parri prit la feuille de papier et lut ce qu'il y avait à lire. Puis souffla la bougie.

Ils étaient l'un à côté de l'autre, sous les couvertures, immobiles.

Son cœur battait fort, à Libero Parri.

Enfin elle parla.

35

— Libero, tu ne sais même pas comment elles sont faites, les automobiles.

Il s'était préparé.

— S'il n'y a que ça, ma petite, personne ne le sait.

Le livre sur lequel Libero Parri et son fils Ultimo apprirent comment étaient faites les automobiles était en français (*Mécanique de l'automobile* *, Éditions Chevalier). Ce qui explique que, pendant les premières années, quand vraiment ils ne s'en sortaient pas, couchés sous une Clément Bayard 4 cylindres ou penchés sur l'intérieur d'une Fiat 24 chevaux, Libero Parri ait eu coutume de sortir de l'impasse en disant à son fils :

— Appelle ta mère.

Florence arrivait les bras chargés de linge, ou la poêle à la main. Ce livre, elle l'avait traduit mot après mot, et elle se le rappelait par cœur. Elle se faisait raconter le problème, sans accorder le moindre regard à l'automobile, remontait mentalement à la bonne page et délivrait son diagnostic. Puis elle faisait demi-tour et rapportait le linge à la maison. Ou la poêle.

— *Merci* * —, marmonnait Libero Parri, hésitant entre l'admiration et la crise de rogne pure et simple. Quelque temps après, de l'ancienne étable devenue garage, montait le vrombissement du moteur ressuscité. Et voilà.

Du reste, la chose arrivait très rarement, puisque, pendant toutes les premières années, le Garage Libero Parri dut s'adapter, pour survivre, aux réparations en tout genre, sans faire dans le détail. Des automobiles, il en arrivait peu, et cela allait donc des lames de charrues aux poêles en fonte, en passant par les horloges. Quand, à la demande générale, Libero Parri dut ouvrir un service de ferrage pour les chevaux du coin, un autre y aurait vu une défaite humiliante : pas lui, qui avait lu quelque part que les premiers à se faire de l'argent en fabriquant des armes à feu avaient été ceux-là mêmes qui, la veille encore, vivaient de l'affilage des épées. Le fait est — comme n'avait pas manqué de le relever Florence, en son temps — que les automobiles n'existaient pas encore, ou du moins, si elles existaient, n'existaient pas par ici. Si bien que l'arrivée à l'horizon du nuage de poussière salvateur accompagné de son concerto mécanique était une rareté saluée avec ironie par toute la circonscription. Ça arrivait si rarement, que quand ça arrivait, Libero Parri montait sur sa bicyclette et allait chercher son fils à l'école. Il entrait dans la salle de classe, le chapeau à la main, et disait seulement :

— Une urgence.

La maîtresse savait. Ultimo jaillissait tel un projectile, et une demi-heure plus tard tous deux se lubrifiaient les idées sous des capots qui pesaient aussi lourd que des veaux.

Ce furent ainsi des années de labeur, passées à économiser sur tout, à attendre des nuages de poussière qui ne venaient pas. Ce qu'ils pouvaient vendre ils le vendirent, et à la fin Libero Parri dut se résigner à mettre sa cravate pour aller parler avec le directeur de la banque. Une urgence, dit-il, le chapeau à la main. Dans le coin, les gens étaient fiers à s'en rendre malades : quand l'homme allait à la banque le chapeau à la main, les femmes, à la maison, cachaient le fusil de chasse, pour éviter les tentations. À son retour, Libero Parri avait hypothéqué jusqu'à la ferme, mais on ne le vit pas douter pour autant, pas même ce jour-là. Il rit et plaisanta tout le dîner. Il savait que l'avenir était en route et qu'il était le seul, lui, à pouvoir l'attendre sans peur. Parce qu'il avait vingt-cinq bidons remplis d'essence, dans son appentis, et c'était la seule essence dans un rayon de cent kilomètres. Parce qu'il était le seul homme, d'ici jusqu'à l'horizon, qui sût ce que c'était qu'un joint de culasse, et comment on refait une bielle. Parce qu'il était, quoi qu'il arrive, le premier Parri, depuis six générations, à ne pas avoir les mains qui sentaient la vache. Aussi mangea-t-il de bon appétit ce soir-là. Il reprit même deux fois de la soupe. Puis, satisfait, il sortit se balancer sur une chaise, appuyé au mur de la cour, face au coucher de soleil. Il y avait aussi le Tarìn, son copain, celui de Trezzate. Il était venu dire bonsoir, comme ça, par précaution. Mais cette histoire de la banque, ils n'en avaient même pas parlé. Libero Parri semblait pris par d'autres pensées.

— Sens-moi ça..., dit-il à un moment, en inspirant avec délice l'air du soir.

— Quoi? demanda le Tarìn.

— L'odeur de fumier, expliqua Libero Parri, en recommençant à inspirer théâtralement.

Le Tarìn renifla un ou deux coups, mais sans conviction.

— Y a pas d'odeur de fumier, dit-il.

— Justement, conclut Libero Parri, triomphal.

C'était le genre de choses qu'il adorait.

La nuit, il se jeta sur le lit, et il comprit aussitôt que quelque chose n'allait pas.

— Putain mais qu'est-ce qu'il y a là-dessous?

Sa femme se leva, ôta le fusil de chasse de sous le matelas, et alla le remettre à sa place. Quand elle revint sous les couvertures, Libero Parri lui agita sous le nez une feuille de journal.

— Tu ne veux toujours pas comprendre —, lui dit-il en lui passant le journal. Florence lut que trois Italiens — Luigi Barzini, Scipione Borghese et Ettore Guizzardi — avaient fait seize mille kilomètres en automobile, de Pékin jusqu'à

Paris. Montés sur une Itala de quarante-cinq chevaux et pesant mille trois cents kilos, ils avaient traversé le monde et l'avaient fait en seulement soixante jours.

— C'est drôle. Je ne les ai pas vus passer, dit Florence, pragmatique.

— Moi si, grommela Libero Parri, en toute bonne foi.

Parce que lui, il les avait vus passer. Il les voyait passer chaque minute de sa vie, avec une confiance inébranlable. Ils étaient couverts de poussière, et, d'une main — gantée —, ils saluaient.

L'avenir arriva à pied, en 1911, un après-midi de mars où il pleuvait. Libero Parri le vit de loin. Il vit le long cache-poussière et reconnut les grosses lunettes, remontées, sur la coiffe en cuir. Il n'y avait pas l'automobile, mais le reste, si.

— Ça y est —, susurra-t-il à Ultimo, qui était en train de redresser une roue de bicyclette. Et pour éviter tout malentendu, il cacha le bidon de lait qu'il était occupé à rafistoler, et s'en alla s'asseoir à côté d'une pile de pneumatiques qu'il venait d'acheter, usagés, à la caserne de Brandate. Ils faisaient très bel effet.

L'homme en cache-poussière marchait lentement. Il s'abritait de la pluie sous un grand parapluie vert, ce qui lui donnait une vague touche irréelle. Prophétique, si on veut. Il arriva devant le garage et resta quelques instants à regarder, inexplicablement, ce petit garçon et la bicyclette. Puis il lut l'enseigne. Il la lut lentement, l'air de déchiffrer une inscription de l'Antiquité. À la fin, ses yeux redescendirent sur Ultimo.

— C'est vrai que vous avez de l'essence, ici ?

Ultimo se tourna vers son père. Libero Parri faisait semblant de compter ses pneumatiques.

— C'est vrai, dit-il du ton de celui qui en a marre de toujours répondre à la même question.

L'homme au cache-poussière ferma son parapluie et vint se mettre à l'abri, près des pneumatiques. Il resta un peu là, à regarder la campagne se noyer, autour d'eux. Puis il se tourna vers Libero Parri.

— Je ne voudrais pas être discourtois, mais quel putain de sens ça peut bien avoir, d'ouvrir un garage au milieu de cette gadoue ?

— Nous comptons grandement sur les couillons qui se retrouvent sans essence au milieu des champs.

L'homme fixa Libero Parri comme s'il commençait seulement à le voir. Puis il ôta un de ses gants et tendit la main.

— Très heureux, comte D'Ambrosio. Ne vous faites pas trop d'illusions : je ne suis pas aussi couillon que j'en ai l'air.

— Libero Parri, enchanté. Je ne me fais pas d'illusions.

— Parfait.

— Parfait.

Des années plus tard, ils seraient dans les journaux, côte à côte, devenus presque un nom unique : D'Ambrosio Parri. Mais ils ne pouvaient pas encore le savoir. Ils en étaient seulement au début.

— Vous en avez vraiment, de l'essence ?

— Autant que vous en voulez.

— Et un bain chaud ?

Pour finir, le comte s'arrêta sécher son âme au feu de la cuisinière. Puis Florence ajouta une assiette, et le dîner passa comme une fleur au milieu des bavardages. Ils parlèrent des moteurs à méthane, des usines de Turin et de la manière de cuisiner la tête de veau. Quand le vin fit son effet, ils dérivèrent bruyamment vers certaines histoires de femmes andalouses et de parfums français. Il y eut même une plaisanterie sur le roi, mais pendant qu'Ultimo était de l'autre côté, dans la chambre, pour y prendre quelque chose.

Il faisait nuit noire quand D'Ambrosio décida que c'était l'heure de partir. Il passa son cache-poussière, enfonça la coiffe en cuir sur sa tête, mit les grosses lunettes dans sa poche et, en enfilant ses gants dans un geste théâtral, il se dirigea vers la porte. Dehors le vent avait balayé la pluie, et le noir de la nuit semblait comme repeint de frais.

— Quelle merveille —, commenta D'Ambrosio, sur le seuil, en respirant l'air piquant. Il s'inclina vers son public et s'éloigna sans ajouter un mot. Il disparut dans la nuit, marchant avec une certaine fierté dans la direction d'où il était arrivé.

Libero Parri alla fermer la porte puis revint à table. Ils restèrent un peu là, Florence, Ultimo et lui, à jouer avec les miettes sur la nappe à carreaux bleus et blancs.

— Excellent, ce bouilli, dit Libero Parri, pour gagner du temps.

— Il a eu l'air d'apprécier, non ?

— Il a même oublié son parapluie, nota Ultimo.

Libero Parri fit vaguement un signe en l'air, comme pour dire qu'on n'allait pas mégoter. Puis ils entendirent frapper à la porte.

Le comte D'Ambrosio semblait encore plus gai qu'avant.

— Pardonnez ce détail, mais j'ai le souvenir très net que j'avais une automobile, en arrivant.

Libero Parri reconstitua pour lui la séquence de la journée. Depuis l'essence jusqu'au vin.

— Ça a dû se passer comme ça, oui —, concéda le comte. Puis il dit que, quant à lui, un fauteuil lui conviendrait parfaitement. Jamais eu de problèmes pour dormir.

On l'installa dans la chambre avec Ultimo, en allant chercher à la cave un lit de camp qui y vieillissait. Avant d'éteindre la bougie, D'Ambrosio avertit :

— Ne fais pas attention si je parle en dormant. Généralement, ça ne présente aucun intérêt.

Ultimo dit que ce n'était pas un problème, que lui aussi il parlait en dormant.

— Bien. C'est une chose qui plaît aux femmes.

Puis il ajouta une remarque sur le silence de la campagne, mais ce n'était pas très clair. D'un souffle, il éteignit la bougie. Ultimo se demanda s'il fallait dire quelque chose du genre bonne nuit. Mais au même moment il entendit un grincement et comprit que le comte s'était redressé sur un coude. Il avait encore un doute à dissiper.

— Tu dors déjà ?

— Non.

— J'aurais une question.

— Oui ?

— À ton avis, ton père est fou ?

— Non, monsieur.

— Réponse exacte, mon garçon.

Ultimo l'entendit se laisser retomber sur le lit, comme s'il avait un souci de moins.

— Bonne nuit, monsieur.

Il n'y eut pas de réponse.

Mais au bout de quelques instants, Ultimo entendit une sorte de marmonnement :

— Eh bien, dis donc : ça faisait des années que personne ne me l'avait dit.

Le lendemain était un dimanche. Son réservoir rempli, le comte D'Ambrosio décida que par une matinée aussi limpide une seule chose s'imposait : une leçon de conduite. Assis sur une pile de pneumatiques, Ultimo vit son père chausser les grosses lunettes et poser ses mains sur le volant. Il l'avait déjà vu comme ça, par le passé, mais la suite c'était son père qui faisait le moteur avec la bouche et qui mimait les virages, en se démenant sur son siège : pour dire les choses telles qu'elles étaient, l'automobile était toujours très immobile. Cette fois, par contre, c'était pour de vrai. Libero Parri écouta les recommandations méthodiques du comte en fixant un point imaginaire droit devant lui. Puis il posa une question qu'Ultimo n'entendit pas bien.

— Ne dites pas de conneries —, répondit D'Ambrosio, mais en souriant.

Pendant quelques instants il ne se passa rien. Libero Parri était toujours pétrifié, le regard fixé droit devant lui. Les mains serrées sur le volant, les bras raides. Une statue. Florence, qui était venue sur le seuil, une poule à la main, morte, hocha la tête.

— Depuis quand il n'a pas respiré ?

Avant qu'Ultimo puisse répondre, on entendit un claquement métallique. Puis l'automobile se mit doucement en marche, parfaite, une boule de billard sur une pente de feutre. Elle s'engagea sur la route comme si elle le faisait depuis toujours et s'éloigna sans hâte à travers la campagne. Ultimo vit le nuage rond de poussière qui s'élevait sur la campagne et pendant un instant il sentit qu'il serait toujours en sécurité, car ce nuage était son père, et son père était Dieu.

Ils restèrent silencieux, jusqu'à ce que le bruit du moteur se fût perdu au loin. Puis Ultimo dit :

— Il reviendra, hein ?

— S'il réussit à tourner...

Ils surent ensuite que Libero Parri avait tenu à entrer dans le village et, en dépit des protestations du comte, l'avait traversé, à vitesse soutenue, en criant des phrases décousues où il était question de vaches, du directeur de la banque et peut-être bien, aussi, des curés.

— Non, je n'ai pas du tout parlé des curés.

— Bizarre, j'aurais juré avoir entendu le mot curé.

— Curer l'étable, j'ai parlé de *curer* l'étable.

— Curer la merde ?

— C'est ça, curer la merde dans l'étable.

— Ah.

— Laisse tomber, comte, ces trucs-là, tu ne peux pas comprendre.

Ils étaient passés au tutoiement. Mais s'en tenaient pour le moment aux noms de famille.

— Tu t'en es bien sorti, Parri.

— J'ai un bon maître.

Les choses en seraient restées là, si le comte n'avait pas clairement senti qu'il manquait un détail à la discipline de cette matinée. Il se retourna donc et trouva les yeux d'Ultimo, suspendus, là, dans l'air de la cour, attendant. Comme s'ils étaient là depuis la préhistoire. Flottant au-dessus des grommellements du moteur qui tournait encore.

— Ça te plairait de faire un tour, mon garçon ?

Ultimo sourit et lança un regard à son père. Libero Parri donna un coup d'œil à Florence. Florence s'arrangea une mèche de cheveux derrière l'oreille et dit :

— Oui, ça lui plairait.

Alors il grimpa sur le siège, glissa les mains sous ses fesses et, pour être encore plus haut, serra les poings.

— Où tu veux aller ? On passe devant l'école en criant maîtresse de merde ?

— Non, je veux aller au dos-d'âne de Piassebene.

Le dos-d'âne de Piassebene était un talus inexplicable au beau milieu de la plaine. Personne ne savait trop ce qu'il y avait, là-dessous, mais la campagne qui, de fait, courait sur quelques kilomètres, plate comme un billard, donnait à cet endroit-là un coup d'épaule, pour revenir ensuite à son mutisme. Et la route sautait avec elle. Quand ils passaient par là à pied, Ultimo et son père, ils finissaient toujours par se mettre à courir, dès qu'ils étaient au pied, puis au sommet du dos-d'âne ils sautaient face à la plaine, en hurlant leur nom. Puis adoptaient de nouveau en silence le pas ordonné des gens de la campagne, comme si rien ne s'était passé.

— Va pour le dos-d'âne de Tassabene.

— Piassebene [1].

— Piassebene.

— Par là tout droit.

Le comte D'Ambrosio enclencha la vitesse, en se demandant ce qui, chez ce petit garçon, n'était pas normal. Il se le rappelait la veille, sous cette pluie, penché sur la bicyclette, sous l'enseigne GARAGE : si absurde que cela puisse paraître, *il y avait surtout lui*, dans ce petit paysage : tout le reste était un pas derrière. Tout à coup l'idée lui vint qu'il avait déjà vu quelque chose de semblable, et c'était justement dans les tableaux qui racontent la vie des saints. Ou du Christ. Il y avait toujours des tas de gens, et certains pouvaient même faire des choses bizarres, c'était *le saint* qu'on voyait tout de suite, pas besoin de le chercher, ce que les yeux captaient en premier dans les yeux c'était le saint. Ou le Christ. Si ça se trouve je suis en train de trimballer l'Enfant Jésus dans la campagne, se dit-il en riant tout bas : et il se tourna vers lui. Ultimo regardait droit devant, les yeux tran-

---

1. Littéralement : *Tassabene* : « Taxebien » ; *Piassebene* : « Plaîtbien ».

quilles, sans se soucier de l'air et de la poussière : sérieux. Il ne tourna même pas la tête, quand il lui dit à haute voix :
— Plus vite, s'il vous plaît.

Le comte D'Ambrosio recommença à s'occuper de la route et vit le dos-d'âne juste devant lui, absurde et évident, dans la paresse de la campagne. En d'autres circonstances, il aurait relâché l'accélérateur pour accompagner la bosse du terrain avec la force légère d'une inertie contrôlée. Ce fut avec un certain étonnement qu'il se surprit tel un gamin à mettre les gaz.

Sur le talus, les 931 kilos du monstre de fer se détachèrent du sol avec une élégance qu'il gardait pour soi, secrètement, depuis longtemps. Le comte D'Ambrosio entendit le moteur rugir dans le vide, et devina le battement d'ailes des roues qui s'enroulaient dans l'air. Les mains serrées sur le volant, il lança un cri de surprise pendant que le petit garçon à côté de lui, avec une froideur et une joie tout autres, hurlait, curieusement, son propre nom, à gorge déployée.

Nom et prénom, pour être exact.

La voiture, ce fut Libero Parri qui dut venir la récupérer, avec la carriole et les chevaux. Ils la tirèrent jusqu'à l'atelier et il leur fallut ensuite travailler dessus une semaine. Pour voler, elle avait volé, et bien. C'était après qu'elle s'était un peu désunie.

Quand le comte D'Ambrosio revint la chercher, le dimanche suivant, elle paraissait flambant neuve. Libero Parri l'avait lustrée avec une science à laquelle n'étaient pas étrangères les années passées à faire briller ses vaches pour le concours annuel de la foire aux bestiaux. Le comte commenta d'un sifflet admiratif, largement expérimenté dans les bordels de la moitié de l'Europe. Puis il sortit un sac de cuir marron qu'il poussa vers Libero Parri.

— Ouvre-le.

Libero Parri l'ouvrit. Dedans il y avait des lunettes, une coiffe en cuir, des gants et une grosse veste portant une étiquette cousue qui disait : D'Ambrosio Parri.

— Qu'est-ce que ça veut dire ?

— Jamais entendu parler de courses automobiles ?

Libero Parri en avait entendu parler. Des trucs de riches.

— J'ai besoin d'un mécanicien qui coure avec moi. Qu'est-ce que tu en dis ?

Libero Parri déglutit en faisant un drôle de bruit.

— J'ai pas le temps, pour ces trucs-là. Il faut que je travaille, moi.

— Quarante lires par jour, plus les frais et le quart sur les prix.

— Les prix ?

— Quand on gagne.

— Quand on gagne.

— Eh oui.

Puis tous les deux se tournèrent instinctivement vers la porte, comme à l'appel d'un bruit. Tout était silencieux, la porte grande ouverte, et le seuil désert. Ils restèrent un instant, le regard là-bas, comme en attente. Ultimo passa dans l'embrasure de la porte, sans même s'apercevoir de leur présence, attentif à ne pas faire tomber le fagot qu'il portait dans les bras. Comme il était apparu, il disparut.

— Et qui va la convaincre, Florence ? dit Libero Parri.

Mais le comte D'Ambrosio semblait ne pas entendre.

— Ce petit garçon a quelque chose.

— Qui, Ultimo ?

— Oui.

— Il n'a rien.

— Si, il a quelque chose.

Libero Parri leva les yeux au ciel, embarrassé, comme un type surpris à tricher aux cartes.

— Il n'a rien, c'est seulement... C'est qu'il a l'ombre d'or.

— Pardon ?

— C'est un truc qui se dit par ici. Il y en a qui ont l'ombre d'or, voilà tout.

— Et qu'est-ce que ça veut dire ?

— Je ne sais pas... ils ne sont pas pareils, les gens les reconnaissent. Les gens aiment bien ceux qui ont l'ombre d'or.

Le comte n'avait pas l'air convaincu. Libero Parri risqua une explication.

— C'est parce que lui, il est déjà mort deux ou trois fois... Quand il était petit, on croyait toujours qu'il était fichu, mais chaque fois il s'en sortait. Qui sait, peut-être que ça te change, à force.

Le comte D'Ambrosio se mit à penser à la seule femme qu'il eût jamais aimée plus que le tennis et les automobiles. Quand on entrait dans une pièce remplie de gens, *on sentait* tout de suite si elle était là ou pas, sans avoir besoin de la voir ou d'apprendre qu'elle était restée chez elle. Et au théâtre, pas besoin de la chercher : c'était elle que les yeux voyaient en premier. Elle n'était pas particulièrement belle. Et on avait même du mal à comprendre si elle était, ou pas, intelligente. Mais la lumière allait là où elle était, et le tableau c'était *elle*. Elle avait l'ombre d'or, comprit-il.

— Florence, je m'en occupe.

Libero Parri se mit à rire.

— Tu ne la connais pas.

— C'est l'affaire d'un instant.

Le comte D'Ambrosio resta avec Florence dix minutes, assis à la table de la cuisine. Il lui expliqua ce que c'était que les courses, où elles se faisaient et pourquoi.

— Non, dit-elle.

Alors il lui parla de l'argent et du public et des voyages.

— Non, dit-elle.

Il lui expliqua alors ce que signifiait la célébrité dans le monde des affaires. Et il assura que devant cet atelier, dans quelques mois, il y aurait la queue.

— Non, dit-elle.

— Pourquoi?

— Mon mari est un rêveur. Et vous en êtes un vous aussi. Réveillez-vous tous les deux.

Alors le comte D'Ambrosio resta un peu à réfléchir. Puis il dit :

— Je veux vous raconter quelque chose, Florence. Mon père était un homme très riche, bien plus riche que moi. Il a dilapidé presque toute sa fortune en courant après un rêve absurde, une histoire de voie ferrée, une sottise. Il aimait les trains. Quand il a commencé à vendre les terres, je suis allé trouver ma mère et je lui ai demandé : Pourquoi ne l'en empêches-tu pas? J'avais seize ans. Ma mère me donna une claque. Puis elle prononça une phrase que vous allez maintenant, Florence, apprendre par cœur. Elle me dit : Si tu aimes quelqu'un qui t'aime, ne démolis jamais ses rêves. Le plus grand, le plus absurde de ses rêves, c'est toi.

Sans même attendre de réponse, il salua avec une grande courtoisie et sortit dans la cour. Libero Parri était en train de taper à coups de marteau sur un capot qu'il avait trouvé, des mois plus tôt, sur le bord de la route de Piàdene. Il méditait d'en faire un auvent à bois.

— Tout est réglé, énonça le comte, en se frottant les mains.

— Qu'est-ce qu'elle a dit?

— Elle a dit non.

— Ah.

— On commence dimanche prochain. Il y a la Venise-Brescia.

Et il se dirigea vers son automobile.

— Mais puisqu'elle a dit non...

— Elle a dit non mais elle a pensé oui, répondit le comte, de loin.

— Et comment tu sais ça, toi ?

— Comment je sais ça, moi ?

— Eh.

Le comte D'Ambrosio s'immobilisa. Pendant quelques secondes il chercha la réponse. Mais ne la trouva pas. Il se retourna. Se retrouva face à Florence. Dieu seul savait comment elle était arrivée là. Elle parla à mi-voix, pour que seul le comte l'entende, mais en détachant bien les mots. Avec douceur.

— Votre père n'a rien dilapidé du tout, c'est un des hommes les plus riches d'Italie, et les voies ferrées il s'en est probablement toujours fichu complètement. Quant à votre mère, j'exclus qu'elle vous ait jamais donné une seule claque de toute sa vie.

Elle marqua une courte pause.

— J'admets que votre phrase sur les rêves n'est pas mal, mais des phrases comme celle-là ne sont vraies que dans les livres : dans la vie, elles sont fausses. La vie, c'est bougrement plus compliqué, croyez-moi.

D'Ambrosio fit un geste qui voulait dire Je vous crois.

— Quoi qu'il en soit, c'est vous qui avez raison. J'ai dit non mais je pensais oui. Pourquoi, je ne vous le dirai pas. Et d'ailleurs, si vous voulez tout savoir, même à moi je ne le dirai pas, comme ça on sera tous plus tranquilles.

D'Ambrosio sourit.

— Débrouillez-vous seulement pour me le ramener. Que vous gagniez ou que vous perdiez, je m'en fiche. Débrouillez-vous seulement pour me le ramener. Merci.

D'Ambrosio la regarda qui tournait le dos et repartait dans la maison. Pour la première fois, et sans ambages, il pensa que cette femme était belle. Un passage chez un couturier n'aurait rien gâché, certes : mais cette femme était belle.

— Alors? demanda Libero Parri d'une voix forte.

Le comte fit un geste en l'air, qui pouvait vouloir dire un tas de choses.

La Venise-Brescia, ils la coururent en grand style sur les trois quarts du parcours, puis, dans un petit village qui s'appelait Palù, le comte se gara et éteignit le moteur.

— Il y a un endroit, ici, où ils font un lapin à en tomber par terre.

Libero Parri découvrit ensuite que la cuisinière arrondissait ses revenus grâce à une chambre au premier étage, où, disait-elle, on pouvait se reposer un peu. Le comte se reposa un peu. Libero s'en tint au lapin. Qui n'était pas mal, en effet.

— Pour moi ce n'est pas un problème, des sous j'en gagne de toute façon, dit-il ensuite, quand ils remontèrent dans l'automobile. Mais Ultimo, qu'est-ce que je lui raconte?

Le comte ne répondit pas. Mais ensuite, en course, il se colla au cul de la Peugeot d'Alberto Campos — un Argentin qui n'avait pas perdu une course depuis cinq mois et onze jours — et ne le lâcha pas, jusqu'au moment où, sous une averse d'enfer, il inventa un dépassement par la bande dont tout le monde rêve encore aujourd'hui, là-bas.

— Voilà, ce que tu lui racontes, murmura-t-il quand il descendit de l'auto, transformée en monument de boue.

Ils arrivèrent troisièmes à Turin, huitièmes à Ancône et, de façon inattendue, premiers dans les montagnes de Sicile. Dans un journal parut une photo d'eux où ils ressemblaient à des insectes géants. La légende disait : *D'Ambrosio Parri, la paire intrépide qui a dompté les tournants de Colle Tarso.* Ultimo la découpa et l'accrocha au-dessus de son lit. Le soir il la regardait et il essayait d'imaginer ce que c'était, exactement, ces *tournants.* Il avait tendance à croire que c'étaient des animaux sauvages, au poil long et à l'allure dégingandée caractéristique. Ils vivaient au-dessus de mille mètres : s'ils étaient affamés, ils pouvaient être mortels. Un jour, Libero Parri prit une feuille et les lui dessina. Il représenta la montagne, et la route qui y montait, et les tournants l'un après l'autre, jusqu'au sommet. Au lieu d'être déçu, Ultimo en fut envoûté. Pour un enfant qui avait grandi dans une campagne où la seule anomalie de l'horizon était le dos-d'âne de Piassebene, cette route qui sinuait vers les hauteurs avec la froideur d'un serpent était une hyperbole de l'imagination. Il posa le doigt dessus et la parcourut du début à la fin.

— De l'autre côté c'est pareil, sauf que c'est en descente, expliqua Libero Parri.

Ultimo fit la descente avec le doigt. Puis demanda à son père s'il pouvait le refaire au début.

— Tu peux.

Cette fois il y ajouta le bruit du moteur, avec la bouche, et le grincement des freins. Il accompagnait de la tête le rythme des virages : il sentait sous ses fesses la poussée de la force centrifuge et dans ses mains le fouet des embardées. Dans toute sa vie il avait parcouru en automobile à peu près quatre kilomètres mais tout cela, il le *savait.* Car le vrai talent est d'avoir les réponses, quand les questions n'existent pas encore.

Puis D'Ambrosio prit mal un virage, près de Livourne, alors qu'il remontait un concurrent, et s'en tira avec un poignet cassé. Pendant quelque temps on ne parla plus de courses. Sauf un dimanche, où ils allèrent tous à Mantoue, parce qu'il y avait Lafontaine, et de tous les pilotes, Lafontaine était le plus grand. Ce fut la première et la dernière course que vit Ultimo de toute son existence.

Contre toute attente, Florence avait accepté de venir.

— Si je dois voir une course, autant en voir une où ce sont les autres qui meurent, pas vous deux.

Le comte s'était procuré des places dans la tribune devant la ligne d'arrivée, où se tenaient les dames avec de grands chapeaux, et où les enfants portaient des vestes à boutons dorés. Libero Parri, qui arborait une chemise à carreaux et pour l'occasion s'était peigné en arrière, commença à transpirer de gêne avant même qu'ils n'y soient montés. Il resta tranquille quelque temps, s'agitant sur son siège, puis se mit à grommeler que d'ici, on n'y voyait rien. À la fin il prit Ultimo par la main et s'éclipsa, laissant Florence avec le comte, à se faire expliquer les courses automobiles. Ils s'engagèrent dans une ruelle qui pénétrait entre les maisons, et en marchant au pif ils traversèrent la ville jusqu'à se retrouver non loin de la rivière. La route carrossable, qui arrivait de la campagne en longeant le cours d'eau sur des kilomètres, tournait brusquement à droite à cet endroit-là, pour franchir un pont, puis s'étirait de nouveau sur la rive opposée, courant parallèlement aux murs d'enceinte.

— Là oui, il y a quelque chose à voir, décida Libero Parri.

Il se fraya un chemin parmi les gens, mais impossible d'arriver jusqu'au bord de la route. Il finit par donner cinq lires à un cordonnier qui avait sa boutique à deux pas du pont, en échange de quoi il obtint deux chaises et une ceinture en cuir de veau pour Florence.

— Mais elle est moche, objecta Ultimo.

— N'y pense pas et monte sur la chaise.

Ultimo regarda la page du journal que le cordonnier avait soigneusement étalé sur le paillage, et ça lui fit un peu bizarre de poser ses pieds sur le roi et sur l'ambassadeur de Prusse. Mais une fois monté il oublia tout, parce que le pont et le S blanc de la route étaient sous ses yeux, dans la lumière de midi, comme un cadeau du Créateur, dessiné tout exprès pour ses yeux d'enfant.

— Qu'est-ce que c'est beau —, dit-il. Il y avait seulement la route et le pont, et pas l'ombre d'une automobile, rien à faire, et cependant il dit : Qu'est-ce que c'est beau. Sans même s'en rendre compte, il ne voyait rien d'autre que ce S de terre battue, comme un trait de crayon dessiné sur la feuille du monde par la main précise d'un artiste. Les gens, les couleurs, la rivière, les arbres alignés n'étaient qu'une gêne promise à l'effacement. Les bruits et les odeurs peinaient à se frayer un chemin dans sa perception, comme un écho lointain. Dans ses yeux, il y avait ce mouvement de danse, uniquement : la courbe et la contre-courbe, comme le distillat d'un savoir géométrique qui s'était peut-être trompé mille fois, mais avait trouvé là sa perfection. Et quand les automobiles arrivèrent enfin, annoncées par un frisson désordonné de la foule, il eut du mal à les voir, car ses yeux, en vérité, continuaient de regarder la route, uniquement la route, observant à quel rythme elle reniflait les monstres de métal — les déglutissait peut-être — l'un après l'autre, en recevant leur violence pour la convertir à son immobilité, règle contre chaos, ordre pliant le hasard, lit pour que l'eau s'écoule, nombre à compter l'infini. Elles se vaporisaient, les automobiles reines, dans un nuage de poussière, vaincues.

Dans le cerveau-enfant capable d'un tel axiome — que c'est la route qui dompte les automobiles et non l'inverse — était déjà inscrite une vie entière. Curieux comme les gens sont eux-mêmes, bien avant de le devenir.

Jusqu'au moment où son père entrevit une petite silhouette féminine qui remontait le vent de la course à petits pas, sur le bord de la route : cherchant quelque chose dans la foule, indifférente au danger.

— Qu'est-ce qu'elle fait là, Florence ?

Oubliant tout, il alla à sa rencontre, en se frayant un chemin parmi les gens, et comme un fou jouant des coudes. Ultimo sauta de sa chaise et se lança à sa suite. Ils arrivèrent devant Florence juste à temps pour voir passer comme une flèche à deux pas d'elle la Lancia numéro 21 conduite par Botero.

— Mais qu'est-ce que tu fais ici ?

Florence était couverte de poussière. Elle se laissa emmener tranquillement, avec une docilité qui ne lui ressemblait pas. Quand Libero Parri tenta de comprendre ce que diable il s'était passé elle dit :

— Rien. C'est seulement que je voulais être avec toi.

Elle avait sur le visage comme un reflet d'épouvante.

À la fin, quand tout fut terminé, tandis que la foule se dispersait pour rentrer, le comte les fit pénétrer dans la zone réservée aux pilotes : on y buvait du champagne et on pouvait voir les automobiles de près. Beaucoup de gens parlaient français. Libero Parri resta dans un coin, tenant Florence par la main et surveillant de loin Ultimo qui était allé regarder la Fiat de Barthez. De temps en temps passait un mécanicien qui le reconnaissait, et le saluait d'un geste de la main. Il

55

répondait d'un signe de tête, sans prolonger. Il avait hâte de partir. Il ne savait pas trop pourquoi mais c'était comme ça. À un moment donné il vit Lafontaine qui s'en allait d'un pas décidé vers la sortie, royalement perdu dans ses pensées, les yeux baissés, les lèvres serrées sous la moustache en guidon de vélo, impeccable. Les gens s'écartaient pour le laisser passer, car lui, c'était le plus grand. Il n'avait même pas ôté sa coiffe en cuir et tenait sous le bras la coupe qu'il venait de gagner, avec une nonchalance qui frisait l'ennui. Libero Parri ne l'avait jamais vu en vrai, mais il savait tout de lui, y compris cette histoire selon laquelle il aimait conduire la nuit tous phares éteints, pour surprendre ses adversaires et, disait-il, pour ne pas déranger la lune. Il se demandait s'il allait faire quelques pas en avant pour aller lui serrer la main, donner un sens à cette drôle de journée, quand il vit Lafontaine lever les yeux, se tourner et saluer un petit garçon en portant pour rire la main à une visière qu'il n'avait pas. Puis il le vit s'arrêter net et faire demi-tour, pour venir près du petit garçon qui le regardait, immobile. Il s'accroupit devant lui et lui dit quelque chose.

Libero Parri donna un coup de coude à Florence, en lui montrant la scène.

— Ton fils, lui dit-il, l'air de noter une évidence.

— Et celui qui est accroupi, qui c'est? demanda-t-elle.

— Lafontaine.

— Lafontaine, le plus grand?

— Lui-même.

— Ultimo le sait?

Libero Parri haussa les épaules. Il n'aurait su le dire. Mais il vit son fils qui montrait avec une grande simplicité quelque chose sur la tête de Lafontaine. Lafontaine se mit à rire, et enleva ses lunettes qu'il avait remontées sur la coiffe en cuir noire. Il les passa sur une manche de sa veste, pour enlever la poussière. Puis il les tendit à Ultimo. Ultimo les prit et sourit. Lafontaine alors se releva : il lui fit encore une caresse sur la tête, en disant quelque chose, et s'en alla. Il marcha de nouveau les yeux baissés, enfermé dans sa royauté. Libero Parri le vit passer devant lui, mais ne bougea pas, car l'idée de lui serrer la main lui avait, tout à coup, paru déplacée.

Le soir, à la maison, Ultimo fit accrocher les lunettes au mur, au-dessus de son lit, à côté de la photo D'Ambrosio Parri sur le Colle Tarso.

— En fait je voulais la coiffe en cuir, pas les lunettes. Mais il n'a pas compris.

— Pas de chance, dit Libero Parri.

La saison des courses prit fin avec les premières boues, au début d'octobre. Libero Parri avait gagné un peu d'argent pour faire patienter la banque, mais de queue devant l'atelier, on n'en voyait pas.

— C'est qu'on est un peu loin de tout ici, expliqua-t-il à Florence.

Malgré tout, secrètement, il commençait à douter. Parcourir l'Italie à l'occasion des courses lui avait fait comprendre que tout le monde rêvait des automobiles mais que bien peu, dans les faits, en possédaient. C'était encore un jouet de riches qui avaient du temps à revendre : faire le mécanicien, c'était comme vendre des raquettes de tennis. Si ça se trouve, pensa Libero Parri sept ans après avoir troqué une étable contre un garage, l'avenir s'est perdu en route.

Un homme qui en saurait quelque chose, ça devait bien exister : et Libero Parri décida que cet homme, c'était M. Gardini. Gardini était un Ligure génial qui avait décidé au début du siècle, de la même façon que Libero Parri, que l'avenir, c'était l'automobile. Alors il avait loué un hangar avec ses deux frères, dans la banlieue de Turin, et il avait commencé à travailler sur certaines de ses idées, visionnaires en apparence mais en réalité tout sauf bêtes. Il venait, avec un certain succès, de la fabrication des bicyclettes : en six mois de temps il sortit une automobile d'une conception nouvelle et brillante. Quand le problème se posa de lui donner un nom, il choisit *Itala*. C'était un temps où l'on n'avait pas encore décidé si les automobiles étaient du genre masculin ou féminin. Il y avait des publicités qui disaient « J'ai acheté un automobile beau et sûr ». Mais Gardini voyait les choses différemment. Il avait à l'esprit quelque chose de docile, répondant aux commandes, et dont la beauté ne se transfigurait qu'entre les mains savantes du pilote. Et comme il était scandaleusement machiste — comme ils l'étaient tous à l'époque — il n'avait aucun doute : l'automobile était femme. Il nomma donc *Itala* celle qu'il avait inventée. Comme on l'a dit, mourir et donner des noms, on ne fait sans doute rien de plus *sincère*, pendant tout le temps où on vit.

Ce nom-là, Libero Parri avait appris à l'aimer à l'époque du raid Pékin-Paris, quand une automobile construite pour l'occasion par M. Gardini avait donné du fil à retordre à tous les meilleurs constructeurs du monde, franchissant la ligne d'arrivée en tête dans l'incrédulité générale. Il se souvenait encore du jour où il avait agité le journal sous le nez de Florence, pour lui prouver que les automobiles existaient, et comment !, et même, qu'elles traversaient le monde. C'est vrai qu'elle avait répondu d'une drôle de manière, mais Libero Parri repensait quand même à ces moments-là avec une nostalgie déchirante. Des années plus tard, à l'arrivée d'une course du côté de Rimini, le comte lui avait montré un monsieur tout maigre, élégamment vêtu, en lui disant que c'était lui, Gardini, celui de l'Itala. Libero Parri était allé lui serrer la main et ils étaient restés quelque temps à bavarder. Ça lui avait beaucoup plu, à Gardini, l'histoire des vingt-six Fassones du Piémont. « Viens me voir, un jour », avait-il dit à la fin.

— Je vais voir M. Gardini, annonça Libero Parri à sa femme, alors qu'ils étaient au cimetière, le jour des morts.

— Qui c'est ?

Libero Parri le lui expliqua.

— Et pourquoi tu vas le voir ?

Libero Parri dit qu'il allait le voir parce qu'il avait quelque chose à lui demander. C'était vrai. Il avait préparé une question synthétique et claire, parce qu'il savait que les magnats de l'industrie n'ont pas de temps à perdre et vont droit au but. La question était la suivante :

— Monsieur Gardini, dites-moi la vérité : je ferais mieux de racheter mes vingt-six Fassones du Piémont ?

Mais devant Florence il ne la formula pas ainsi, dans sa totalité. Il resta vague et lui dit qu'il voulait lui demander conseil sur les nouveaux modèles.

— Pourquoi n'emmènes-tu pas Ultimo ? lui dit-elle, sans approfondir cette histoire de nouveaux modèles.

L'idée d'emmener Ultimo, à Libero Parri, ça ne lui avait pas traversé l'esprit. D'abord il y avait la question des sous. Et puis il avait grandi dans un monde où même les pères n'allaient pas à la ville : ne parlons pas des fils.

— Tu lui montreras Turin. Il sera tellement content.

Elle n'avait pas tort. La question des sous demeurait, mais elle n'avait pas tort.

Ils partirent le 21 novembre 1911, dans la carriole du Tarìn. Après, ils pensaient trouver quelqu'un qui les prendrait. Au pire, il restait toujours le train. Ils avaient une valise

59

pour deux, achetée à cette occasion. Ultimo y avait aussi placé les grosses lunettes de Lafontaine. Il avait 14 ans, il était petit et maigre, comme un enfant de l'école primaire, et il allait voir Turin.

Florence les embrassa tous les deux comme s'ils partaient pour l'Amérique. Elle avait insisté pour que son mari emporte une bouteille de sauce tomate maison. Elle ne voulait pas qu'il arrive devant M. Gardini les mains vides. Et puis elle avait une idée derrière la tête.

— Pendant que tu y es, tu peux lui poser une question de ma part? demanda-t-elle à Libero Parri pendant qu'elle le serrait dans ses bras.

— Laquelle?

— Demande-lui si à son avis on devrait racheter les vingt-six Fassones du Piémont.

Libero Parri devina d'un seul coup des tas de choses à propos de l'institution du mariage.

— Je le ferai, dit-il, très sérieux.

La secrétaire de M. Gardini avait une jambe de bois et un curieux défaut de prononciation : deux caractéristiques singulières, pour une secrétaire. Elle les accueillit avec une sympathie quelque peu formelle. Elle demanda s'ils avaient rendez-vous.

— M. Gardini m'a dit de venir le voir, répondit Libero Parri.

— Ah oui?

— Oui.

— *L'* et quand, e*l*actement?

Elle avait tendance à rajouter des *l* ici ou là.

— Ça devait être en juin, oui en juin... c'était du côté de Rimini.

— Et M. Ga*l*dini vous *l'*a dit de venir le voi*l*.

— C'est ça.

La secrétaire resta un moment les yeux dans le vide, comme si elle venait de perdre un morceau de dent.

Puis elle dit :

— Un *l'*instant.

Et elle disparut quelque part. Libero Parri savait exactement ce qu'il faisait. Il était évident que s'il avait demandé un rendez-vous avec Gardini il ne l'aurait jamais obtenu. Aussi avait-il élaboré un plan. La première partie consistait à jouer le paysan un peu bête. La seconde intervint après trois heures pendant lesquelles la secrétaire n'avait cessé d'aller et venir, en s'excusant sans cesse, et en les priant d'attendre, que M. Gardini allait peut-être trouver le temps pour.

Peut-être ? Libero Parri se leva. Il détestait recourir à ce stratagème, et en général il s'en passait. Mais là, c'était une question de vie ou de mort.

— Je sors un instant, dit-il à Ultimo. Tiens ça et ne bouge pas. Je reviendrai, tôt ou tard.

Ultimo prit la bouteille de sauce tomate et la posa à côté de lui.

— D'accord, dit-il.

Libero Parri sortit de chez Itala et marcha sans se presser jusqu'au Pô. Il resta à regarder les collines de l'autre côté du fleuve, assis sur un banc. Ça sentait la richesse et l'élégance. Quand ce fut l'heure du déjeuner, il trouva une auberge où l'on servait un assez bon minestrone et un curieux gâteau aux châtaignes. À la fin du repas il fuma un cigare avec un facteur anarchiste qui avait trois filles et les avait appelées Liberté, Égalité et Fraternité. De beaux prénoms, dit Libero Parri. Il le pensait vraiment. Quand il se présenta à nouveau devant la secrétaire à la jambe de bois, il était trois heures. Elle le regarda avec un sourire, et sans cesser de sourire lui annonça la bonne nouvelle.

— Votre fils est *l'*avec M. Ga*l*dini.

— Je sais, répondit Libero Parri, d'un ton neutre.

Alors la secrétaire l'accompagna à l'usine, où ils trouvèrent Gardini et Ultimo, penchés sur un moteur, en train d'étudier un certain système de lubrification.

— C'est le père de ce garçon, annonça la secrétaire, sans *l* supplétif, cette fois.

Gardini fixa le nouveau venu de l'air de quelqu'un qui cherche en vain dans sa mémoire. Mais quand Libero Parri évoqua l'histoire des vingt-six Fassones du Piémont, la chose lui revint à l'esprit. Il fut cordial et amical, comme son costume de coupe anglaise, sportif.

— J'étais en train de montrer à votre fils ce que les Français sont incapables de nous copier.

Puis ils firent le tour de l'usine, ce qui leur prit deux bonnes heures, car Gardini en parlait comme si c'était sa fille. C'était assez incroyable, ce qu'il avait réussi à mettre sur pied. Dans cette seule usine, il devait y avoir deux cents ouvriers. Gardini connaissait chacun d'entre eux et les saluait par leur nom. De temps en temps il les présentait à Libero Parri : qui, lui, était tout sourire, essayant de cacher sa peine. Car pour celui qui est né paysan, l'ouvrier est toujours un chien à la chaîne. Le tour se termina dans le secteur des peausseries, où l'on fabriquait les sièges et les capotes, et tous avaient des airs de couturiers de grande maison. À la fin ils se retrouvèrent dans la cour, à regarder les automobiles rutilantes qui attendaient en rang un avenir de poussière et de champagne. Ce fut seulement alors que Libero Parri se rappela pourquoi il était venu. Et il trouva le courage de dire à M. Gardini qu'il avait besoin de parler un instant avec lui, en privé. Il avait une question à lui poser.

— Alors nous devons retourner dans mon bureau —, dit cordialement Gardini, dont la journée était désormais fichue. Ultimo resta dehors à l'attendre. Assis sur un canapé en osier, il se mit à étudier la secrétaire. À un certain moment il lui dit :

— Comment ça se fait que t'as une jambe de bois ?

La secrétaire leva les yeux de la lettre qu'elle était en train de recopier. Instinctivement, elle posa sa main sur son genou. Puis elle répondit avec un calme et une douceur auxquels elle-même n'était pas préparée. Elle dit que c'était un accident. Une automobile, un jour où il pleuvait, là-bas, dans son village.

— Une Itala ? demanda Ultimo.

Elle sourit.

— Non.

Mais la secrétaire comprit qu'elle n'avait pas tout à fait répondu.

— Au volant il y avait le f*l*èle de M. Ga*l*dini.

— Ah, comprit Ultimo.

Puis il lui demanda si c'était vrai que de temps en temps on sentait comme un chatouillis, comme si la vraie jambe était encore là. Les larmes montèrent aux yeux de la secrétaire. Cela faisait trois ans qu'elle croisait des gens qui avaient envie de lui poser cette question, et voilà que quelqu'un, enfin, en avait le courage. Ce fut comme une libération.

— Non. C'est que des histoi*l*es.

Ils se mirent à rire.

— C'est que des histoires, répéta Ultimo, car ces mots avaient attendu si longtemps d'être prononcés qu'ils méritaient bien de l'être comme il faut.

Quand Libero Parri sortit du bureau de Gardini il faisait nuit depuis un bout de temps. Les deux hommes se serrèrent la main avec une énergie qui voulait dire bien des choses. S'ils ne se donnèrent pas l'accolade, c'est seulement parce que c'étaient des gens du Nord, de ceux qui ont honte de leurs propres mouvements. Gardini serra la main d'Ultimo aussi.

— Alors bonne chance, mon garçon.

— Vous aussi, monsieur.

— Fais attention avec les automobiles. Elles peuvent faire mal.

— Je sais, monsieur.

— Tout ira bien.

— Oui.

— Et peut-être qu'on te retrouvera dans quelques années au volant d'une Itala, champion d'Italie.

— Ce n'est pas ce que j'ai comme projet, monsieur.

Gardini hocha la tête, un peu pris à contre-pied.

— Ah non ? Et ce serait quoi ton projet ?

Ce n'était pas facile pour Ultimo de répondre à cette question.

C'étaient des choses auxquelles il n'avait pas encore donné de noms. Comme des petites bêtes qu'on vient de trouver dans les bois.

— Je ne sais pas, monsieur, c'est difficile à expliquer.

— Essaie.

Ultimo réfléchit quelques instants.

Puis il fit un geste dans l'air, comme pour dessiner un serpent.

— Les routes, dit-il. J'aime les routes.

Et il s'arrêta là.

Ils sortirent, son père et lui, main dans la main. La secrétaire les accompagna jusqu'à la porte d'entrée et elle était encore là à les saluer de la main quand, une fois qu'ils eurent traversé le cours, ils se retournèrent un instant vers elle.

Cette soirée-là, plus tard, Ultimo s'en souviendrait toujours. Son père était euphorique parce que M. Gardini avait dit qu'il n'en avait pas, de réponse à sa question : mais un conseil, oui. Et une proposition.

— Là où vous êtes, monsieur Parri, quand les automobiles arriveront nous serons tous les deux morts et enterrés. Croyez-moi, dans le coin, ils ont besoin d'autre chose.

— De vaches? avait hasardé, pessimiste, Libero Parri.

— Non. De camions.

Des automobiles pour le travail, avait-il expliqué. Des bétaillères, des machines pour labourer la terre, des fourgonnettes.

— Je sais que c'est moins poétique : mais il y a de l'argent à faire avec ça.

Il avait ajouté que dans ces campagnes-là, lui il n'avait personne pour vendre ses camions.

— Camions Itala? avait demandé Libero Parri, laborieusement, car ça avait l'air d'un gros mot.

— Exactement.

Une demi-heure plus tard il était devenu le seul revendeur agréé de camions Itala à trois cents kilomètres autour de chez lui. Quand il signa le contrat que Gardini lui avait glissé sous les yeux, il sentit distinctement l'odeur de fumier prendre congé de sa vie, à jamais.

Ils marchaient donc à présent vers le centre-ville, Ultimo et lui, décidés à fêter le début de la descente, après toutes ces côtes en montée. Ils arrivèrent sur une place énorme qu'ils prirent pour la Piazza Castello [1], où ils perdirent pas mal de

1. Place du Château.

temps à chercher le Palais royal. Ils ne le trouvèrent pas, puisqu'il n'était pas là, mais tombèrent en revanche sur un petit restaurant qui annonçait viandes en bouillon et bon vin. Ultimo n'avait jamais mangé au restaurant de sa vie. Son père lui expliqua qu'en effet, les paysans ne vont pas au restaurant. Il ajouta que les vendeurs agréés de camions, par contre, oui. Et il poussa la porte pour entrer. Le battant, de bois et de verre, déclencha un carillon à deux notes qui résonna dans la tête d'Ultimo comme une incarnation du péché qu'aucun bordel n'arriverait jamais à égaler. Une fois à l'intérieur, ils restèrent circonspects jusqu'au troisième verre de vin. Puis ça glissa tout seul. La serveuse venait de leur coin et dans l'addition oublia le gâteau. Ils sortirent et leurs pas étaient ceux des danseurs argentins, et le carillon de la porte les cloches à la volée d'un jour de fête. Dehors, la ville avait disparu, engloutie par un brouillard qui n'aurait en principe pas dû les étonner. Mais ce qui n'était dans l'obscurité de leur campagne que du lait noir était ici un voile royal, tenu haut par les lumières des réverbères et soulevé de loin en loin par le souffle des phares qui filaient, œil ouvert des automobiles. Le col relevé, les mains dans les poches, ils s'abandonnèrent à l'ordre poignant de cette ville où tout était aligné, comme dans l'attente d'un rompez les rangs qui ne viendrait pas. Ils marchaient lentement, en respirant le brouillard. Avec la mélancolie qui est le cadeau ultime du vin, Libero Parri commença à parler, la tête basse, allant pêcher dans certains de ses souvenirs. Il entendait le pas de son fils, à côté de lui, et il parlait parce que parler était une manière de faire durer ce moment et cette proximité. Il se mit à parler de sa mère, qu'Ultimo n'avait pas connue : sa façon de casser les noix, et les drôles d'idées qu'elle avait sur le Jugement dernier. Le jour où elle était allée repêcher son mari dans la rivière, et celui où elle avait décidé qu'elle ne dormirait plus. Il raconta qu'il y avait alors deux routes, pour rentrer chez eux, mais une seule où l'on sentait le parfum des mûres, toujours, même l'hiver. Il dit que c'était la plus longue. Et que son père la prenait toujours, même quand il était fatigué, même quand il avait renoncé. Il expliqua que personne ne doit jamais penser qu'il est seul, car en chacun de nous vit le sang de ceux qui nous ont engendrés, et cette chose-là remonte jusqu'à la nuit des temps. Ainsi nous ne sommes que le méandre d'un fleuve, qui vient de loin et continuera après nous. Aujourd'hui, par exemple, c'est facile de dire les automobiles, et de penser que tout est arrivé d'un coup, comme ça. Mais le frère de son père n'avait pas travaillé la terre, et avant lui, la femme qui l'avait engendré s'était enfuie avec un prestidigitateur dont tout le monde se souvenait encore parce qu'il avait apporté la première bicyclette au village. Quelquefois nous ne faisons que finir le travail que d'autres ont laissé inachevé. Ou commencer un travail que d'autres finiront pour nous. Il parlait ainsi tout en continuant de marcher, bien qu'il eût déjà depuis quelque temps cessé de savoir où ils allaient. Emporté par ses pas involontaires, il s'était mis à tourner autour du pâté de maisons, car une forme d'inertie prudente, peut-être née du brouillard, l'avait poussé à refuser, à un moment, de traverser la rue. Ainsi, sans s'en apercevoir, il avait tourné à gauche, longeant la berge des immeubles, et à partir de là, en tournant toujours à gauche, c'était comme s'il avait trouvé sa propre file de circulation, un refuge pour ses paroles. Quand ils bouclèrent le premier tour, Ultimo se retrouva devant une vitrine qu'il avait déjà vue, et qu'il n'aurait jamais cru revoir de sa vie. Il en resta stupéfait. Ils avaient marché sans réfléchir, comme font ceux qui se perdent : mais la ville, tel un chien de berger, les avait ramenés au même endroit. Pendant que son père allait, imperturbable, continuant de réciter le rosaire du sang et de la terre, lui, en le suivant, il essayait de comprendre ce qui, précisément, était arrivé, et pourquoi une ineptie de ce genre l'avait troublé. C'était peut-être le brouillard, ou les histoires de son père, mais il se mit à penser que s'ils continuaient ainsi, des heures durant, ils finiraient par *disparaître*. Ils seraient avalés par leurs propres pas. Car marcher est en général additionner des pas, mais ce qu'ils faisaient tous les deux, là, c'était les soustraire, en un calcul exact qui périodiquement les ramenait à zéro. Il pensa à la pureté, indiscutable, de ce parcours à l'envers. Et pour la première fois, quoique de manière confuse, il eut l'intuition que tout mouvement tend à l'immobilité et que seul le trajet qui conduit vers soi-même est beau.

Quelques années plus tard, sur la ligne droite d'une piste d'atterrissage, en terre étrangère, Ultimo allait faire de cette intuition le dessein conscient de sa vie. C'est pourquoi ce brouillard, et cette ville, absurdement ordonnée, il ne pourrait jamais plus les oublier. Un jour, alors qu'il était désormais un homme seul, il pensa même y revenir : mais les choses tournèrent autrement, et ce fut aussi bien. Il aurait voulu retrouver l'endroit du trottoir où son père, après quarante minutes de marche, pour un total de onze tours du pâté de maisons, s'était arrêté net et, levant la tête, avait posé une question merveilleuse :

— Bordel mais où on est ?

Il n'y avait pas de réponse à cette question, raconta un jour Ultimo à Elizaveta. Et c'était ça qui était merveilleux. Où est quelqu'un qui fait depuis une heure le tour du pâté de maisons ? Songes-y. Il n'y a pas de réponse.

Elizaveta songea qu'il n'y avait jamais eu de réponse, car tout chemin est circulaire, et le brouillard de nos peurs est trop épais.

De Turin, ils partirent à l'aube, après avoir dormi dans une pension qui s'appelait Deseo. Ça voulait dire désir en espagnol. Mais la patronne n'était pas espagnole. Elle venait du Frioul. Elle s'appelait Faustina Deseo.

— Il n'y a plus de poésie, commenta Libero Parri.

Dans le train il essaya de vendre une citerne Itala à un producteur de lait de la Basse-Vénétie. Mais comme ça, pour se roder. Il ne le faisait pas pour de vrai, il voulait juste mémoriser les choses à dire.

Quand le laitier dit qu'il était d'accord, et qu'il en achetait une, Libero Parri sentit quelque chose à l'intérieur de lui. Comme ces jours où tu sors de chez toi, et l'hiver est fini.

Le dernier bout de route, après la gare, ils le firent à pied, car il n'y avait pas eu moyen d'avertir le Tarìn. Il soufflait un vent froid qui avait balayé le brouillard et qui faisait à présent briller la campagne, dans la lumière de la fin d'après-midi. Ils marchaient en silence, l'un devant l'autre. Par moments, Libero Parri fredonnait. La musique était celle de *La Marseillaise*, mais les paroles étaient en dialecte, et elles parlaient d'autre chose. Ils sortirent de la peupleraie, et leur maison était là, comme un chapeau oublié, au milieu de la campagne amie. Dans la cour, devant le garage, on voyait une automobile, rouge, et à quelques pas d'elle, comme une servante, une motocyclette, droite et levée sur sa béquille.

— Tu vois, ils font déjà la queue, commenta Libero Parri, emporté par l'enthousiasme.

Mais en réalité ce n'était pas tout à fait ça. À la maison ils trouvèrent le comte, étendu sur le sofa, qui dormait comme une souche.

— Il a amené sa nouvelle automobile pour te la montrer, dit Florence.

Elle portait une robe beige qui n'avait pas grand-chose de paysan.

— C'est un cadeau du comte. Il a voulu à tout prix que je l'accepte, expliqua-t-elle.

— Tu es superbe —, dit Libero Parri. Et il le pensait vraiment.

Ils se serrèrent l'un contre l'autre comme deux jeunes gens.

Restait à expliquer la motocyclette, ce dont le comte s'occupa quand il finit par se réveiller. Il prit Ultimo par la main, l'emmena dans la cour, et lui dit :

— Elle est à toi.

Ultimo ne comprenait pas bien.

— C'est une motocyclette, expliqua le comte.

— Je sais.

— C'est un cadeau.

— Pour qui ?

— Pour toi.

— Vous êtes fou.

En effet, c'était ce que Florence avait pensé. Et ce fut ce que dit Libero Parri.

— Tu es fou.

Mais le comte n'était pas fou. Il avait trente-six ans et aucune raison d'être au monde, mais il n'était pas fou. Il venait d'un monde sans illusions, où le privilège d'une absolue liberté se payait, au quotidien, par le pressentiment d'un châtiment qui vous tomberait dessus par surprise, un jour ou l'autre. Le seul artisanat auquel on l'avait exercé, jusqu'à une habileté presque mystique, consistait à devancer l'apocalypse fatale avec une liturgie raffinée et sans fin de gestes vides, désolés. Ils appelaient ça le luxe. Il n'avait pas d'enfants, n'en voulait pas, et détestait ceux des autres, les trouvant comiquement inutiles, privés d'avenir qu'ils étaient. Il aimait bien les femmes et en aurait peut-être épousé une, pour ne pas compliquer les choses. Mais il aimait surtout ses chiens. Un jour, le hasard l'avait fait tomber sur un garage absurde, perdu dans la campagne. Tout ce qu'il avait trouvé là, ensuite, avait été comme un voyage dans l'envers du monde, où les choses avaient encore une raison et où les mots désignaient encore les choses : chaque jour une force inconnue y séparait le vrai du faux, comme le grain de la balle. Il n'en avait rien conclu, pas plus qu'il n'avait pensé, même un instant, interpréter tout cela comme une leçon à retenir. La cause était perdue, pour lui, et rien ne renverserait le cours des choses. Mais reprendre de temps en temps cette route dans la campagne, c'était devenu son anesthésiant personnel contre le chagrin de l'absurdité de tout. Ainsi avait-il choisi les gestes justes grâce auxquels se glisser de plus en plus dans les habitudes de ce monde-là, arrivant à s'en faire accepter comme une sorte de clandestin un peu bizarre, digne de pitié. Il n'avait aucune intention de leur faire du mal, mais il n'était pas suffisamment honnête, avec lui-même, pour comprendre que leur faire du mal serait inévitable. Il voulait seulement être là. Et pour ce faire, rien ne serait trop insensé, ni trop fou. Alors offrir une motocyclette, la belle affaire.

— Elle pèse combien ? demanda Libero Parri, pensant aux quarante-deux kilos de son fils.

— Rien, si tu l'as sous le cul et que tu n'arrêtes pas de mettre les gaz.

C'est ainsi que, quelques jours plus tard, il arriva à Florence de lever les yeux sur la campagne, sans en attendre autre chose que l'apaisante immobilité de toujours, et d'en

71

recevoir au contraire l'apparition surprenante d'un animal au cœur mécanique qui violait les règles les plus banales de la physique en se couchant sur le côté, dans une position impossible, pour dessiner la courbe serrée qui menait à la rivière. L'animal portait accroché à son dos le corps léger d'un petit garçon, flottant au-dessus comme un torchon mouillé mis à sécher au soleil. Florence lança un cri de mère, parce que c'était son fils là-bas, et il n'y avait pas de terre sous lui, et elle ne lui avait pas appris à voler de ce vol-là. Mais la motocyclette se redressa, à l'invitation de la route qui redevenait droite, et le torchon ne se mit pas à flotter dans les airs, au hasard, mais se souleva légèrement, pour prendre le vent, calme et assuré : il détacha une main du guidon, un petit peu, pour esquisser un geste qui ressemblait à un bonjour. Florence sentit l'effroi lui couper les jambes et elle se laissa tomber à genoux sur le sol. Elle sentit les larmes lui monter aux yeux et cessa de regarder la campagne, et tout le reste, inclinant la tête pour contempler l'infini qui était en elle, comme font les adultes quand tout à coup ils ne comprennent plus rien à rien. Elle aurait voulu savoir où ils allaient de ce pas, et combien ils s'étaient éloignés de leur propre terre. Elle aurait aimé être sûre que ses yeux étaient vraiment nés pour voir son fils suspendu dans les airs ou pour lire le nom de son homme imprimé dans les journaux. Elle aurait aimé être sûre que l'odeur d'essence était aussi propre que celle des champs, et que l'avenir était un devoir, non une trahison. Elle avait besoin de savoir si les nuits fiévreuses passées dans le noir à se rappeler les baisers du comte étaient le châtiment pour avoir péché contre la vie, ou la récompense pour avoir eu le courage de vivre. Agenouillée là, sur le sol, au milieu de la campagne, elle aurait voulu savoir si elle était innocente. S'ils l'étaient, eux tous, et s'ils l'étaient pour toujours.

Ultimo arrêta la motocyclette juste devant sa mère. Il ne comprenait pas ce qui avait bien pu lui arriver. Il coupa le moteur et remonta ses lunettes. Il ne savait pas trop quoi dire. Alors il dit :

— Tout seul je n'y arrive pas, à la mettre sur la béquille.

Florence leva le regard vers lui. Elle se passa la main sur les yeux. Elle sentit l'obscurité s'en aller.

— Je vais t'aider, moi, dit-elle.

Elle souriait.

Où étais-tu mon cœur, mon cœur léger, mon cœur enfant, où étais-tu passé ?

— Je vais t'aider, moi, phénomène.

Pour Ultimo, l'enfance s'acheva un dimanche d'avril 1912, et pas avant, parce que certains petits garçons réussissent à la faire traîner jusqu'à quinze ans, et il était de ceux-là. Il y faut un cerveau bizarre et pas mal de chance. Il avait eu les deux.

Au village on avait amené le cinéma, ce jour-là. C'était le beau-frère du maire qui l'avait amené, le Bortolazzi, un type qui travaillait dans le secteur du blanc, et qui tournait à travers l'Italie. Le lien évident entre lui et les films, c'était qu'un bon drap ça peut toujours servir d'écran. Le lien non évident, c'était qu'il avait à Milan une maîtresse qui déchirait les billets au Sala Lux, ce qui le portait à se croire introduit dans le monde du cinéma. Un peu pour le plaisir d'étonner, un peu parce qu'il flairait le business, il avait chargé dans sa camionnette un projecteur et les bobines d'un film et avait apporté le tout en grande pompe au village. La camionnette était une Fiat de la première génération. Le film avait quelque chose à voir avec Maciste.

Florence n'avait pas voulu en entendre parler, et Libero Parri avait une course, avec le comte, pas loin de là : si bien que le cinéma, Ultimo y alla seul. Il ne savait même pas vraiment ce que c'était, et n'en attendait pas grand-chose : mais il y avait un beau soleil, haut dans le ciel, et l'idée de marcher jusqu'au village, en passant prendre ses copains dans les autres fermes, lui avait plu. À sa mère il dit qu'il rentrerait pour le dîner, et qu'elle ne devait pas s'inquiéter.

Toute la salle de la mairie avait été remplie de chaises. Sur le mur, au fond, il y avait une habile composition de draps, accrochée au mur, tendue pour ne faire aucun pli. Le Bortolazzi, qui n'était pas idiot, avait organisé un petit avant-spectacle, consistant dans la vente de son catalogue à prix spécial. Quand Ultimo et ses copains entrèrent, il était en train d'enlever la housse d'un oreiller avec des gestes de prestidigitateur, tout en hurlant quelque chose sur le coton anglais. Il savait y faire, mais les gens n'achetaient pas, un peu pour l'embêter mais aussi parce qu'ils n'avaient pas une lire et que les draps on ne les jetait pas, même quand les vieux mouraient dedans. Une bonne lessive et voilà.

Ultimo se glissa entre les chaises avec les autres, cherchant une place libre. Ils finirent par s'installer sur les caisses que le maire avait fait mettre dans le fond de la salle et qui représentaient probablement dans son esprit le poulailler. En te retournant tu pouvais voir le grand projecteur, à quelques mètres, hissé sur une table de la paroisse : il était émaillé et brillant, et un monsieur en chapeau était occupé à le huiler avec un sérieux de chirurgien. Cela plut beaucoup à Ultimo, car ça lui rappelait sa motocyclette : il y avait même des roues, mais bizarrement placées. Disons qu'on aurait dit sa motocyclette après un accident. Des applaudissements de sincère reconnaissance saluèrent Bortolazzi qui s'était décidé à ranger sa marchandise, et en venait à la présentation du film. Il dit quelque chose sur le fait que le cinéma était l'invention du siècle, mais on n'entendit pas bien parce que les gens étaient passés aux sifflements. Il ajouta que certaines scènes pouvaient se révéler « douloureusement impressionnantes » pour le public local, et Ultimo et ses copains poussèrent alors des hurlements de terreur, ce qui eut un certain succès. À la fin il salua tout le monde, en remerciant la maison Aile Blanche qui avait permis la réalisation de ce spectacle. La maison Aile Blanche, c'était lui. Ce qui suivit doit être entièrement porté au crédit, disons, culturel, de cette époque, et de ces campagnes. Le curé se leva et guida l'auditoire dans la récitation du *Salve Regina*, en latin. Puis il bénit la salle et l'écran, avec la collaboration d'un enfant de chœur aux couleurs du saint patron. Tous inclinèrent la tête, chapeau à la main. Étonnant.

Ce fut juste avant que la lumière s'éteigne qu'Ultimo vit se glisser dans la rangée devant la sienne — à petits pas, en s'excusant d'un sourire mémorable — la femme la plus belle qu'il eût jamais vue. On lui avait gardé une place, et cette place était celle devant Ultimo. Elle y parvint, et, toujours à cause de l'ombre d'or, avant de saluer l'homme qui l'attendait, elle se perdit un instant, observant ce petit garçon : sans savoir pourquoi elle lui dit Salut, en penchant un peu la tête. Ultimo sentit le sang s'absenter momentanément de tous les endroits où il aurait dû être. Elle se tourna pour s'asseoir. D'un geste si savant qu'il fut invisible, elle fit glisser son tricot de ses épaules, le laissant retomber sur le dossier de sa chaise. Elle portait une de ces robes qui laissent les épaules et les bras nus, et qu'à la campagne on ne connaît que par ouï-dire. À se demander comment elle tenait, sans bretelles, ni rien. Ultimo n'osa pas se dire que c'était la poitrine qui tenait l'ensemble, par-devant, mais il le pensa. Si bien que pendant un moment il eut des problèmes pour déglutir. Il essaya de regarder autour de lui, pour dédramatiser, mais ses yeux continuaient à revenir sur le cou fin, parfait, que les cheveux, remontés sur la nuque, laissaient découvert. Quelque mèche, laissée libre à dessein, retombait doucement en nuancer l'éclat. Ultimo sentit sur ses lèvres la tiédeur qui émanerait de cette peau sous la pression légère d'un baiser.

Ainsi, quand la lumière s'éteignit, il n'entendit même pas l'explosion de hurlements et d'applaudissements par laquelle l'auditoire exorcisait l'émotion. Et il ne leva pas les yeux, comme le faisaient tous les autres, vers les draps de Bortolazzi où prenaient forme des mondes inattendus. Il resta à fixer le contour sombre qui, se découpant contre la lumière de l'écran, descendait de l'oreille droite de la femme, courait sur son cou, puis remontait légèrement le long de son épaule, la contournait et enfin se laissait tomber jusqu'à son coude, où il disparaissait dans l'obscurité. Cette vision-là, oui, était « douloureusement impressionnante », et Ultimo découvrit, pour la première fois, combien le désir peut être déchirant, quand c'est le corps d'une femme qui le suscite. Il en fut comme épouvanté. Et ce fut peut-être pour cette raison que, lentement, reparcourant des yeux dans un sens puis dans l'autre ce contour sans aspérités, il entreprit de le dépouiller, pour ainsi dire, de ce qu'il avait de féminin, pour le conduire vers une beauté plus secrète, où la peau devenait simple ligne, et le corps un dessin en bosselage contre la lumière de l'écran. C'était quelque chose qui le tranquillisait, parce que cette beauté-là il la connaissait. Il oublia la femme et s'accorda une autre perfection, en reparcourant la ligne pure et le dessin jusqu'à les faire devenir trajectoire, et tracé — et route. Alors il en prit possession, à la façon qui était la sienne. Il descendait le long du cou, puis virait à gauche, mettait les gaz dans la ligne droite en légère montée, les relâchait complètement au sommet de l'épaule, se laissait tomber vers la droite, et sortait à l'extérieur en prenant la douce ligne droite du bras. Il ne le fit d'abord que dans sa tête, pour prendre les mesures, puis il commença à sentir la route sur ce corps et, doucement, à faire le bruit du moteur, avec la bouche. À le voir on aurait pu se méprendre, car les mouvements du bassin évoquaient autre chose. Mais ce n'était pas sa faute si une moto ça se conduit avant tout avec le cul. Cette analogie montrait d'ailleurs, une fois encore, combien les façons de posséder un corps sont infinies, et que la plus instinctive n'est pas forcément la plus irrévocable. Ultimo, qui n'aurait jamais osé, ou pu, toucher cette épaule, courait à présent dessus, découvrant l'un après l'autre ses secrets. Là, au milieu des gens, il savourait une intimité qu'un amant raffiné aurait mis des mois à obtenir.

On ne le croira peut-être pas, mais la femme leva la main et, du bout des doigts, effleura son épaule, comme pour en chasser quelque chose qu'elle ne savait pas.

Ici prit fin l'enfance d'Ultimo. Non pas à cause de la magie de ce geste inexpliqué ; elle finit parce qu'une voix l'appela tout à coup, c'était la voix du Tarìn. Ultimo tourna la tête, descendit de la moto et vit qu'effectivement le Tarìn le cherchait, en se frayant un chemin, plié en deux, parmi les gens. Il l'appelait par son nom, à voix basse, pour ne pas gêner tout le monde. Ultimo se leva et sortit de sa rangée, en demandant pardon.

— Ultimo !
— Qu'est-ce qu'il y a ?
— Il faut que tu rentres chez toi.
— Pourquoi ?
— Cours, va chez toi, Ultimo.

— Mais il y a le film, dit Ultimo, qui n'en avait pas vu une seule image.

— Ta mère a dit qu'il fallait que tu rentres au pas de course.

— Pourquoi?

Le Tarìn avait la tête de celui qui sait pourquoi. Mais il n'était pas équipé pour le traduire en mots.

— S'il te plaît, vas-y. Presse-toi!

Alors Ultimo se pressa. Il prit le chemin de la maison, d'abord courant puis marchant, ne se remettant à courir que dans les courbes. Il basculait un peu de côté et relâchait les gaz avec la bouche. Il ne pensait à rien. Il n'avait rien à quoi penser.

Quand il arriva en vue de la maison, il s'arrêta. Il y avait des gens, dehors, devant le garage. C'étaient les gens des fermes voisines. Et d'autres qu'il ne connaissait pas. Il resta là quelques instants, à attendre. Il n'était pas vraiment sûr d'avoir envie d'y aller. Puis quelqu'un le vit et dès lors il n'y eut plus rien à faire.

Ils l'emmenèrent devant la porte de la maison. Elle était fermée.

— Elle ne veut laisser entrer personne, lui dirent-ils.

Il frappa.

— Tout ira bien, maman.

Pas de réponse.

Ultimo actionna la poignée et poussa la porte, doucement. Il entra et referma la porte derrière lui, sans faire de bruit.

Florence était debout, dans un coin de la pièce, appuyée contre le mur. Comme un animal qui cherche du dos le fond de sa tanière. Elle pleurait.

Ultimo vint près d'elle. Il l'étreignit. Tout d'abord elle ne bougea pas, puis se mit à le frapper à coups de poing, sur la poitrine, de plus en plus vite, et fort. Il attendit qu'elle se fatigue et qu'elle se laisse aller entre ses bras. On aurait dit qu'elle ne pesait plus rien, qu'elle s'était absentée d'elle-même.

— Où est papa ?

Elle n'arrivait pas à parler.

— Il est vivant ?

Florence fit signe que oui, de la tête.

— Ça va aller, maman.

Elle fit de nouveau signe que oui.

— Qu'est-ce qui s'est passé ?

Florence dit quelque chose sur une automobile en flammes.

— Et où il est, maintenant ?

— En ville. À l'hôpital.

— Il faut qu'on aille le voir.

Mais elle ne bougea pas.

— Il faut que j'aille le voir, maman.

— Oui.

— Tout ira bien.

— Oui.

Ultimo pensait à son père et n'arrivait vraiment pas à le voir sur un lit d'hôpital. Avec un petit effort il pouvait le voir bombant le torse dans l'incendie d'une automobile, mais tout blanc dans un lit d'hôpital, non. Ça ne pouvait pas se passer comme ça. Ou bien ça s'était passé comme ça, et alors le monde n'avait pas la moindre logique, et ils étaient tous foutus, depuis toujours et pour toujours.

— Laisse entrer les gens. Ils veulent juste t'aider.

Florence ne bougea pas.

— Viens.

Il la prit par la main et l'amena jusqu'à une des chaises qui

79

étaient autour de la table. Il la fit asseoir. Elle serrait un mouchoir dans sa main. Elle avait les jointures blanches tellement elle serrait fort. Alors Ultimo se rappela quelle force sa mère avait toujours eue, et il se demanda ce qui pouvait bien se passer pour réussir à briser une femme comme elle. Il se pencha pour déposer un baiser dans ses cheveux.

— Il vaut peut-être mieux que j'aille vite voir papa.

— Oui.

— Après je reviens.

— Oui.

Pour la première fois elle leva les yeux et chercha ceux de son fils.

— Dis-lui qu'il ne peut pas me faire ça.

Elle le dit avec un soupçon de cette dureté qui était la sienne, depuis toujours. Ultimo sourit.

— Je lui dirai.

Puis il alla vers la porte. Avant de sortir, il se retourna encore une fois, et demanda :

— Le comte ?

Florence fit une petite grimace. Puis elle dit lentement :

— Il ne s'en est pas tiré.

Et après un instant :

— Le comte est mort.

Elle le dit sans aucune émotion dans la voix. Et Ultimo comprit à ce moment-là que sa mère avait deux cœurs, et que tous les deux, ce jour-là, avaient été blessés à mort.

Il sortit de la maison en laissant la porte ouverte derrière lui. Il se fit dire par les gens ce qu'ils savaient. Apparemment l'automobile était devenue folle, dans une ligne droite près d'une rivière. Elle était allée s'écraser contre un platane et avait pris feu. Le comte était resté coincé entre les tôles. Dans le choc, son père avait été éjecté, et il était maintenant à l'hôpital, en ville, avec quelque chose de cassé à l'intérieur. Les médecins ne pouvaient pas dire s'ils allaient le sauver. Il fallait voir s'il arrivait jusqu'au soir. Il y arrivera, c'est un sacré bonhomme, dit quelqu'un.

Ultimo regarda le ciel pour voir combien il restait de temps avant la nuit. Quand le Baretti s'offrit pour l'emmener en ville dans son cabriolet, il lui dit Non, merci, j'y vais tout seul. Et il alla prendre sa motocyclette. On le vit mettre les grosses lunettes de Lafontaine et glisser une feuille de papier journal sous son chandail. Quelqu'un lui donna une tape dans le dos. Ils avaient tous la mort dans l'âme à le voir partir comme ça, tout seul. Mais il avait des gestes d'homme, tout à coup, et personne n'osa l'arrêter. Sois prudent, dit une femme.

La route pour la ville courait droite au milieu des champs. Les ombres étaient longues et le soir commençait à fraîchir. Ultimo poussa le moteur au maximum et se pencha contre sa moto, parce qu'il avait quelque chose à lui dire, et il voulait qu'elle entende bien. Il lui dit qu'il devait arriver avant la mort, et il ne pourrait le faire que si elle se comportait bien. Il lui dit de regarder comment la route avait décidé de les aider et s'était mise toute droite, pour qu'ils arrivent avant. Et il lui expliqua que la beauté d'une ligne droite est sans pareille, car en elle sont distillées toutes les courbes, et les embûches, au nom d'un ordre clément, et juste. C'est une chose que les routes peuvent faire, lui dit-il, mais qui n'existe pas dans la vie. Parce qu'il ne file pas tout droit le cœur des hommes, et qu'il n'y a pas d'ordre, peut-être, dans leur course. Puis il s'arrêta de parler et resta silencieux longtemps, à se demander d'où lui venaient ces paroles.

Minuscule, dans le néant du soir, elle fonçait, la motocyclette, petit cœur battant dans l'immensité de la campagne. Sur son passage elle soulevait un fragile panache de poussière et laissait derrière elle un parfum, acide, de brûlé. Puis le parfum s'évanouissait et la poussière se dispersait dans la lumière. Ainsi se refermait le cercle des événements, dans la quiétude en apparence inchangée des choses.

MÉMORIAL DE CAPORETTO

Front italien, septembre 1917

Ils étaient trois. Ils retournaient à la tranchée, mais prirent un peu au large par le fond de la vallée parce qu'ils avaient envie de voir le fleuve — de l'eau propre, et des gens, peut-être. Des filles.

Il y avait du soleil.

Cabiria, qui avait de bons yeux, vit le corps venir à fleur d'eau, faire un tour sur lui-même puis se prendre dans un enchevêtrement de pierres et de branches. Il descendait, le mort, le cul et la nuque tournés vers le ciel bleu — les yeux qui regardaient sous l'eau comme pour y chercher quelque chose. Quelque chose de perdu.

Alors les deux autres le virent aussi.

Aux alentours, personne.

Celui qui s'appelait Ultimo laissa tomber son havresac et dit quelque chose à propos de ses chaussures — ces maudites chaussures. Puis il sortit quelque chose de sa poche, et commença à mastiquer. L'autre, qui était le plus jeune, alla s'accroupir sur la grève du fleuve. De là il se mit à lancer des cailloux en direction du mort, et de temps en temps faisait mouche.

— Arrête donc, dit Cabiria.

Ultimo regardait les montagnes indifférentes. C'était toujours difficile de s'expliquer le mystère de cette silencieuse mansuétude d'animal domestique qui ne réagissait pas à l'obscénité de ce que les hommes lui infligeaient, en le meurtrissant avec leur guerre de bombardements et leurs barbelés, sans aucun respect ni répit. On se damnait pour faire d'elle un cimetière, et pourtant la montagne était là, immobile, sans se soucier des morts, recousant heure après heure le tissu des saisons et maintenant la promesse de perpétuer la terre et de la transmettre. Les champignons poussaient, et les bourgeons s'ouvraient. Il y avait des poissons, dans les rivières, qui déposaient leurs œufs. Des nids parmi les branches. Des bruits dans la nuit. Ce qui demeurait peu clair, c'était quelle leçon tirer de ce message muet d'indifférence inaltérable. Un signe de l'insignifiance de l'homme, ou au contraire l'écho de la reddition définitive du monde devant la folie humaine.

— Arrête donc ça, répéta Cabiria.

— C'est un Allemand —, dit le plus jeune, comme si c'était une excuse. Mais il avait raison. L'uniforme était bien visible, ce n'était pas un mort autrichien.

Cabiria dit qu'il n'y avait pas d'Allemands dans le coin, mais il le disait sans conviction. Il regarda mieux, l'uniforme ressemblait vraiment à celui des Allemands. Parfois une des chaussures remontait à la surface, puis s'enfonçait à nouveau dans l'eau.

— Hé, Ultimo, c'est un Allemand.

Ultimo ne se tourna même pas. Puis il fit un geste qui voulait dire Taisez-vous. Les deux autres levèrent les yeux vers le ciel. La main pour se protéger du soleil, ils cherchaient en plissant les yeux.

L'avion surgit de derrière le mont Noir. Il rasa le sommet puis perdit de l'altitude, et pénétra dans la vallée. C'était tout juste un ronronnement — une mouche lointaine.

— Qui parie sa ration? demanda le plus jeune.

Cabiria dit Tope-là.

— Autrichien, dit le plus jeune.

— Italien, dit Cabiria.

Tout seul, là-haut dans les airs, ce pouvait en effet être l'un ou l'autre. Il leur venait droit dessus, il n'y avait plus qu'à attendre. Quand il perdit à nouveau de l'altitude, le plus jeune s'éloigna de la grève et fit quelques pas vers les arbres. Il avait encore sur le visage le sourire du pari, mais son œil vigilant scrutait le ciel, évaluant distance et intentions.

— Tu chies dans ton froc, hein, petit? — dit Cabiria. Et il éclata d'un rire gras.

Le petit fit dans sa direction un geste qui ne voulait rien dire. Il s'arrêta à mi-chemin entre le fleuve et les arbres.

C'est qu'on ne la connaissait pas encore, la peur des avions. C'étaient les yeux du ciel, qui espionnaient les tranchées et les positions d'artillerie. C'était la ruse, ce n'était pas encore la force. Ils n'apportaient pas la mort, tout au plus un présage. Des insectes qui volent autour d'une charogne — une gêne, pas plus.

Un coup de vent secoua le coucou en bois et le fit tanguer un peu. Dans ce tangage, il montra son flanc, et ils y virent alors la croix noire de l'armée impériale et royale.

— Aboule ta ration, dit le petit.

Cabiria cracha par terre. Puis il épaula son mousqueton.

Précisons : c'est seulement en 1915 que les Allemands avaient mis au point un système pour synchroniser sur les avions les tirs d'une mitrailleuse montée à l'avant et, en avant de celle-ci, la rotation de l'hélice. Ça tenait du miracle, ce système. Les projectiles, au lieu de cribler l'hélice de trous, précipitant ainsi l'appareil au sol, réussissaient à passer entre les pales de bois pour faire mouche de l'autre côté. On avait l'impression que c'étaient les pales elles-mêmes qui tiraient des balles, c'était incompréhensible. En fait, il y avait un truc. Les Français et les Anglais mirent pas mal de temps avant de le trouver. Synchroniser la mitrailleuse et l'hélice : pour éviter vraiment tous les ennuis, il faudrait ça pour synchroniser le cœur et la bite, ils disaient. Car la guerre ne les avait pas encore rendus muets.

Quand l'avion passa au-dessus de lui, à basse altitude, Cabiria leva son mousqueton et tira deux fois, puis une troisième, mais l'avion était déjà passé.

— Crève! — cria-t-il. Et il s'imaginait les deux balles pénétrant dans le bois sec des flancs, comme des vis étincelantes dans la nervure d'une caisse de violon. Et la troisième qui perdait son élan dans l'air bleuté des hauteurs, jusqu'à devenir légère comme un souffle, puis immobile, une fraction de seconde, étonnée de n'avoir plus de poids.

L'avion s'inclina sur la gauche et commença à opérer tranquillement un large virage de retour.

— Nom de Dieu qu'est-ce qu'il fait? dit Cabiria.

— Il revient, dit le petit, qui ne rigolait plus.

L'avion laissa filer sous son ventre les flancs de la montagne et ne se redressa que lorsqu'il les eut exactement devant lui, comme une cible. Le vent le secouait, variantes infimes dans un calme irrémédiable. Il amorça la descente.

Cabiria et le petit se mirent à jurer et à courir vers les arbres.

— Ultimo! Barre-toi de là!

Mais Ultimo restait debout, immobile, les yeux fixés sur

l'avion. Il continuait à mâcher, et en même temps récapitulait à voix basse :

— Fokker Eindecker E.1, motorisation neuf cylindres de 100 chevaux.

— Ultimo ! Putain, barre-toi !

Quand ils volent en formation, ils sont armés en général d'une petite bouche à feu à l'avant. Mais un avion isolé, ça indique forcément un vol de reconnaissance. Sûrement équipé d'un Kodak pour photographier en altitude. Puis il éleva un peu la voix :

— File-toi un coup de peigne, Cabiria, tu vas être sur la photo.

Cabiria avait de bons yeux, il regarda en direction de l'avion et il vit un bras sortir de la carlingue. Puis il vit la tête du pilote dépasser. Se pencher sur le côté, pour viser. Et pour finir il vit le pistolet, à son poing.

Il bondit à découvert et se jeta sur Ultimo. Ils se retrouvèrent par terre et Cabiria le maintint sous lui pendant que le moteur de l'avion, en vol rasant, raclait l'air le long de son dos. Il avait les yeux fermés quand il lui sembla entendre le déclic métallique de trois coups de feu, et peut-être une balle siffler, tout près de sa tête.

Ils restèrent un peu sans bouger. Puis Cabiria ouvrit les yeux. L'avion vrombissait au loin. Ultimo riait.

— Ne fais plus jamais un truc pareil, espèce de con, dit Cabiria toujours immobile.

Ultimo continuait à se marrer.

— Espèce de con, dit Cabiria.

Ils repartirent presque tout de suite, l'histoire de l'avion leur avait gâché l'envie du fleuve, de la lumière, et du reste. Ils avançaient l'un derrière l'autre, le petit ouvrant la marche. Le mort était toujours là, bloqué par le courant dans un enchevêtrement de pierres et de branches. Il continuait à chercher quelque chose sous l'eau, mais rien à faire. C'était pas son jour, à l'Allemand.

— Qu'est-ce qu'il foutait dans le coin ? demanda Ultimo, à un moment.

— Un Allemand, ça devrait pas être ici.

— Moi non plus, je devrais pas être ici, dit Cabiria.

Mais cette *fraternité*, d'hommes en guerre, ils ne la retrouveraient plus. C'était comme si des motifs cachés, couvés par la souffrance, avaient éclos dans leur cœur, et ils se découvraient capables de sentiments miraculeux. Sans le dire ils s'aimaient, et c'était pour eux, simplement, la meilleure part d'eux-mêmes : la guerre l'avait libérée. C'était d'ailleurs exactement ce qu'ils étaient venus y chercher tous, chacun à sa manière, en accomplissant ce geste aujourd'hui incompréhensible qui leur avait fait *vouloir* la guerre, et, pour certains, y partir comme *volontaires*. Tous avaient répondu, d'instinct, à une volonté précise d'échapper à une jeunesse anémique — ils voulaient se voir restituer la meilleure part d'eux-mêmes. Ils étaient sûrs qu'elle existait, elle était simplement l'otage d'une époque sans poésie. Une époque de marchands, de capitalisme, de bureaucratie — certains déjà commençaient à dire : de Juifs. Ils rêvaient à quelque chose d'héroïque ou au moins d'intense, en tout cas spécial : mais, paresseusement assis dans les cafés, ils voyaient leurs jours passer, sans autre obligation que d'être des machines disciplinées au milieu des machines nouvelles, en vue d'un commun progrès économique et social. C'est pourquoi nous regardons avec incrédulité aujourd'hui les photos de ces hommes qui se levèrent dans les cafés en abandonnant sur les tables les petits verres à liqueur, pour courir s'enrôler au bureau de recrutement, et qui sourient à l'objectif, cigarette aux lèvres, brandissant la première page d'un journal avec l'annonce de la guerre — une guerre qui allait les broyer, de la manière la plus affreuse et la plus méthodique, avec une patience qu'aucune férocité guerrière n'avait égalée avant elle. En un certain sens, ils cherchaient l'infini. Si l'on voulait résumer la tragédie de ces années-là, on pourrait dire que ce fut le manque d'imagination qui les détruisit — on n'imaginait rien de mieux que la guerre, pour accélérer les battements de cœur. Ils n'avaient rien d'autre.

Il battait fort maintenant, leur cœur, sur cette pente enneigée, avec le capitaine qui hurle À couvert, nom de Dieu ! mais aucun abri, nulle part, si seulement il y avait un arbre, n'importe quoi, mais il n'y a que des mulets, et ils deviennent fous, enchaînés aux pièces de 149, comment veux-tu t'échapper avec un canon accroché aux reins, reste derrière le mulet, Cabiria ! Malédiction, mais ils vont tous nous crever oui, capitaine, faut sortir d'ici ! Capitaine ! et le capitaine qui a ses trente ans à sauver, qu'a-t-il laissé dans son verre sur la table au café ce jour-là, avant de commencer à courir, d'une course qu'il accélère encore sur la crête en criant Baïonnette ! il a raison, Cabiria, sortons de là avant qu'ils nous balayent, et Ultimo sort, et Cabiria sort, le petit sort aussi et ils remontent tous vers le nid de la mitrailleuse pelotonnée dans la neige, cinquante mètres à remonter, au milieu des balles qui tissent la mort au hasard, un cri âpre dans la gorge — comme il bat fort, ton cœur, Ultimo. Et ils finirent par les voir en face, et enfin de dos, qui s'enfuyaient — les *ennemis*. Dans le trou de la mitrailleuse creusé à la hâte, ils en trouvèrent un qui avait le bras en bouillie et l'autre levé en l'air, comme pour poser une question. Pose-la, *Kamerad*. Est-ce que je suis obligé de mourir ?

Et Ultimo s'accroupit devant le petit, assis dans la neige et qui sanglotait. Il l'examina, mais il n'avait pas de blessure, rien. Qu'est-ce qu'il y a, petit ? Il lui ôta le mousqueton des mains, le posa à côté. Le capitaine hurlait des ordres pour remettre la troupe en marche. Le petit tremblait et sanglotait. C'était impressionnant de le voir. Un grand gaillard dans les cent kilos, le plus grand de tous. Le soir, les paris circulaient, il était capable de soulever un mulet à bout de bras et pour quelques lires de plus il vous dansait la valse, en chantant en allemand. Ultimo lui caressa les paupières. Parce que ça réchauffe le cœur. Faut y aller, petit. Mais le gros garçon dit seulement : non. Alors Ultimo le prit sur son dos, comme s'il était blessé, et il l'était mais où, eux seuls le savaient.

— Lâche-le, dit Cabiria.

— Je peux le porter, dit Ultimo.

— Foutaises.

Il prit le bras du petit et le passa autour de son cou, ils le portèrent comme ça à deux. Ses sanglots avaient cessé.

Ils se retrouvaient ainsi dans cette sorte de *fraternité*, et c'était ce qu'ils étaient partis chercher. C'était la mort, et la peur, qui créait ce sentiment — sans doute — mais sûrement aussi l'absence, à perte de vue, de femmes et d'enfants — situation surréelle qui suscitait en eux une euphorie particulière, presque fondatrice. Là où il n'y a ni fils ni mère, tu deviens toi-même le Temps, il n'y a pas d'avant ni d'après. Et là où il n'y a plus ni épouse ni maîtresse, tu redeviens animal, et instinct, et pure présence au monde. Ils éprouvaient la sensation primitive d'être, simplement, des *hommes* — quelque chose qu'ils n'avaient peut-être que frôlé dans les rites de camaraderie adolescente ou dans les soirées fugaces au bordel. Dans la guerre, tout était plus vrai, plus entier, car cette pure identité d'animaux mâles trouvait dans le geste obligé du combat son accomplissement, comme se refermant sur elle-même et dessinant la figure inexpugnable de la sphère parfaite. Ils étaient des mâles, dispensés du devoir de procréation, qui échappaient ainsi au Temps. *Combattre* — ce n'était là qu'une simple conséquence.

Parce qu'il est rarement donné de percevoir d'une façon aussi pure la simplicité absolue de son identité, beaucoup en retirèrent une ivresse euphorique, et une considération inattendue pour eux-mêmes. Ils partageaient, au-delà de l'horreur quotidienne de la tranchée, cette sensation d'être la vie à l'état pur, formation cristalline d'une humanité ramenée à sa simplicité primitive. Des diamants, et des héros. Ils auraient été bien incapables de l'expliquer, cette sensation, mais chacun la reconnaissait dans le regard de l'autre comme dans un miroir — et ainsi la faisait sienne, et ce secret partagé cimentait leur fraternité. Rien n'aurait pu la briser. Elle était la meilleure part d'eux-mêmes, que nul ne pouvait plus leur enlever.

Pendant longtemps, ensuite, les survivants la chercheraient dans la vie normale, aux jours de la paix, sans la trouver. Alors il leur fallut tenter de la recréer, comme en laboratoire, à travers la camaraderie d'une utopie politique où leurs souvenirs s'élevaient au rang d'idéologie, qui militarisait la paix et les âmes, cherchant à renouer, par des voies atroces, avec la meilleure part de tous. Ils offrirent ainsi à une grande partie de l'Europe l'expérience des fascismes — beaucoup croyant honnêtement enseigner à ceux de leur village la pureté qu'ils avaient apprise dans les tranchées. Mais la précision géométrique qui, à travers ces expériences, les attira de nouveau dans la guerre — phalènes dans la lumière — explique pour la postérité ce qu'ils savaient peut-être mais refusaient d'admettre : ce qui était pour eux le souvenir d'un rêve ne pouvait devenir réel que dans le fracas des massacres. Comment des humains avertis ont-ils pu entrer de nouveau en guerre, vingt et un ans après la Première Guerre mondiale, dans l'arc d'une seule vie parfois, voilà qui devrait faire réfléchir à ce que devait avoir d'aveuglant, là-bas, dans la pourriture des tranchées de la Somme ou du Carse, cette sensation de fraternité primordiale — comme l'annonce d'une humanité *vraie*. Impossible de s'empêcher d'attendre son retour, quand la paix eut éclaté.

Mais la paix, c'était bien plus compliqué.

Moi-même, je l'ai traversée d'un pas incertain, souvent égaré, sans jamais comprendre vraiment ce qu'elle signifiait. Au point qu'il ne me déplaît pas de reconnaître que j'ai gâché ces vingt dernières années à préparer ce mémorial, que je rédige enfin aujourd'hui, même si j'écris contraint et forcé par les circonstances. Il me fallait chercher des témoignages et comprendre les faits, ce qui m'a demandé, on s'en doute, énormément de temps, car il n'est pas facile de rendre compte de quelque chose que l'on n'a pas vécu. Mais ce douloureux exercice de mémoire, je le devais au sentiment le plus profond et le plus cher qui me soit resté : et à un certain sens de la justice qui, cela est sûr, ne m'a jamais quitté, même aux heures les plus insignifiantes du grand âge qui vient. Ainsi, pendant des années, à chaque moment de liberté que me laissait l'exercice de ma profession, je suis revenu sur les jours d'une guerre que je n'ai pas faite : et ce fut ma tâche unique, pendant tout le temps de la paix. Je n'ai quasiment vécu que pour cela, et si pendant toute cette période j'ai pris des décisions, ce furent toujours les plus évidentes et les plus faciles. Je n'en suis pas fier, mais je ne me sens pas non plus obligé d'en avoir honte, car le présent n'était guère plus, pour moi, qu'un ronronnement fastidieux tandis que je remontais le temps pour retrouver la trace de ces hommes, de l'un d'entre eux surtout, en espérant reconstituer son parcours. La vie me sommait de prendre parti, mais je ne lui accordais sans doute qu'une attention superficielle, toute mon énergie alors concentrée à tenter de comprendre ce que pouvait être, dans les tranchées de la ligne de front, l'attente muette des soldats, accroupis dans la boue, avant d'attaquer. Ils restaient parfois des heures ainsi, à attendre que l'artillerie ait aplani devant eux le no man's land, le « pays de personne », et les positions ennemies, et c'était là un exercice surhumain de patience et de passivité. Les obus sifflaient au-dessus de leur tête, et, souvent, erreur humaine ou déficience technique, sur leur tête même — le feu ami, comme on l'appelait. On mourait aussi tué par les siens. Dans un vacarme traumatisant, les hommes étaient livrés à leurs pensées, contraints de passer dans la plus totale passivité ce qui constituait souvent les derniers instants de leur vie. J'ai peut-être un peu mieux compris le vertige d'une telle solitude en demandant à ceux qui l'avaient traversée quel stratagème ils employaient pour lui survivre. Certains priaient, bien sûr, mais d'autres lisaient, et d'autres encore empilaient leurs affaires, comme pour faire du rangement avant ce qui était un départ. Il y en avait qui pleuraient, simplement, d'autres mettaient bout à bout leurs souvenirs, pour s'empêcher de penser. Un homme m'avoua qu'il repassait mentalement la liste des femmes qu'il avait embrassées, et c'était la seule chose capable d'étouffer son angoisse. Cabiria et Ultimo la passaient, cette attente atroce, l'un près de l'autre, *à se regarder*. Ils avaient expérimenté toutes les pensées imaginables pour trouver celles qui combleraient le mieux ce temps vide. Mais pour finir, ce regard réciproque s'était avéré la technique la plus efficace : il y avait dessous la conviction qu'aussi longtemps que le regard de l'un soutiendrait le regard de l'autre, il l'empêcherait de s'éteindre dans une plainte, une gerbe de feu, une mare de sang. Et ça marchait. Cabiria chiquait, Ultimo faisait craquer ses jointures. Et chacun tenait la vie de l'autre suspendue à son regard. À quelques pas d'eux, le capitaine, avec ses trente ans à sauver, comptait les minutes et les explosions, en repassant mentalement les directives du commandement. C'était un homme ordonné : il se fiait aux chiffres, car c'était ce qu'il avait étudié. Il luttait jour après jour contre cette folie en ramenant la guerre à l'élégance formelle de chiffres rangés en colonnes. Morts, blessés, calibre des obus, hauteur des sommets, kilomètres jusqu'au front, munitions, jours de permission. Quelle heure est-il, là, en ce moment. Quel jour sommes-nous. Des nombres. Dans sa poche, il avait une lettre, comme beaucoup. C'était *la dernière lettre*, celle qu'ils n'envoyaient pas, mais qu'ils portaient constamment sur eux. Après leur mort, elle serait ouverte par les mains tremblantes d'une mère, ou d'une jeune fille, dans la pénombre d'une salle à manger, ou dans la rue sous un soleil absurde. C'était la voix qu'ils imaginaient laisser après eux. La sienne, avec ordre et méthode, disait ceci : *Père, je vous remercie. Merci de m'avoir accompagné au train, pour mon premier jour de guerre. Merci du rasoir que vous m'avez offert. Merci pour les journées à la chasse, toutes. Merci parce qu'il faisait chaud chez nous, et les assiettes n'étaient pas ébréchées. Merci pour ce dimanche sous le hêtre de Vergezzi. Merci de n'avoir jamais élevé la voix. Merci de m'avoir écrit chaque dimanche depuis que je suis ici. Merci d'avoir toujours laissé la porte ouverte quand j'allais me coucher. Merci de m'avoir appris à aimer les chiffres. Merci de n'avoir jamais pleuré. Merci pour l'argent glissé dans les pages de mon manuel. Merci pour cette soirée au théâtre, vous et moi, comme des princes. Merci pour l'odeur des châtaignes, quand je rentrais du collège. Merci pour les messes au fond de l'église, toujours debout, jamais à genoux. Merci d'avoir porté, pendant des années, un costume blanc le premier jour de l'été. Merci pour la fierté et la mélancolie. Merci pour ce nom que je porte. Merci pour cette vie que je serre de toutes mes forces. Merci pour ces yeux qui voient, ces mains qui touchent, ce cerveau qui comprend. Merci pour les jours et les années. Merci pour ce que nous étions. Mille fois merci. Pour toujours.* L'artillerie cessa le tir de barrage. Le capitaine se mit à compter. Les directives du commandement fixaient à quatre minutes l'attente avant l'attaque. Il les compta mentalement, cherchant les yeux de ses soldats, les touchant un à un, comme une aiguille égrenant les secondes. C'était le troisième assaut depuis qu'il était là. Il fallait sortir, en criant, et courir en avant jusqu'aux barbelés. Trouver le passage ouvert par les bombes et le franchir. Continuer à courir : et ensuite, d'habitude, c'était fini. D'autres barbelés, des nids de mitrailleuses, des champs de mines. À ce moment-là, ce n'était plus que la boucherie. La première fois, il s'était arrêté parce que devant lui le sous-lieutenant Malin avait sauté en l'air et il était là, sans jambes, qui lui criait quelque chose. Il s'était arrêté. Pour rester avec lui au moment du grand adieu. Ça avait pris du temps. Après, il avait vomi, et le reste était confus. Au deuxième assaut, et au troisième, il avait fait retour vers l'arrière presque aussitôt, rien ne marchait, l'artillerie italienne avait recommencé à faire feu juste quand ils attaquaient et tout le monde leur hurlait de revenir. Il ne se rappelait pas avoir jamais tiré un seul coup de feu. Et les Autrichiens, il ne les avait jamais vus. Ou alors morts, évidemment, réduits en bouillie dans le no man's land ou accrochés aux barbelés comme des âmes sur un fil à linge. Mais face à face, vivants, méchants, il n'en avait jamais vu un seul pendant ces attaques. C'était une descente aux enfers et c'est tout, mortelle et stupide, une balade insensée dans le trou du cul du malheur.

Si fou que cela puisse paraître — m'expliqua le docteur A., chirurgien de la compagnie — le haut commandement n'avait pas été capable d'imaginer autre chose, comme stratégie. Cette boucherie imbécile était une tactique. Délibérée, précise, consciente. Le docteur A., chirurgien de la compagnie, avait fait cette guerre dans les services de santé et avait cessé depuis lors de réfléchir. Mais il l'avait beaucoup fait, avant, une vraie obsession, justement pour exorciser l'horreur, et il avait aimé étudier le fait militaire comme un entomologiste étudie une fourmilière. Il faut bien comprendre — m'expliquait-il donc — que la cruauté aberrante des ordres donnés ne recouvrait pas tant un penchant guerrier à la férocité que la lenteur typique des militaires à interpréter la réalité. Les hauts commandements tiraient leur savoir d'une tradition qui remontait aux guerres napoléoniennes, et leur intelligence relative ne leur permettait pas de comprendre que l'observation à la lettre de ces règles éprouvées puisse, dans la réalité quotidienne de la guerre, donner des résultats aussi tragiques et apparemment fortuits. Comme s'ils soupçonnaient plutôt le système des causes et des effets de s'être inexplicablement enrayé, ils continuèrent à répéter les mêmes manœuvres pendant les trois premières années de la guerre, croyant sans doute qu'un jour ou l'autre la réalité recommencerait à fonctionner correctement. Imaginer que cette réalité, simplement, avait changé, c'était hors de leur portée.

Et persistait notamment en eux — m'apprit le docteur A., chirurgien de la compagnie — cette idée que l'attaque est l'essence même du combat, et, au bout du compte, le seul mode de pensée capable de cristalliser l'enthousiasme et la vigueur des troupes : la défense étant considérée comme un geste mineur, qui va contre le penchant naturel de l'armée, quelle qu'elle soit. Ils continuèrent de penser ainsi même quand les techniques défensives, sur le champ de bataille, s'affinèrent jusqu'à un artisanat haut de gamme, en se montrant capable de réinventer, instinctivement, des formes nouvelles de combat. Pendant que les techniques d'attaque répétaient obstinément des schémas vieux d'un siècle, l'instinct de défense élabora des mouvements de riposte qui n'étaient pas seulement des contre-attaques efficaces, mais un changement effectif des règles du jeu, et même de son terrain. Autrement dit, les armées attaquantes reproduisaient aveuglément les mouvements corrects d'un jeu qui, cependant, n'existait plus. Si vous voulez comprendre le cœur de l'affaire — me dit le docteur A., chirurgien de la compagnie —, pensez à ce que la mémoire collective a conservé, dans un geste synthétique et génial, comme l'icône sacrée de cette guerre : la tranchée. Ce fut l'idée qui redessina l'ensemble. Une idée — il tenait à le souligner — élémentaire et instinctive. Les soldats allemands commencèrent par se cacher dans les trous creusés par les obus français, trouvant ainsi une variante salutaire au caractère inexorable du champ de bataille ouvert. Quand ils essayèrent de relier deux trous voisins, en creusant des parcours dans la terre, ils devinèrent sans doute la naissance d'un système : certains virent dans l'acuité de ce mouvement improvisé les germes d'une logique accomplie. Et les hommes descendirent alors sous terre, comme des insectes aux tanières kilométriques raffinées. En quelques mois — faisait remarquer avec finesse le docteur A., chirurgien de la compagnie — les deux fondements de la géographie guerrière, la forteresse et le champ de bataille ouvert, furent balayés par cette troisième option inédite, qui les reprenait, en un certain sens, sans être aucun des deux. Un réseau sans fin de blessures entailla la surface terrestre, installant un piège que les troupes d'assaut ne savaient pas interpréter. C'était comme un système sanguin — et je commençais à comprendre — qui portait le poison de la guerre dans la chair même du monde, un courant invisible sous la peau de la terre sur des milliers de kilomètres. Au-dessus, contre la ligne d'horizon, plus de constructions en pierre qui s'élèvent vers le ciel, plus d'armées déployées pour recevoir l'attaque, dans cet ordre géométrique qui rappelait les champs mûrs prêts à être fauchés. Dans un paysage vidé, les fantassins s'élançaient à l'assaut sans rien avoir devant les yeux, privés d'un ennemi qui avait disparu dans les ulcères putrides du terrain. Ils recevaient une mort sans provenance, comme s'ils la transportaient déjà avec eux et qu'elle décidait tout à coup, au hasard, de leur exploser à l'intérieur, et de les emporter. La clarté de l'affrontement avait été perdue, et avec elle l'éclat qui avait auréolé pendant des millénaires l'héroïsme et le sacrifice. La prétendue noblesse du geste guerrier était quotidiennement niée par cette reptation sordide des hommes, revenus habiter les entrailles de la terre.

C'est dans ces entrailles que se développa un nouveau type de guerre, inattendu — qu'on appela guerre de position —, mais c'est surtout là, je le vois clairement aujourd'hui, que fut consommée une défaite collective, qui n'était pas immédiatement perceptible mais qui était profonde et dévastatrice, et avait à voir avec la définition des espaces, peut-être même avec celle d'un horizon moral. Car cet enfoncement de la guerre dans les profondeurs souterraines des tranchées revenait à admettre cette loi qui ramenait l'humain à la préhistoire : l'espace ouvert redevenait le lieu de la mort. Même une simple tête apparaissant timidement au-dessus de la ligne des tanières rencontrait aussitôt la balle des tireurs d'élite invisibles, ce qui signifiait l'impossibilité de la vie même à la limite entre l'air et la terre. La régression animale qui avait fait rentrer les hommes sous terre engendrait l'extrême contraction de l'espace vital : comme si le monde recommençait de zéro. Les photos aériennes du front de Verdun racontent un tel désert de mort que les seules traces de vie résiduelle que sont les tranchées y ressemblent à ces incisions qu'on recoud sur les corps après une autopsie.

Dans le terrain qui séparait les premières lignes, cet effet paradoxal de destruction atteignait une intensité presque mystique. Les combattants l'appelaient le « pays de personne », le no man's land, et depuis la création le monde n'a sans doute jamais connu de lieu où l'indigence fût aussi vertigineuse. Corps et objets — tout ce qui compose la nature — y gisaient dans une immobilité sans fin, hors du temps et de l'espace, comme si toute la mort du monde y était concentrée. À se demander comment on pouvait même simplement y *poser les yeux*, sur cette portion d'apocalypse, et c'est pourtant dans un tel paysage que pendant des jours, des mois, des années, des millions d'hommes se sont réveillés. C'est peut-être ce qui permet d'approcher l'idée de cette horreur impossible à raconter, qui les saisissait à la gorge à chacun des instants passés dans ces batailles, une horreur au-delà des limites du supportable, qui finissait peut-être par leur faire considérer la mort individuelle, la mort au détail, et donc *la leur*, comme un incident somme toute secondaire, une conséquence naturelle, presque, pour eux qui étaient *dans* la mort depuis si longtemps, qui la respiraient depuis une éternité, contaminés par elle bien avant d'en être frappés, comme finit par le penser Ultimo en comprenant que si la mort ailleurs était un événement, sur le front elle était une maladie dont il était impensable de guérir. Nous sortirons d'ici vivants mais nous serons déjà morts et ce sera pour toujours, disait-il. Et Cabiria lui balançait une grande claque qui envoyait valdinguer son casque, et il disait mais arrête, imbécile, tu penses toujours trop, même s'il savait ce qu'Ultimo voulait dire et que c'était vrai, il l'avait compris une fois pour toutes le jour où le petit était crevé, pas parce qu'il était mort, mais à cause de la façon dont ça s'était passé et surtout de ce qui avait suivi. Un éclat d'obus l'avait touché pendant qu'ils revenaient tous en courant à la tranchée, après la dernière attaque ratée. Ils étaient presque arrivés au remblai, mais tout à coup il y avait eu cette explosion, tout près, et une fois le nuage de poussière dissipé le petit était là par terre, la tête dans un angle bizarre, et il hurlait. Alors Cabiria était revenu en arrière, parce que même si partout autour c'était l'enfer, il n'était pas question de le laisser là, le petit, mort ou vivant. Et il alla le récupérer, et malgré ses hurlements l'attrapa par les jambes et commença à le traîner vers la tranchée, sans même se demander où il avait été touché. Il lui restait encore une vingtaine de mètres à faire. Peut-être un peu plus. Il commença à le traîner mais quelque chose d'autre explosa, là tout près, une fois de plus, quelque chose qui souleva Cabiria de terre et le projeta au loin comme un chiffon. Il eut une telle trouille qu'en comprenant qu'il était toujours entier, il oublia tout le reste et ne pensa plus qu'à se tirer de là, arriver au remblai, sauter, être en sécurité. C'est seulement après, dans l'abri, qu'il repensa au petit, et même si ce n'était pas une bonne idée il retourna jeter un coup d'œil sur le remblai pour voir ce que le petit était devenu, et il le trouva presque tout de suite, accroché cette fois dans les barbelés, la tête toujours tournée en sens inverse, continuant de hurler, on l'entendait parfaitement, au milieu de tout ce boucan et des autres qui gémissaient — on n'entendait que lui, pensa Cabiria. C'était à fendre le cœur. Il se dit que les brancardiers iraient le chercher, mais les Autrichiens continuaient de pilonner à l'artillerie, et de tirer à la mitrailleuse, ils avaient vraiment la rage ce coup-ci, et les brancardiers n'étaient même pas sortis, quand c'était comme ça ils disaient que ça ne servait à rien de sortir, ces Autrichiens c'étaient des fumiers. Quand Cabiria me raconta cela, dans la cellule où il était enfermé et où j'avais fini par le retrouver après l'avoir cherché pendant quatre ans, il s'arrêta à cet endroit de l'histoire en disant qu'il n'avait pas envie de raconter le reste. Alors, patiemment je revins, chaque jour, pendant cinquante-deux jours, et c'est au cinquante-troisième jour seulement que Cabiria accepta de poursuivre, disant qu'il s'était mis à chercher Ultimo, pour voir s'il s'en était sorti et pour ne pas être tout seul avec ce qui était arrivé au petit. La confusion régnait partout. Et il ne l'avait trouvé que longtemps après, alors que la nuit commençait à tomber. Ultimo, disait Cabiria, ne parlait jamais quand il rentrait d'une action, il restait tranquille dans un coin sans parler, pendant des heures, sans rien entendre, apparemment perdu dans un endroit qu'il était seul à connaître. Si bien que c'était déjà la nuit noire quand il avait réussi à lui dire, pour le petit et le reste. Ils allèrent écouter sur le remblai, et le petit était toujours là qui gémissait, avec moins de conviction mais il continuait quand même, à intervalles réguliers, comme s'il exécutait un ordre. Toute la nuit il continua de gémir. L'aube n'était pas encore levée que les Autrichiens recommençaient déjà les pilonnages à l'artillerie, comme s'ils préparaient à leur tour une sortie, ce jour-là, et le commandement fit passer l'ordre que les hommes se tiennent prêts. Arrête, avec ton pote, dit un des anciens à Cabiria. Ça voulait dire qu'il fallait lui tirer une balle, qu'il arrête de souffrir et de filer le bourdon à tout le monde. Cabiria regarda Ultimo et Ultimo dit Moi je le fais pas. Il le dit, mais d'une voix tranquille. Alors Cabiria prit son fusil et se plaça du mieux qu'il pouvait, sans être trop à découvert. Il visa et tira. Une fois, puis deux autres encore. Puis il baissa son fusil. Je n'y arrive pas, dit-il. Et il se mit à pleurer. Alors ils appelèrent un tireur d'élite, un Abruzzais capable d'éteindre les cigarettes des Autrichiens, quand il était en forme. On lui demandait aussi ce genre de boulot quelquefois, et il s'en acquittait sans commentaire. Son tarif c'était deux paquets de tabac et un ticket pour le bordel. Il ne tira qu'un coup, et le petit arrêta de gémir. Tout net. Ce qu'il y avait de bien, avec le petit, c'était qu'il savait jouer de l'accordéon, et surtout, c'était son visage quand il jouait. Ils avaient découvert ça par hasard un jour où en traversant un village, du côté de Cividale, ils avaient entendu par une fenêtre quelqu'un jouer de l'accordéon. Le petit, à ce moment-là, était sorti des rangs et il était entré dans la maison. Pas longtemps après, le voilà à la fenêtre, criant à tout le monde de s'arrêter. Mais qu'est-ce qu'il y a, petit? Sans répondre, il s'était mis à jouer. Fallait voir ce qu'il était capable de faire, avec ses doigts énormes. Mais il n'y avait pas que ça, le plus dingue c'était de voir son visage, pendant qu'il jouait. De voir ses yeux. Jamais personne ne lui avait vu un regard pareil, d'habitude il avait plutôt les yeux à moitié fermés, comme quelqu'un à qui on n'arrêterait pas de poser une question. Faut croire que l'accordéon était la réponse. Ses yeux s'ouvraient complètement, et son regard s'en allait très loin. Sauf que maintenant il était là, adossé aux barbelés, et ses yeux étaient fermés, la balle de l'Abruzzais lui avait traversé le crâne, de part en part, chirurgical. Cabiria pensa à tous les accordéons qui ne connaîtraient jamais ses mains, et il se dit que c'était vraiment dommage. Et il pensa à tous les gens qui ne danseraient pas, à toutes les larmes qui ne couleraient pas, aux pieds qui ne battraient pas la mesure sur le sol. On n'a pas idée du nombre de choses qui meurent, quand quelqu'un meurt. Même un chien. Enfin, surtout un homme, évidemment. Ultimo avait pris son bout de miroir, qu'il gardait enveloppé dans un chiffon, pour le planter à l'extrémité de son mousqueton, comme il savait faire, et il leva le mousqueton en l'air pour regarder par-dessus le bord de la tranchée sans se faire exploser la tête, regarder vers le « pays de personne », et dans le pays de personne le cadavre du petit, et sur le cadavre son visage. Il aurait mieux valu ne pas le faire, il aurait mieux valu ne plus y penser, mais comment l'oublier, quand le corps était là, à trois pas ? Salut petit, ça me fait de la peine. Salut petit, ça vaut peut-être mieux comme ça, tu sais. Il vit que sa peau n'était plus accrochée de la même manière sur les os, et cette expression sur son visage, on ne la lui avait jamais vue, au petit. Ce n'était pas comme quand il dormait, c'était différent : comme s'il y avait sur son visage des traces de vieillesse, des restes de vieillesse, comme s'il était mort jeune après avoir été vieux longtemps, avant, dans une drôle d'existence à l'envers. Allez savoir. Les Autrichiens les bloquèrent comme ça pendant douze jours et douze nuits, sous un feu qui ne s'arrêtait jamais, ou alors deux heures, et puis qui recommençait. La possibilité d'une attaque était toujours dans l'air, aussi personne ne dormait, c'étaient des journées à briser les nerfs, tout ce temps passé sous le feu. Ça jouait peut-être aussi un peu, mais l'histoire du petit se transforma en un cauchemar indicible. Impossible de faire une sortie pour l'enlever, et qu'il cesse de mourir de cette mort lente de la chair. Au début il gonfla de partout puis on vit peu à peu les lèvres se retirer sur les dents, des dents petites et blanches, et les joues disparaître. Le septième jour un obus explosa juste à côté et le corps se sépara en deux. La tête, avec les épaules et une partie des viscères, rebondit jusqu'à la tranchée et se retrouva tournée vers eux, comme un fait exprès, les yeux qui les regardaient, eux qui avaient été sa famille, ses camarades. Avec le soleil, la chair s'en allait chaque jour un peu plus. L'os de la mâchoire apparaissait, les yeux se retiraient à l'intérieur du crâne, dans le néant, emportant avec eux des filaments de peau. C'était son visage, mais comme si un animal avait commencé à le manger sans avoir eu le temps de le curer, peut-être interrompu. Une torture. Alors un jour Cabiria s'était mis à crier, un seul et unique hurlement, comme une lame, puis il était monté sur le remblai, il s'en foutait complètement des Autrichiens, et il avait lancé une grenade droit sur le petit, en plein dessus, sans faillir. La colonne de terre explosa à la verticale, en répandant alentour les lambeaux de ce qu'il était resté de lui, les faisant voler au loin. Certains atterrirent dans la tranchée, et ils furent obligés de les prendre — dans leur main — et de les renvoyer là d'où ils venaient, dans le no man's land. Cabiria savait donc bien ce qu'Ultimo voulait dire quand il disait ce truc sur la mort, qu'ils étaient tous déjà morts et que c'était pour toujours. Il n'y croyait peut-être pas vraiment, mais il comprenait ce qu'il voulait dire. Ils avaient traversé ça, et rien ne pourrait jamais l'effacer. Ils l'emporteraient avec eux, dans le double fond de leur âme, comme des contrebandiers de l'horreur. Sœur la mort.

Et ça continua comme ça — m'expliqua le docteur A., chirurgien de la compagnie — jusqu'au moment où quelque chose changea dans les hauts commandements, quand tardivement se fit jour l'intuition que la percée si convoitée ne pouvait être imaginée que par un esprit immensément naïf, qui irait la chercher dans l'envers de ce qui jusqu'alors avait paru logique. Les premiers à se donner les moyens d'une telle acrobatie intellectuelle, m'expliqua-t-il, furent les Allemands. Ils l'essayèrent d'abord sur le front oriental puis sur l'Isonzo, là où précisément s'affrontaient les deux armées qui semblaient les mieux cramponnées à l'arrogance rétrograde des anciennes règles : les Autrichiens et les Italiens. Là aussi régnait une guerre de tranchées, encore plus absurde, du fait de la configuration très abrupte du terrain. Ce qui était sur le front français une toile d'araignée, posée sur le doux relief de la campagne, devenait, en montagne, un horrible travail de broderie qui devait creuser des lignes défensives dans des parois impraticables, à des altitudes où la glace remplaçait la terre. La fatigue et la souffrance humaines en étaient démultipliées, sans que le résultat soit bien différent. Les onze batailles de l'Isonzo, au cours desquelles les Italiens tentèrent d'enfoncer le front autrichien, donnèrent des chiffres hallucinants : pour déplacer la frontière d'une quinzaine de kilomètres, plus d'un million de soldats disparurent du champ de bataille, soit morts, soit blessés. De la folie, quand on y pense — me disait le docteur A., chirurgien de la compagnie. Et il est probable — ajouta-t-il — que malgré cette horreur manifeste, les Italiens d'une part, et les Autrichiens de l'autre, auraient continué ainsi jusqu'à ce que survienne une imprévisible apocalypse finale. Ce fut l'intervention des Allemands qui mit fin à cette sorte de guerre tribale, en la découpant au bistouri d'une logique basée sur la combinaison infernale de l'intelligence et de la naïveté. Rusés et patients, ils accumulèrent derrière la première ligne une grande quantité de moyens et d'hommes, sans que les Italiens ne perçoivent jamais plus qu'un mouvement de stabilisation des troupes,

107

animé, certes, mais insignifiant. Prenant le commandement des opérations, ils reléguèrent les Autrichiens à un rôle d'élèves, qui n'avaient plus qu'à apprendre et à mourir. Et dans les premières heures du 24 octobre 1917, à Caporetto, dans la haute vallée de l'Isonzo, ils lancèrent l'attaque la plus absurde, et la plus dévastatrice qu'on eût jamais vue dans cette zone. N'allez pas imaginer une attaque-surprise — m'avertit le docteur A., chirurgien de la compagnie — car ce n'en fut pas une. Les Italiens savaient, à mille signes, qu'une offensive autrichienne était imminente. Ils s'y attendaient, convaincus, non sans raison, qu'ils étaient suffisamment bien déployés pour pouvoir la stopper. Vingt-quatre heures plus tôt, le roi d'Italie, commandant de toutes les forces de terre et de mer, était venu contrôler en personne l'efficacité du dispositif de défense. Il était reparti visiblement satisfait. Mais ce qui était en train de se préparer était quelque chose qu'ils n'avaient jamais rencontré, et que la logique obtuse des militaires n'était pas assez agile pour comprendre, encore moins prévoir. Et même après coup, ils continueraient pendant des années à essayer de comprendre, en vain.

Il faut dire que le docteur A., chirurgien de la compagnie, exposait ces faits avec une sorte de complaisance qui m'était désagréable, quelque chose comme l'admiration détachée du savant pour l'objet qu'il étudie. Il m'était difficile de supporter qu'on puisse aller lire une forme d'intelligence dans la dynamique brutale de la mort, ou attribuer une sorte d'élégance formelle au geste de celui qui tue : mais quand je lui fis part de mon malaise, le docteur A. se montra dur et impitoyable, et à plusieurs reprises s'en prit à moi de manière grossière, me demandant si je voulais ou ne voulais pas savoir comment les choses s'étaient passées, émettant même des doutes sur ma capacité à remplir la mission que je m'étais assignée, qui est de rendre justice à mon fils, condamné à mort, pour désertion, et fusillé le soir du 1er novembre 1917, huit jours après Caporetto.

Je dis alors que c'était bien ce que j'entendais faire, et que je le ferais.

Et je dis que la mémoire de mon fils était tout ce qu'il me restait.

Si bien que son ton s'adoucit — je m'en souviens encore — pour m'énoncer les deux lois que, selon les manuels de guerre, toute manœuvre d'attaque devait respecter. La première était vieille comme l'art de la guerre et disait que pour vaincre il faut conquérir les sommets, les points à partir desquels on peut dominer le terrain. Au-delà d'un principe stratégique, c'était une catégorie mentale, symbolisée par les milliers de citadelles qui, partout dans le monde, placent le pouvoir dans les positions élevées, là où il est possible de contrôler tous les mouvements humains. La seconde règle, d'une logique incontestable, insistait sur la nécessité d'avancer en formation compacte, avec une ligne de front le plus large possible, pour ne pas risquer de perdre à l'avant des contingents de troupes isolées qui, s'étant détachées du gros de l'armée, se retrouveraient d'abord trop éloignées du ravitaillement et, ensuite, inexorablement encerclées. Géométriquement, un raisonnement inattaquable. Ces règles-là, les Allemands les connaissaient parfaitement. On peut même dire qu'ils avaient largement contribué à les fonder. Le 24 octobre 1917, ils attaquèrent en s'appuyant sur une stratégie qu'on pourrait définir comme suit : les règles étant celles-ci, faire l'inverse. Négligeant les sommets, ils avancèrent au fond de la vallée, là où les défenses étaient plus distraites et plus molles. Et ils le firent avec de petits détachements d'assaut, auxquels avait été donné l'ordre, inconcevable, d'enfoncer les lignes ennemies puis de ne jamais s'arrêter, perdant ainsi tout contact avec le gros de l'armée et décidant de leurs propres mouvements et de leurs actions de manière autonome. L'idée était de pénétrer à l'intérieur des lignes ennemies comme des termites qui, ayant choisi comme point d'entrée celui où le bois était le plus mou, creuseraient ensuite leur chemin à l'intérieur du déploiement ennemi jusqu'à ce que les sommets, sans même avoir été conquis, tombent d'eux-mêmes. Et ce fut exactement ce qui arriva.

Mais c'est dans la géométrie singulière des esprits et des âmes qu'il faudrait chercher — aurait objecté le capitaine, avec ses trente ans à sauver — car le fait militaire brut, si fascinant qu'il soit par sa virtuosité, est incapable d'expliquer ce que nous avons vécu, et qui fait que je me retrouve ici, maintenant, face au peloton d'exécution. Les nuages bas recouvraient le fond de la vallée — aurait dit le capitaine — et ces termites, qui rampaient dans notre dos, en suivant la voie facile le long du fleuve, nous ne pouvions pas les voir. Nous étions isolés, sur les hautes pentes de la montagne, les communications tout à coup muettes, juste des bruits qui couraient, colportant des racontars qui puaient le défaitisme. Et des lueurs d'incendie, c'est vrai, au fond de la vallée, qui coloraient les nuages, mais ça peut vouloir dire tellement de choses, un incendie, dans la grammaire de la guerre. Ce qui était sûr, c'étaient les deux heures de pilonnage dévastateur de l'artillerie autrichienne pendant la nuit, et aussitôt après le silence, un silence que je n'oublierai jamais, mais je me suis retrouvé avec ces fusils pointés sur moi, et je l'oublierai maintenant, comme le reste. Parce qu'on s'attendait que jaillisse de ce silence le hurlement de l'ennemi qui passe à l'attaque, mais ce ne fut pas le cas, il y eut seulement ce silence invraisemblable qui se prolongeait, une attente au-delà du supportable, et qui devenait un temps vide qui n'avait plus de sens, sinon la suspension de toute logique connue de nous et l'imminence d'une épreuve étrangère à notre expérience. Le silence et l'isolement étaient tels, que nous en arrivâmes à supposer quelque chose de surnaturel, comme si la montagne avait soudain déserté et que nous flottions à présent sur le néant d'une guerre disparue. Pouvez-vous imaginer — aurait demandé le capitaine — à quel point la fatigue et la solitude étaient capables d'égarer les esprits ? Si vous ne pouvez pas l'imaginer, alors ce peloton d'exécution est inévitable, il est même juste, car personne ne peut comprendre ce qui arriva quand cet officier allemand, revolver à la main, sortit des nuages, *derrière nous*, venu du fond de la vallée avec quatre ou cinq hommes armés, et se mit à nous crier en italien de nous rendre, avec assurance, et même avec calme, comme si c'était la conséquence évidente d'une opération banale. D'un point de vue strictement militaire — aurait admis le capitaine avec ses trente ans à sauver — la situation était claire, nous étions 278 et ils étaient quatre ou cinq, mais ce qu'il faut comprendre ici c'est la géométrie des esprits et des âmes — aurait-il précisé, à juste titre, frôlant peut-être ainsi le mystère de ce qui s'est passé à Caporetto. Parce qu'ils étaient des animaux entraînés à un type de guerre précis, où la seule géométrie connue était d'avoir l'ennemi *en face* : ils avaient consacré tellement de temps et d'indicibles souffrances à cette seule figure, qu'elle en était devenue une forme de l'être et un schéma immuable de la perception. Ce qui arrivait, arrivait dans les formes, posées a priori, de cette géométrie, la mort qu'ils recevaient leur venait de la tranchée d'en face, et celle qu'ils donnaient, ils la donnaient droit devant eux, à la tranchée qui les y attendait. Dans la logique implacable de ce schéma, ils avaient développé un savoir subtil, et une disponibilité extraordinaire au sacrifice : mais plus ils entraient dans l'intimité de ce mouvement exclusif, plus s'estompait en eux le souvenir des infinies possibilités de l'espace et plus s'amoindrissait leur capacité, y compris morale, à réagir devant l'anomalie d'un mouvement qui ne soit pas frontal. C'est pourquoi l'hypothèse d'une attaque *par-derrière* avait cessé de figurer dans leur catalogue de l'imaginable, et quand la chose se produisit effectivement, dans un contexte irréel d'isolement total, ils la virent sans doute moins comme une figure de combat nécessitant d'être interprétée que comme une suspension magique du combat en lui-même, un soudain effondrement de tout, qui les dispensait du devoir de réagir. Ce ne fut pas simplement une question de lâcheté, et je l'ai su tout de suite — aurait témoigné le capitaine — en regardant mes soldats dans les yeux, à cet instant où une décision rapide s'imposait, et en voyant avec quelle simplicité ils sortaient de la tranchée pour aller voir ça de plus près, traînant leur mousqueton derrière eux. Ce n'était pas la peur qui dictait leurs gestes, mais plutôt la surprise indolente de l'animal qui sort de sa tanière quand l'orage a pris fin. Il n'y avait pas, sur les premiers qui levèrent les bras, en souriant, l'ombre de la défaite mais plutôt la vague impression que tout était terminé. Et le cauchemar de la captivité ne sembla même pas effleurer leur esprit, inexplicablement saisis par le pressentiment immotivé que nous allions enfin, tous, rentrer chez nous. Moi je serrais mon revolver — aurait souligné le capitaine — et, visant le ciel, leur criai de ne pas bouger, de retourner dans les abris, Je vous ordonne de retourner vous mettre à couvert ! mais je ne peux nier que je n'osai pas tirer — aurait admis le capitaine — si absurde que cela paraisse, je n'osai pas tirer, et aux yeux des soldats qui cherchaient une quelconque certitude dans les miens, je ne fus capable de renvoyer que la dilatation absurde de cet instant, mon espoir ridicule que tout s'arrête, le temps de comprendre, pendant que cet officier allemand, lui, continuait de tisser le temps réel de l'action, en marchant vers nous, toujours très calme, et en nous criant de nous rendre, jusqu'au moment où les premiers soldats laissèrent tomber à terre leur mousqueton, et quelques-uns même souriaient en lâchant quelques mots d'allemand, se déplaçant avec une lenteur qui est restée pour moi la marque indélébile de cet instant-là, qu'en effet je me rappelle d'une invraisemblable lenteur, avec ce mouvement inexorable des soldats quittant les tranchées comme l'huile un verre trop plein, comme si leur patience parvenue à son comble les poussait à descendre lentement et irrésistiblement vers les Allemands, se laissant couler en douceur le long des pentes neigeuses. Et si maintenant vous me demandez ce que j'ai fait — aurait conclu le capitaine — je me souviens d'avoir eu du coin de l'œil la perception obscure d'un mouvement rapide, le seul qui échappât à ce sortilège de lenteur, si net que je m'y accrochai d'instinct, devinant qu'il était la seule issue possible à cette situation. Je me retournai — aurait raconté le capitaine, avec ses trente ans à sauver — et je vis deux soldats qui sautaient de nouveau à l'intérieur de la tranchée et courbés en deux se mettaient à courir, vers la gauche, là où les boyaux s'étiraient encore sur des centaines de mètres, et descendant ensuite de la crête des montagnes. Autour de moi cette huile qui s'écoulait de manière ininterrompue, et je me laissai engloutir par ce mouvement, renonçant sans rien dire à mes prérogatives d'officier, j'en ai conscience, mais avec la certitude que ces deux soldats étaient l'unique fragment subsistant de réalité, comme l'infime portion résiduelle d'un monde qui avait cessé d'exister, et auquel cependant j'appartenais encore. Alors je me laissai envelopper par cette vague d'huile pour m'y cacher, et quand je sentis que j'étais devenu invisible je commençai à marcher à reculons, lentement. Je me glissai à nouveau dans la tranchée et me mis à courir le plus vite possible dans la direction où j'avais vu partir les deux soldats. J'eus seulement le temps d'entendre, derrière moi, la voix de mes hommes suggérer puis répéter à l'envi cette seule et unique petite phrase, que je n'arrive pas à prononcer ici sans une profonde émotion, comme le nom d'un enfant disparu.

La guerre est finie.

— Dis pas de conneries et cours.

— Ultimo!

— Cours, je te dis.

— Mais la guerre est finie!

— La ferme, Cabiria.

— On est en train de filer droit dans la gueule des Autrichiens.

— On y était déjà, dans la gueule des Autrichiens.

— Retournons là-bas, dis, retournons là-bas, et on se cachera pour voir comment ça tourne.

— Pas question que j'y retourne, là-bas.

— T'es complètement dingue.

— T'as qu'à y aller, si tu veux.

— Mais nom de Dieu!

— Cours.

— Où tu veux aller nom de Dieu?

— Les bois, faut descendre par les bois.

— C'est de la folie, on va tomber sur le village, ça sera déjà bourré d'Autrichiens.

— On n'en sait rien.

— Bien sûr qu'on le sait, ils nous ont contournés, t'as rien compris, toi.

— C'étaient des Allemands, et ils étaient cinq, Cabiria.

— Et alors, dans le village il va y avoir tous les autres.

— On n'en sait rien.

— Bien sûr qu'on le sait.

— Non, on le sait pas.

— Regarde, le capitaine !... y a le capitaine qu'est derrière nous.

— Tu vois, il est pas si con le capitaine.

— Capitaine !

— Arrête de crier, Cabiria.

— Capitaine, on est là !

— Tais-toi !

— Ultimo !

— À terre, bordel !

Des Allemands montaient à travers bois, silencieux, disciplinés, en file indienne. Ils observaient les alentours. Ils avaient l'air de savoir ce qu'ils faisaient. Ils ne virent pas les trois Italiens couchés sur les feuilles mortes, ils passèrent à cinquante mètres, sans les voir. Immobile, tête collée au froid de la terre, Ultimo se dit que la géographie de la guerre était définitivement allée se faire voir. C'était quoi, ces ennemis qui arrivaient d'Italie et attaquaient en marchant vers leur propre patrie ? Et eux trois, là, aplatis sur le sol avec pour seul objectif de laisser passer l'ennemi, sans être vus, eux qui avaient risqué leur vie pendant deux ans dans le seul but de les empêcher, à tout prix, de passer ? Il se demanda s'il y avait un nom pour ce qui leur arrivait. Et en cet instant précis il eut l'intuition nette que toute géométrie lisible était suspendue — comme il me le raconta, des années plus tard — et qu'il assistait à l'avènement d'un chaos dont il ne savait pas encore s'il était tragique, ou électrisant. Il utilisa exactement ces mots-là, « toute géométrie lisible était suspendue », plutôt inattendus de sa part, car il semblait un homme simple, ne disposant certainement pas d'une culture raffinée. Mais il avait, comme je le découvris en passant des journées entières avec lui, une sensibilité innée pour la perception des formes, et un obscur instinct pour interpréter la réalité en fonction de sa disposition dans l'espace mental. Devant une succession d'événements, il ne cherchait pas à distinguer le bien du mal, le juste de l'injuste, son seul souci semblait être d'y déchiffrer l'éternel balancement entre le chaos et l'ordre, à travers l'agrégation et la désagrégation sans fin des figures géométriques. C'était assez surprenant, et même dans le monde des savants que j'ai été obligé si longtemps de fréquenter, de par ma profession, j'ai rarement rencontré une telle disposition d'esprit. Je ne fus donc pas étonné d'apprendre ensuite, quand Ultimo m'eut jugé digne de sa plus intime confidence, que cette disposition d'esprit était précisément ce qui lui avait dicté le but de son existence, en l'amenant à concevoir un projet que je n'ai jamais cessé de considérer comme absolument inutile et génial. Je n'ai pas eu l'occasion de savoir, ensuite, s'il avait ou non mené à bien ce projet, mais aujourd'hui, à des années de distance, je me dis que rien n'aurait pu l'arrêter. Je me rappelle qu'il me demanda si j'estimais puéril de consacrer sa vie entière à un projet unique : je lui répondis que je brûlais ma vieillesse tout entière dans le projet unique de rédiger un mémorial.

— Pour rendre au capitaine son honneur perdu ?

— Oui, dis-je.

Quand il sut que j'étais mathématicien (profession dont je tiens à souligner que je l'ai exercée pendant quarante-deux ans, sans succès notable, dans la recherche et l'enseignement), il devina sans doute la raison de mon attention hypnotique à ses propos. Peut-être comprenait-il aussi que son étrange manière de voir le monde comme un ensemble de formes en mouvement lui permettait de me raconter, dans une langue que je connaissais, une réalité à laquelle mon érudition inutile ne m'aurait pas permis d'accéder. Je ne m'explique pas autrement la minutie qui le faisait constamment revenir sur des scènes apparemment insignifiantes, et notamment le soin qu'il prit de me raconter plusieurs fois ce jour d'automne où, dans les bois, plaqué contre le sol, à côté de mon fils et de Cabiria, il eut la première révélation instinctive du chaos dans lequel ils venaient d'entrer. Ça devrait vous aider, pour votre mémorial, disait-il. Et il reprenait une nouvelle fois ses explications, avec une application insolite. Je sais ainsi qu'au moment où sa bouche s'emplissait de terre, tant il voulait se rendre invisible aux yeux de l'ennemi, lui était revenu le souvenir lointain de ce parcours circulaire qu'il avait creusé une nuit dans le brouillard de Turin, il y avait bien longtemps, en tournant avec son père autour du même pâté de maisons et en écoutant ses paroles. Et lui était venue une incurable nostalgie, car c'était le dernier souvenir qu'il avait d'une figure géométrique dans laquelle s'était coulée à la perfection la forme de sa vie. Ensuite, seule la longue ligne droite qui le menait vers l'hôpital, en un jour douloureux, lui avait semblé conserver quelque chose d'un ordre où il y eût de la place pour lui et pour sa vie, et tout le reste ensuite n'avait été que la superposition informe de dessins inachevés qui portaient la marque de l'absurdité de tout, et de l'impossibilité désormais de tracer une ligne de partage entre le destin et le chaos — et peut-être, entre le bien et le mal. Sa fugace jeunesse s'y était égarée, au point qu'il en était venu à éprouver une forme de

117

gratitude, à la guerre, pour l'opposition élémentaire qui était celle des tranchées, et dont le schéma formel semblait offrir, dans sa simplicité primitive, un élément de permanence susceptible de repousser toute agression de l'humain. Face à l'inutilité folle des attaques frontales, il lui était même arrivé plusieurs fois de penser que c'était précisément cet élément-là, objectif, de stabilité, qu'aucune ardeur guerrière n'avait été capable de saper, comme si c'était contre *la forme*, et non contre les hommes, qu'ils se déchaînaient : l'invincibilité des défenseurs prouvait la résistance objective des choses, qui s'accrochaient au dernier lambeau d'ordre laissé par cette éclipse de la raison qu'était la guerre. Mais il savait maintenant qu'il avait suffi d'une anomalie formelle, un officier allemand qui arrive d'un point inattendu, pour causer l'arrêt du système tout entier, faire s'effondrer, le temps d'échanger quelques regards d'hésitation, ce qui la veille encore était fondé sur le granit, et n'était plus désormais qu'un souvenir, face au chaos sans finalité auquel les invitait maintenant le réel. Aujourd'hui, je peux dire que c'est en entendant ces paroles que j'ai commencé, réellement, à comprendre : et que pour la première fois *j'ai eu l'intime conviction que l'honneur de mon fils n'était pas perdu*. Ultimo m'enseigna que ce jour-là, pendant qu'il embrassait la terre de toutes ses forces dans l'intention puérile de devenir invisible, mon fils était déjà innocent, car il se retrouvait à la fois partout et nulle part, égaré dans un monde qui avait perdu toutes coordonnées et où les catégories de la lâcheté et du courage, du devoir et du droit, avaient été pulvérisées. Il est facile de voir aujourd'hui dans sa fuite la figure de ce que nous appelons généralement *désertion* : mais croyez-moi, avant cela, c'était le monde qui avait déserté : mon fils ne dessinait aucune figure, cela lui aurait été impossible, il courait, c'est tout, dans ce qui

118

n'était pas un dessin, mais une superposition de hachures dans tous les sens, il n'était qu'un jeune homme qui autour de lui ne voyait plus aucun dessin de figures achevées, mais uniquement des fragments, il courait en piétinant ces fragments qui étaient là, et courir ainsi, ce n'est pas s'enfuir, mais tenter de se maintenir à la surface du néant, ce n'est pas déserter, c'est survivre. Je voudrais dire cela en employant des mots que les hauts commandements militaires et les autorités compétentes puissent comprendre : ayez, je vous en supplie, la noblesse de convenir que pendant ces heures-là les termites allemands avaient aboli l'idée même de front, et même de frontière, géographique et morale, précipitant toute la zone située entre l'Isonzo et le Tagliamento dans une géographie chaotique, fille d'une sorte de geste artistique, un geste avant-gardiste. En descendant au fond des vallées pour remonter ensuite dans toutes les directions la pente des montagnes, ils avaient de fait aboli les notions d'avancée et de repli, imposant à la guerre une structure en taches de léopard où chaque affrontement était une histoire en soi, indépendante de toutes les autres. Car *eux* l'avaient voulue, cette guerre, et décidée sur le papier, eux savaient comment y combattre, mais pas les Italiens, qui cherchaient encore inévitablement dans les événements l'articulation d'un mouvement collectif d'ensemble, eux qui se croyaient encore, et c'était logique, en face d'une armée unique, déployée sur un échiquier encore intact, et délimité. Si vous ne comprenez pas l'importance de cette dissymétrie de la perception, vous n'arriverez jamais à vous expliquer ce chiffre dont vous avez honte, qui vous est resté incompréhensible et qu'aucune statistique militaire ne peut admettre, un chiffre si honteux que vous avez continué de le cacher pendant des années, mais qui raconte pourtant exactement, dans sa limpidité, comment les choses se sont passées, puisque à Caporetto, en quelques heures, *trois cent mille soldats italiens se retrouvèrent prisonniers entre les mains de l'ennemi, la plupart du temps sans combattre.* Un chiffre qui quantifie de manière scandaleuse la répétition d'un seul et unique geste de reddition, chaque fois identique, et que vous persistez à enfermer injustement dans le cadre étroit du mot *lâcheté*, quand il raconte au contraire un grandiose mouvement collectif d'autosuspension, devant une géographie de guerre d'où toute lisibilité avait disparu. Vous savez aussi bien que moi que pendant les soixante-douze heures qui suivirent la percée austro-allemande, les troupes italiennes du front de l'Isonzo vécurent les événements coupées de toute communication : vous pouvez bien imaginer, alors, le caractère irréel qu'a pris à leurs yeux cette soudaine apparition de l'ennemi derrière eux. Cette génération de combattants à qui avait été réservée l'expérience manifeste de l'enfer, la réalité inhumaine de la guerre de position, se voyait tout à coup offrir l'expérience inhabitable d'un chaos sans explication. Je sais, moi, qu'avant même qu'il ne commence à courir, mon fils était innocent, parce que la guerre avait éclaté en une multitude d'événements individuels privés de sens, comme autant de navires démâtés qui s'en vont à la dérive : il n'est pas étonnant qu'avec la simplicité irrationnelle de l'animal qui souffre, la plupart d'entre eux aient résumé ce naufrage sous la forme d'une certitude instinctive, dictée par un désir profond.

La guerre est finie.

Presque tous l'ont cru, m'expliqua Cabiria, et je dois encore comprendre aujourd'hui comment une idée aussi folle a pu se répandre. Ils jetaient leurs armes et ils descendaient à la rencontre de l'ennemi, voilà, il n'y avait rien de

compliqué là-dedans, ni même de triste. Tout paraissait
naturel. Il y avait tellement de soldats qui se rendaient que
les Autrichiens n'étaient pas assez nombreux pour les garder,
alors ils se gardaient tout seuls, comme des animaux à la
pâture, débonnaires. Ils n'étaient pas beaucoup, à penser différemment. Le capitaine en faisait partie, Ultimo aussi. Ils
disaient, eux, qu'il ne fallait pas lâcher les armes. Si la guerre
est finie, disaient-ils, pourquoi est-ce qu'ils ne lâchent pas les
leurs, les Autrichiens ?

Il se passa exactement — m'expliqua le docteur A.,
chirurgien de la compagnie — ce que les Allemands avaient
prévu : après trois jours de silence, les commandements italiens donnèrent l'ordre de se replier : et des sommets, les soldats, incrédules, commencèrent à descendre dans la vallée,
abandonnant, sans avoir même été attaqués, des positions
qui leur avaient coûté des milliers de morts. L'idée était de
déplacer le front derrière le fleuve Tagliamento, et de s'y
réorganiser, en établissant une défense qui arrête les Austro-
Allemands. Mais une fois encore l'intelligence limitée des
militaires n'avait pas su comprendre la simple réalité des
faits. Les termites avaient continué d'avancer, et il était clair
à présent qu'ils y arriveraient les premiers, au Tagliamento.
Plus d'un million de soldats italiens commencèrent ainsi à
descendre dans la plaine, avec derrière eux une armée qui les
poursuivait, et devant eux, les termites qui les attendaient.
En termes techniques, cela s'appelle un encerclement, le cauchemar de tous les combattants. Mais à dire vrai — me
raconta Ultimo — ce n'était pas tant de la peur que nous
ressentions, c'était autre chose, quelque chose de bizarre,
comme une euphorie, comme une soûlerie. Plus nous des-
cendions vers l'arrière, plus il y avait de gens, partout, mais
on aurait dit qu'ils n'étaient pas dans la même histoire,

comme si chacun avait son histoire à lui, personnelle, et même privée, à poursuivre. On voyait de tout. Le capitaine nous avait convaincus de ne pas lâcher nos armes, mais ils étaient des milliers à se balader sans mousqueton, sans rien, alors que d'autres les collectionnaient, ces armes, ramassant toutes celles qu'ils pouvaient trouver et transporter, en rigolant. Je me rappelle qu'on arrivait dans la campagne, une fois sortis des bois, après une nuit passée à nous faufiler entre les Allemands qui étaient partout, on arrivait dans la campagne, c'était l'aube, et au milieu des prés il y avait un petit groupe de soldats italiens, et tout ce qu'ils faisaient, c'était s'amuser à tirer sur les vaches, au pistolet ou au fusil, ils tiraient sur les bêtes pour les zigouiller, en parlant fort et en rigolant. Ils disaient qu'il ne fallait rien lui laisser, à l'ennemi, terre brûlée, comme les Russes avec Napoléon, et en disant ça ils riaient, c'est ça, la chose la plus bizarre dont je me souvienne, comme si une immense soûlerie s'était emparée du cerveau de tous. Vous ne devez pas oublier ça, hein, si vous voulez vraiment comprendre votre fils — me dit Ultimo — parce que si vous ne comprenez pas cette folie subtile vous ne pouvez rien comprendre. C'était irréel, tout était irréel. Je me souviens qu'en arrivant aux premières maisons d'Udine, sans même savoir si les Autrichiens étaient déjà là, nous restions à couvert, les armes chargées, je me souviens qu'on était aux premières maisons quand on a vu surgir au coin d'une maison trois putains, trois filles de bordel : elles couraient, à moitié nues, sans chaussures, je me souviens, avec leurs voiles à l'air, on se serait crus dans un rêve, Dieu sait où elles couraient comme ça, pieds nus, sans parler ni crier, rien, elles couraient, c'est tout, et en silence elles ont disparu dans une ruelle, je vous jure, à croire qu'on les avait rêvées. Comme si elles avaient été mises là exprès pour nous avertir de la folie dans laquelle on était tombés. Et après, pareil, on n'arrêtait pas de tomber sur des trucs absurdes. On est arrivés sur une petite place, et là c'était plein de soldats italiens, mais tous assis, et aucun d'eux qui ait une arme, rien, on aurait cru qu'ils étaient en permission ou je ne sais quoi. Et le plus beau c'est qu'il n'y avait pas d'Autrichiens, autour, pas l'ombre d'un Autrichien, ils avaient fait comme à la corvée de bois, quand tu fais des fagots et que tu les laisses là, ils reviendraient les chercher après, quand ils auraient le temps. Le capitaine demanda si la ville était aux mains de l'ennemi et un officier lui cria alors que tout était aux mains de l'ennemi, et en disant ça il levait à bout de bras une fiasque de vin qu'il tenait par le col, comme pour trinquer, pendant que les autres nous criaient que la guerre était finie, et qu'il valait mieux lâcher nos armes, si les Autrichiens nous chopaient avec, ils nous feraient la peau. On doit se replier sur le Tagliamento, lui cria alors le capitaine. Mais personne ne répondit, personne ne bougea, ça ne les concernait plus, cette affaire. Nous aurions dû quitter la ville immédiatement — me dit Ultimo — comme ça rien ne serait arrivé, mais il y avait quelque chose d'irrésistible, dans cette ville, quelque chose que nous n'avions jamais vu, comme un sentiment de mort et de fête en même temps, et tout flottait dans une sorte de magie, le silence, les coups de feu, les persiennes qui claquent, le soleil sur les murs, les maisons vides, des tas d'objets abandonnés là, des chiens qui ne savaient rien, des portes ouvertes, du linge qui séchait aux fenêtres, et de temps en temps, par les soupiraux des caves, on entendait chanter en allemand : Cabiria essaya même un peu de regarder, mousqueton pointé, et dit que tout était noyé dans le vin, qu'il y avait des Autrichiens et des Italiens qui dansaient et pataugeaient dans le vin, voilà ce qu'il nous a dit. Rien

123

n'avait de sens. Devant une église on a rencontré deux Siciliens, sans armes eux aussi, des grands et des costauds, un drôle de spectacle parce que autour d'eux il y avait des piles d'affaires, des trucs incroyables, même une machine à coudre, et puis des habits, des vestes, ce genre de choses, bien pliées, et des lapins dans une cage. Il y avait même un miroir, avec un cadre doré. Et un des deux Siciliens pleurait. L'autre non, il fumait tranquillement. Il nous expliqua que les Autrichiens faisaient comme ça : ils prenaient dans les maisons ce dont ils avaient envie, et ensuite, parmi les prisonniers, ils choisissaient un Italien bien grand et bien costaud et lui disaient de tout charger sur ses épaules et de les suivre. Et où ils sont maintenant ? leur demanda le capitaine. Le Sicilien fit un geste en direction de la maison d'en face. C'était une belle maison, une maison de riches. Mais d'Autrichiens, on n'en voyait pas. Venez avec nous, dit le capitaine. Mais celui qui pleurait continua à pleurer et l'autre hocha la tête, sans rien dire.

Ce que vous voulez savoir là, c'est si, *techniquement*, votre fils était en train de *fuir* — me dit le docteur A., chirurgien de la compagnie, quand je lui demandai si, à son avis, cette marche au hasard pouvait justifier qu'il ait été fusillé. Honnêtement, je ne sais pas comment vous répondre, me dit-il. Ce qui s'est passé, pendant ces jours-là, entre les montagnes et le Tagliamento, ne peut pas être défini en termes militaires, pour la simple raison qu'ironiquement était venu à manquer ce qui est à la base de toute logique guerrière : le champ de bataille. Les limites étaient pulvérisées, et la singulière stratégie allemande avait largement contribué à brouiller toutes les cartes. On assista à des situations que je n'hésiterai pas à qualifier de grotesques, si vous me passez le terme. À un moment donné, les commandements italiens poussèrent vers l'avant, vers le front, les troupes qui étaient à l'arrière, pour ralentir la percée ennemie. Il était possible, et cela arriva en effet, qu'en avançant elles ne sachent pas identifier les termites et les dépassent sans les avoir vus, en les laissant derrière elles et en continuant d'avancer, ne réussissant qu'à croiser des colonnes entières de soldats italiens sans armes qui se repliaient avec une certaine gaieté vers le Tagliamento, avec pour conséquence tous les échanges de plaisanteries que vous pouvez imaginer. Sans même parler des civils qui commençaient à évacuer la zone, par dizaines de milliers, emportant ce qu'ils pouvaient, et engorgeant les quelques routes praticables. Dans un tel chaos, vous me demandez si votre fils, en termes strictement techniques, était en train de fuir, ou au contraire simplement en train d'obéir aux ordres qui lui disaient de se replier. Honnêtement, je ne sais pas comment vous répondre. Cela dépend peut-être de la manière dont il se repliait. Je veux dire, la manière dont il arriva au Tagliamento.

En automobile, lui dis-je — parce que c'était ce que m'avait raconté Cabiria, quand je lui avais demandé comment ils avaient fait pour sortir d'Udine. En automobile, me dit-il. Il dit qu'ils avaient tourné brusquement dans une grande rue, une avenue avec des arbres, et des Autrichiens cette fois ils en avaient trouvé, un tas d'Autrichiens, déployés en position de combat, avec les officiers qui passaient les troupes en revue, et des pièces d'artillerie, partout, à se demander comment ils avaient fait pour être déjà là. Il y avait même une fanfare qui jouait. Ça faisait drôle, me dit Cabiria, parce qu'en deux années de guerre, je n'avais encore jamais vu ça, autant d'Autrichiens ensemble. S'il n'y avait eu que moi, j'aurais lâché mes armes et point final. Mais Ultimo s'est mis à courir, et le capitaine a couru der-

125

rière, alors qu'est-ce que je pouvais faire ? je me suis mis à courir moi aussi, j'allais pas rester là. Faut dire qu'ils nous avaient repérés et qu'ils nous couraient après, en criant des trucs incompréhensibles en allemand. Quand les premières rafales sont parties, le capitaine s'est jeté dans une ruelle, et nous deux à sa suite, en espérant qu'il n'y avait pas un mur ou je ne sais quoi au fond pour nous coincer. On s'est fait la moitié de la ville comme ça, et on entendait les pas et les cris des autres, là, qui ne voulaient pas nous lâcher. On courait au hasard mais peu importe, et à un moment donné on est retombés sur cette grande place avec tous les soldats italiens, ceux qui avaient l'air d'être en permission. On l'a traversée au pas de course sans dire un seul mot, et peut-être qu'ils ont fait quelque chose, peut-être qu'ils se sont mis au milieu, en tout cas les pas et les cris, on les a entendus plus loin. Alors le capitaine s'est glissé silencieusement sous un porche, et de là on a traversé une cour, au fond il y avait un grand escalier, un escalier élégant, on a commencé à le monter. Je me suis aperçu qu'à un moment Ultimo s'était arrêté et qu'il était revenu un peu en arrière, mais le capitaine et moi on est montés au premier, et là il y avait une entrée, un genre d'entrée, un couloir qui menait dans un appartement. On l'a pris, fusil pointé, parce qu'on n'avait aucune idée de ce qu'on allait trouver là-dedans, et à la fin on s'est retrouvés là. Bon Dieu, maintenant encore, quand j'y pense, ça me laisse sans voix. Il y avait une grande salle, mais vraiment grande, remplie de trucs de riches, des tapis, des glaces, des tableaux, et au milieu, exactement au milieu, il y avait une table dressée, et autour, une famille en train de manger. Mais ils avaient des verres en cristal, je vous jure, des assiettes immenses, c'était du luxueux tout ça, et eux, ces cinq-là, habillés élégant, en train de manger, sans rien dire. Le père à un bout de la table, la mère à l'autre, et trois filles, une toute petite, sur les côtés. Elles avaient les cheveux bien peignés, attachés avec des rubans, tous de la même couleur. Personne ne parlait. Nous on s'est arrêtés, sur le seuil, nos fusils à la main, et eux qui continuaient à rien dire. Ils ne se sont même pas tournés pour nous regarder. Ils continuaient à manger ; de la viande, c'était de la viande qu'ils mangeaient, et dans un plat il y avait des pommes de terre, jaunes, tellement jaunes que j'y croyais pas. On entendait le bruit des couverts contre la porcelaine des assiettes. On a fait quelques pas, le capitaine et moi, et alors une des petites filles a levé les yeux. Elle était là avec sa fourchette à mi-chemin, entre l'assiette et la bouche. On a entendu la voix du père, qui disait : Mange, Adele. Et elle a baissé les yeux. Et la fourchette s'est remise en mouvement. Il y avait du pain blanc, dans une petite assiette, devant chacun d'eux. Et deux carafes d'eau, bien propres. Je me suis approché de la table, sans penser à rien, juste comme ça. J'ai pris le verre du père, qui était plein de vin, et je me suis mis à boire. Lui, il n'a pas bougé. Alors je lui ai pris un morceau de viande dans son assiette, comme ça, avec les mains, et j'ai commencé à manger. De la viande chaude, ça faisait des mois que je n'en avais pas mangé. J'ai vu que le capitaine, de l'autre côté, s'était approché de la table lui aussi, et il faisait comme moi. Il mangeait dans l'assiette d'une des petites filles. Alors le père a dit que nous n'avions pas le droit. Qu'il suffisait de demander poliment et qu'à la cuisine certainement ils nous auraient préparé quelque chose. Il me disait ça, mais sans me regarder. C'est ça qui m'a fichu en rogne. Et aussi ce qu'il avait dit, mais surtout qu'il ne m'avait même pas regardé. C'est un peu long à expliquer, professeur — me dit Cabiria —, il y a tellement de choses qu'il faudrait raconter. Vas-y, ai-je dit. La permission chez moi, dit-il. Raconte, ai-je dit. Quand on est allés en permission chez moi, tous les deux, Ultimo et moi, dit-il. Ultimo n'avait pas voulu aller chez lui parce qu'il y avait des problèmes. Son père s'était bousillé dans un genre d'accident où il était resté invalide, et il n'avait pas envie d'y aller. À cause de ça et d'autres choses encore, une histoire avec son frère, je ne sais pas trop. Et comme il fallait bien qu'il aille quelque part, il est venu chez moi. Je ne vais pas m'étendre, mais ça a été toute une affaire. Il nous a fallu des jours pour arriver là-bas, et sur la route les gens nous regardaient d'une drôle de manière, on voyait qu'ils auraient préféré qu'on soit sur le front. Et arrivés chez moi, ça n'a guère été mieux. Un soir je l'ai emmené dans une auberge sur la nationale, parce qu'il y avait la fille du patron qui était splendide, quand elle te servait à table elle se penchait pour que tu regardes, ça faisait partie du service, vous comprenez. Nous on voulait s'amuser un peu, oublier toute cette merde. On est donc allés dans cette auberge, on s'était même lavés à fond, parfumés et tout, mais on avait gardé l'uniforme, parce qu'on en était fiers. On s'est assis à une table et le patron était tout sourire mais il nous a demandé si on ne pouvait pas plutôt se déplacer vers le fond parce que la table était pour quelqu'un d'autre, qui allait arriver. On est allés s'asseoir au fond, là où il nous disait. Et puis un jeune gars est venu nous servir, que je n'avais jamais vu. L'autre, la fille splendide, elle était là, mais elle ne venait pas jusqu'à nous. Elle nous lançait des regards, de loin, mais le patron l'envoyait tout de suite servir d'autres tables. Et pour nous, c'était le gamin, tout boutonneux. Alors à un moment je me suis levé, je suis allé direct voir le patron et je lui ai dit d'un air mauvais que l'argent pour payer on l'avait, mais fallait qu'il arrête de faire le con et qu'il nous envoie sa fille. Alors il nous a dit que le dîner était offert, en l'honneur de la patrie, mais si on essayait d'embêter les clients il nous renverrait là d'où on venait à coups de pied dans le cul. Et tout ça, il me l'a dit sans même me regarder. Parce que ça le dégoûtait, de me regarder. Personne ne voulait regarder, vous comprenez? ils voulaient gagner la guerre mais ils ne voulaient pas la regarder en face. Ils n'avaient jamais rien regardé en face, ils lisaient les journaux et ils se faisaient du fric, et la vérité ils ne voulaient pas la connaître, ils en avaient une foutue trouille, de la vérité, *ils en avaient honte*. C'était à regretter les tranchées, tenez, je vous le dis bien sincèrement, ça donnait envie de compter les jours et d'espérer qu'ils passent vite pour qu'on te réexpédie là-haut dans la merde, parce que ça au moins c'était vrai, bon Dieu si ça l'était. Enfin bref, c'est à cause de ça que je me suis mis en rogne, ce rupin qui mangeait sa viande et qui nous regardait même pas. C'était peut-être toute cette table qui me semblait un affront, et s'il m'avait regardé je m'en serais peut-être même pas aperçu, c'était de la folie tout ça mais qu'est-ce que ça peut faire? Sauf qu'il a dit ça, qu'on devait aller à la cuisine, et que là on nous donnerait à manger, si on le demandait poliment. Sans me regarder. Alors je l'ai frappé avec la crosse de mon fusil, en pleine gueule. Il est tombé par terre avec sa chaise et tout. Je me souviens de sa serviette blanche, qui a volé au loin. J'ai levé les yeux. Le capitaine continuait à manger. Les trois petites filles et la mère, par contre, restaient immobiles, toutes droites, à fixer leur assiette, la fourchette à la main. Elles étaient si jolies. On n'en a pas, à la guerre, des anges comme ça, c'était dingue. Alors je me suis approché de la plus grande, et je lui ai touché les cheveux. Une des sœurs s'est mise à larmoyer, mais sans bruit. J'ai tiré sur un de ses rubans, et les cheveux sont retombés, avec une telle légèreté, j'avais oublié comment c'était. Et puis tout le monde a levé les yeux vers la porte, le capitaine, moi, et les anges aussi, on a tous levé les yeux vers la porte, et Ultimo était là sur le seuil. C'était un truc à lui, ça : c'était quelqu'un, quand il était là, tu t'en apercevais. Il y a des gens qui ont ça, c'est une espèce de don. Dans mon coin, on dit qu'ils ont l'ombre d'or, mais je ne sais pas pourquoi. Lui, il l'avait. Alors on a tous levé les yeux et lui il était là, et il a dit tout doucement :

— Il y a une automobile, là en bas.

Peut-être qu'après il voulait dire autre chose mais il est resté comme ébloui en voyant la table, j'ai vu que les mots s'éteignaient dans sa bouche, cette table il la dévorait des yeux. Il s'est approché doucement, d'une manière qui a fait qu'on n'a rien trouvé à lui dire, le capitaine et moi, il était comme ça, il fallait le laisser faire. Arrivé à la table, il a commencé du bout du doigt à effleurer le bord de la nappe. Il la regardait avec les yeux qui allaient dans un sens puis dans l'autre, comme pour prendre la mesure, ou pour la voir tout entière dans un seul regard. Il y avait un drôle de sourire, sur son visage, comme s'il retrouvait tout à coup quelque chose qu'il avait perdu. Ses mains touchaient tout, la panse des carafes, le bord des assiettes, le tour des verres, il passait les doigts dessus, avec grâce, comme si c'était lui qui les avait fabriqués, comme un artisan quand il a terminé et qu'il vérifie une dernière fois, ou qu'il voudrait encore corriger. Les gens qui étaient là, il ne les avait même pas vus, c'étaient *les objets* qui l'intéressaient, je veux dire que le père évanoui par terre, avec du sang sur la figure, il ne l'avait même pas regardé, lui il était là à caresser un rond de serviette en argent, à le faire rouler sur la nappe. À un moment, il s'est approché de la plus jeune des sœurs, une vraie petite poupée, elle était là sans bouger les yeux fixés sur son

130

assiette, sans pleurer, rien, il s'est approché et doucement il lui a enlevé la fourchette de la main, une fourchette en argent, toute travaillée. Il s'est mis à la regarder attentivement, les yeux qui allaient de la pointe au manche puis de nouveau jusqu'à la pointe, comme s'il était hypnotisé. À ce moment-là le capitaine a dû trouver que ça suffisait, et d'une voix forte il a demandé C'est quoi cette histoire d'automobile? Ultimo a eu l'air de reprendre ses esprits, comme quand on sort d'un rêve. Et il a dit qu'il y avait une automobile, en bas, dans le garage.

— Et qu'est-ce qu'on en fait, d'une automobile? a demandé le capitaine.

— Ce qu'on en fait, c'est qu'on va au Tagliamento avec.

— T'es dingue, toi, une automobile faut savoir la conduire.

Ultimo a souri. Puis il s'est penché sur la petite fille, et lui a dit

— *Merci* *.

Et il a mis la fourchette dans sa poche. Et il est parti. Mais vraiment, il a pris la porte sans regarder personne. Le capitaine et moi on s'est regardés, et le capitaine a suivi Ultimo. J'ai fait pareil. Mais juste avant de sortir une idée m'est venue et je suis retourné près de la mère et je lui ai dit

— *Merci* *.

Et je lui ai arraché son collier du cou, un collier très fin, une fine chaîne en or. Elle n'a pas bougé, alors tant que j'y étais j'ai pris une paire de ces ronds en argent, pour les serviettes. Eux, ils laissaient faire. C'était tellement facile que tout à coup j'ai eu envie d'emporter tout ce que je pouvais, et même de faire les choses sérieusement, alors je suis revenu voir la mère et je lui ai demandé où était le reste. Elle ne me regardait toujours pas, elle fixait son assiette, mais elle a

131

enlevé ses trois bagues en disant tout bas Ne nous faites pas de mal. J'ai pris les bagues et j'ai répété ma question : Où vous avez caché tout le reste ? J'avais deviné qu'ils devaient avoir je ne sais quel trésor caché dans cette baraque, ces dingues. La mère restait immobile, sans rien dire. Alors j'ai glissé la main dans son décolleté, en disant un truc comme Faut peut-être que j'aille le chercher moi-même ? mais c'était pour faire le malin. Elle avait les seins mous, dans ses dentelles. Je vous en supplie, elle a dit, et elle s'est levée. Elle m'a emmené jusqu'à la bibliothèque et là, dans une cachette, elle a pris tous leurs bijoux, une fortune. J'avais jamais fait un truc pareil, je vous le jure, mais tout était tellement bizarre, on était tous tellement bizarres, le monde entier était bizarre, pendant ces jours-là. Et quelque part dans ma tête, je devais me dire que je reprenais seulement ce qu'ils m'avaient pris. Cette femme, elle continuait à pas me regarder, et alors je me suis dit que j'allais continuer, jusqu'à ce qu'elle me regarde. Je me suis mis à tout renverser, avec le bout de mon fusil, et avec la baïonnette j'ai déchiré les fauteuils, les coussins, tout ce qui me tombait sous la main. J'étais en train de foutre un sacré bordel. Les trois sœurs et la mère restaient silencieuses, immobiles, elles étaient à tuer. Pour moi ça voulait dire qu'ils avaient autre chose de caché quelque part. Et j'ai fini par trouver, derrière un panneau en bois, le genre qu'ils mettent le long des murs dans les maisons chics, ils doivent trouver que ça fait trop pauvre, un mur, juste un mur comme ça. Derrière le panneau il y avait un trou, creusé dans la brique. Dedans il y avait comme des briquettes, ou des petits livres, des espèces de petites plaques, quoi : c'était de l'or. Les cons. Avec tout cet or, ils restaient là à se faire prendre dans la guerre, au lieu de se barrer quelque part et d'en profiter. Ils étaient vraiment trop cons, je me disais. Alors j'ai vidé mon sac par terre, et dedans j'ai mis l'or et le reste, les bijoux, les ronds de serviette, tout. D'émotion, j'avais les mains qui tremblaient. Ça faisait de quoi vivre une vie entière, pour moi, et pour Ultimo aussi, et peut-être aussi pour le capitaine, et dans le luxe, hein, pas comme des malheureux. En bas j'entendais un bruit de moteur. Tout avait l'air tellement parfait, comme si tout avait été projeté dans les détails. Avant de sortir, je me suis approché de la mère, et je lui ai soulevé le menton, pour l'obliger à me regarder. Elle avait de grands yeux gris, comme les bêtes quelquefois. Elle m'a regardé. Le père était encore là par terre, mais comment je pouvais le savoir, moi, qu'il était mort, je lui avais juste balancé un grand coup dans la gueule, je l'ai su seulement après, qu'il était mort, et encore, c'est même pas sûr qu'ils m'aient dit la vérité, si ça se trouve il est mort du cœur et pas du coup que je lui ai donné, ou alors ses filles l'ont frappé après, pour lui faire payer toute sa sévérité de connard, qu'est-ce que j'en sais. C'est à cause de ça qu'ils m'ont enfermé ici, et ils ne sont pas près de me laisser sortir, me dit Cabiria.

Je savais qu'il était en prison depuis treize ans parce que l'homme qu'il avait tué était un gros bonnet, mais aussi parce que l'or n'avait jamais été retrouvé et qu'il s'entêtait à ne pas dire où il l'avait caché. Je lui dis alors qu'on allait le laisser pourrir toute sa vie en prison, et que son or, il n'en profiterait jamais. Il s'est mis à rire. Ça, c'est vous qui le dites. C'est vous qui le dites.

Je peux témoigner que mon fils, contre toute logique, quitta Udine, avec Cabiria, dans une Fiat 4, conduite par un soldat prénommé Ultimo, et qu'il laissa la ville derrière lui pour se diriger vers le Tagliamento par les petites routes, en coupant parfois à travers champs. Quand je demandai au docteur A., chirurgien de la compagnie, comment une telle chose était possible, il éclata de rire et me répondit que si c'était arrivé, c'est que c'était possible, ajoutant qu'en fait tout ce qui était arrivé pendant ces jours-là, dans ce coin de campagne, avait quelque chose d'absurde. Ce n'était plus la guerre, ce qui se passait, me dit-il. Voyez-vous, parmi toutes les manœuvres qui sont envisagées par les manuels de stratégie militaire, il y en a une qui dépasse toutes les autres en difficulté, au point que la plupart des auteurs la considèrent comme à peu près impossible à réaliser : la retraite. Ce qu'il y a, c'est que les manuels s'obstinent à imaginer la retraite comme un mouvement auquel on peut donner un certain ordre, une quelconque forme de rationalité. Mais la vérité, c'est qu'une armée qui se retire est, de ce fait, une armée qui n'existe plus. Une des phrases les plus stupides que vous ayez peut-être entendues à propos de Caporetto est que « la retraite se transforma en déroute ». Admirez les sophismes du langage militaire. Ils persistent à considérer comme une manœuvre de guerre quelque chose qui intervient au contraire quand la guerre fend sa coquille et délivre d'incroyables quantités d'énergie physique et morale qui échappent à la logique guerrière et se déversent, simplement, dans l'autre sens, en entraînant avec elles des pans entiers de paysage, d'humanité, et de mort. Il n'y a aucune possibilité de faire ça d'une manière ordonnée. La guerre est ordonnée, elle, mais la retraite c'est toujours une intermittence de la guerre, dans la chaîne des événements c'est un passage à vide, c'est une latence incontrôlable de toutes les règles, et par conséquent la déroute. Celle de Caporetto eut une dimension apocalyptique, elle fut, permettez-moi de vous le dire, un chaos formel éblouissant. En quelques jours, plus de trois millions de personnes se déversèrent sur une petite portion de territoire, qui devint ainsi le point de convergence de raisonnements et d'illusions en tout genre. Plus d'un million de soldats italiens arrivaient des montagnes : quelques jours avant, ils étaient encore plongés dans l'enfer des premières lignes, et voilà qu'ils retrouvaient le grand air de la campagne et les visages des gens, des voix de femmes, des maisons ouvertes, des caves à piller, partout des endroits qui étaient restés sans maître. Certains d'entre eux marchaient au pas, intimement convaincus qu'ils obéissaient à un ordre, celui de la retraite, mais la plupart, c'est évident, suivaient l'inertie des routes et ils se sentaient simplement *libres*, débarrassés du poids de la guerre, glissant tout à coup dans un monde arrêté où ils n'avaient plus de comptes à rendre à l'Histoire. Derrière eux, ils avaient l'armée austro-allemande, autrement dit un million de soldats épuisés, aspirés par une avancée que personne n'avait imaginée aussi profonde : les structures logistiques avaient volé en éclats et leur seule possibilité de ravitaillement était le pillage, en un certain sens on peut dire que le seul moyen de survivre était de continuer d'avancer. Ajoutez à cela les civils, près de trois cent mille personnes qui avaient quitté leurs maisons pour fuir l'invasion : imaginez les carrioles, les vieillards et les enfants, les malades chargés tant bien que mal avec leur lit, et les bêtes, qui étaient toute leur richesse. Imaginez les routes transformées par les pluies d'automne en fleuves de boue. Et maintenant pensez aux variables folles : les termites allemands, qui continuaient d'aller et venir dans le système sanguin de cette retraite, souvent en avant des Italiens, provoquant des accrochages en sens inverse, où les nôtres devaient se battre pour pouvoir aller vers l'arrière, pour libérer le passage. Et les points cruciaux de l'échiquier stratégique, les gares, les ponts, les nœuds de communication où la guerre se rallumait, tout à coup, pour la possession de petites positions qui pouvaient signifier la vie ou la mort. Et les premiers civils arrivés aux fleuves, et repoussés, obligés de revenir en arrière, vers leurs maisons qu'ils avaient abandonnées. Et les lignes arrière italiennes qu'on poussait vers l'avant, à contresens de la retraite, pour aller ralentir la marche de l'ennemi. Et les prisonniers qui étaient descendus des montagnes, et qui maintenant, la liberté perdue, remontaient pour atteindre les camps de prisonniers sur le sol autrichien. Pouvez-vous imaginer ce que fut une telle explosion, un tel vertige ? Si vous voulez connaître le fond de ma pensée, je vous dirai que tout, absolument tout ce qui est arrivé pendant ces jours-là, sur les routes du Tagliamento, reste incompréhensible, sauf à le replacer dans une logique qui n'est pas celle de la guerre mais se rapporte à un tout autre modèle : l'expérience de la fête. Prenez la grammaire du carnaval et vous comprendrez la retraite de Caporetto. Vous devez imaginer — me dit le docteur A., chirurgien de la compagnie — ce fleuve humain, sous un ciel d'octobre, dans le décor spectaculaire de milliers et milliers de pièces d'artillerie abandonnées, démolies, renversées, vous devez imaginer trois millions de personnes qui n'ont plus rien à perdre et qui se mêlent les unes aux autres dans une seule et unique marche, très lente, vous devez imaginer la fatigue et le chagrin, mais aussi le soulagement et l'allégresse, et l'annulation de la pensée et cette Babel de langues et de mots. Alors vous pourrez peut-être la deviner, la fête, sous le masque de ce qui fut ensuite raconté comme une catastrophe, et vous n'aurez pas peur d'y reconnaître le frisson carnavalesque, le pied de nez gigantesque, la *danse*, même, vous la verrez peut-être, la danse que fut cette marche dans la boue, sur la terre légère. Je vous le dis, ce pays n'avait jamais connu de jour de fête comme celui-là. Je devrais dire de révolution. Pensez comme ils ont dû en chier dans leur froc, les bourgeois, dans leurs maisons bien chauffées, à l'abri, quand ils se sont réveillés un matin et qu'ils ont vu refluer sur eux la vague incontrôlable de ce cortège des fous, gonflé de rancœur et libéré de toute forme de discipline. Vous, professeur, où étiez-vous ? dans la pénombre d'un salon ? à l'abri dans votre université ? ne me dites pas que vous ne l'avez pas senti, ce frisson-là, aux premières nouvelles, aux premiers titres des journaux, c'étaient très précisément les jours du cauchemar bolchevique, vous ne pouvez pas l'avoir oublié, c'étaient les jours de la révolution russe, et c'est pendant ces jours-là que le cortège des fous descend de la montagne, les fous tenus en laisse pendant trois ans, qui sait avec quelle férocité ils descendent vers la plaine, et ils vont tous être armés, vous étiez terrorisés, tout ce désespoir en armes, ne me dites pas que vous n'avez pas pensé un seul instant que c'était la fin, pas seulement de la guerre mais la fin de tout, de vos carambouilles, de vos combines, ils allaient balayer tout ça, ces pouilleux en armes que vous aviez dressés aux souffrances les plus atroces, ils arrivaient, ils descendaient vers vous et personne ne les arrêterait parce qu'ils n'avaient plus peur de rien, ils arrivaient, et votre férocité et vos injustices, ils vous les rendraient au centuple.

Et pourtant.

Ils marchaient, tranquilles.

Tous les témoins le disent. Fermes, décidés, mais tranquilles. Côte à côte avec les officiers, laissant passer les automobiles des généraux qui étaient restées en arrière, dévissant avec zèle les obturateurs des pièces d'artillerie qu'ils abandonnaient, se désarmant d'eux-mêmes, et criant la guerre est finie. C'était la paix, pour eux, vous comprenez ? Pas la révolution. Croyez-moi, une fête. C'est un peu difficile à

137

comprendre, mais ce qui aurait pu flamber avec la violence d'une révolution passa comme une journée de fête dans le calendrier des atrocités que le Temps nous réserve. Ne vous laissez pas abuser par les violences, les pillages, les infirmières de la Croix-Rouge violées et les églises transformées en refuges à faire la bringue. L'habituel complément d'un jour de fête. La vérité, c'est qu'ils vous ont épargnés, sans motif, et sans s'en rendre compte, avec cette même tranquillité incompréhensible avec laquelle ils avaient accepté les tranchées. Ils auraient pu vous balayer mais ils vous ont épargnés, en échange d'un énorme et unique jour de fête et d'anarchie. Êtes-vous convaincu, professeur ?

Je lui répondis que j'avais perdu depuis longtemps le goût de ce genre de réflexions. J'ajoutai que la seule chose qui comptait à mes yeux, c'était l'honneur de mon fils et qu'il était pour cette raison très important pour moi de comprendre l'aspect militaire des choses, qui en soi me répugnait, mais que je savais nécessaire pour atteindre mon but. Je lui accordai que sa théorie sur la fête de Caporetto avait quelque chose de séduisant, et que je regrettais sincèrement de ne pas avoir le temps de l'approfondir et de me prononcer éventuellement là-dessus. En lui demandant de bien vouloir m'en excuser, j'étais obligé de lui demander d'en revenir à la dynamique des faits militaires, car c'était là que je pouvais trouver le cadre où resituer ce que je savais des mouvements de mon fils.

Je vous l'ai dit, la retraite est une suspension de la guerre, me dit-il.

Impossible, dis-je. Ils étaient talonnés par l'armée autrichienne et il y avait ces termites qui se baladaient pour couper la route aux fugitifs, et les lignes arrière des Italiens qui, elles, se battaient encore.

Tout ça ne fut qu'une immense folie, me dit-il.

Parlez-m'en, lui dis-je.

Une folie, c'est tout, dit-il.

Il avait l'air fatigué. Alors je me penchai et je sortis de ma sacoche une autre bouteille de cognac, que je posai sur la table, conformément aux accords de notre étrange entretien. Il refusa de la tête, mais resta silencieux. J'eus l'idée de lui demander où il était, pendant ces jours-là, pendant Caporetto. Il n'entrait pas dans notre contrat que je lui pose des questions personnelles, mais la bouteille était pleine, elle brillait et me semblait mériter une récompense spéciale. Il était toujours silencieux, et il fallut que je lui demande encore une fois s'il voulait bien me dire où il était, pendant ces jours de Caporetto, pour qu'il finisse par me dire :

— Professeur, vous me cassez les couilles, avec vos questions.

— Je le fais pour mon fils, dis-je.

— Mais arrêtez donc avec votre fils, qu'est-ce qu'on en a à foutre de votre fils, mais vous ne vous rendez pas compte ? votre fils, c'est une goutte dans un océan, ça fait des années que vous cherchez une goutte dans un océan, qu'est-ce que ça peut faire, s'il était innocent ou pas ? dans une mer de trois millions de personnes en pleine débandade, qu'est-ce que ça peut faire ? qu'est-ce que ça peut bien faire, maintenant ?

J'esquissai le geste de reprendre la bouteille de cognac, et il eut comme une lueur d'angoisse dans les yeux. De méchanceté, et d'angoisse. Il arrêta ma main, et s'empara de la bouteille. Il l'ouvrit, en arrachant le bouchon de liège avec ses dents. Sans boire, il regarda la bouteille. Puis la reposa sur la table, mais en continuant de la tenir, la main serrée autour du col, et il se pencha un peu vers moi et me regarda droit dans les yeux. Il parla sans s'interrompre, sans même boire une gorgée de cognac, d'une voix monocorde, et méchante.

Moi, j'étais aux ponts de la Delizia. Sur le Tagliamento. Il y avait un hôpital à l'arrière-garde, sur la rive occidentale, c'est là que je servais. La marée des réfugiés et des soldats qui se repliaient nous est tombée dessus tout à coup, énorme, incontrôlable. Les eaux du Tagliamento étaient en crue, les ponts étaient la seule voie de passage. Il y avait un chaos indescriptible, et les gens arrivaient du grand ventre de la campagne et venaient s'entasser là par centaines de milliers, avant de se retrouver bloqués par ce rétrécissement sadique des ponts. Il pleuvait, et la nuit il faisait un froid de canard. Les Allemands sont arrivés le matin, ils descendaient du nord, le long de la rive opposée du fleuve. Ils ont fondu sur cette immense foule comme des loups sur un troupeau. On a entendu, tout à coup, le hurlement d'agonie que poussait le grand ventre de la foule, puis on a vu les gens se débander, s'enfuir, se jeter à l'eau, en écrasant tout devant eux. Les Allemands voulaient les ponts, et ils sont arrivés dessus avec une rapidité incroyable, en dispersant la foule. Nous, on a ouvert le feu. C'était difficile, pour eux, nous étions placés et eux à découvert. Ils ont essayé de passer mais ils ont fini par devoir reculer. Ils n'ont pas mis longtemps à organiser une autre tentative. Ils se sont présentés à nouveau à l'entrée des ponts en se servant des prisonniers italiens comme bouclier. Ils les poussaient devant eux et ils se cachaient derrière. C'est un sacré dilemme ça, professeur. Vous auriez fait quoi, vous ? Vous ne me demandez pas si, *techniquement*, tirer sur ces otages était une forme d'obéissance aux ordres ou une mesquine exhibition de peur ? Les prisonniers italiens marchaient les mains en l'air et nous criaient de ne pas tirer. On a ouvert le feu, avec les mitrailleuses, et les Autrichiens ont compris, et ils ont reculé. Beaucoup de prisonniers italiens sont restés là sur le pont, à mourir. Ils pleuraient, ils nous suppliaient, mais là encore ils nous demandaient quelque chose que nous ne pouvions pas faire. Puis les Allemands ont attaqué pour la troisième fois. Nous avons compris qu'ils ne céderaient jamais, qu'ils allaient recommencer toute la journée. Alors le général a donné l'ordre de faire sauter le pont. C'était délicat, une affaire pareille. En le faisant sauter, tu coupais la route à des centaines de milliers de personnes, que tu condamnais à la captivité. Mais d'un autre côté, si nous laissions les Allemands passer, c'était la fin. Il fallait comprendre, un instant avant la défaite, que nous étions défaits, et tout faire sauter, pour que les Allemands restent de l'autre côté. Délicat, ce boulot. Le général qui devait le faire, je le connaissais, il était de mon coin. La guerre, quelquefois, c'est par l'observation des détails qu'on la comprend. Le général, c'était un type qui vivait avec sa mère veuve, il était connu parce que chaque semaine il recevait une putain chez lui, jamais la même, c'étaient ses sœurs qui la choisissaient pour lui, et sa mère qui payait. Voilà le genre de type. Et maintenant, il avait entre les mains la vie de millions de personnes. Il fit sauter le pont, et ce fut comme quand on coupe les amarres d'un navire, cette autre partie de l'Italie sembla partir au loin, à la dérive. Pas mal d'Allemands avaient sauté en l'air, et tous les cadavres qui étaient au milieu, et les bêtes, et les choses. Dans le pays, à trois kilomètres de distance, toutes les vitres volèrent en éclats. Ce fut une sacrée belle explosion. Le danger passé, de ce côté-ci du fleuve, nous avons commencé à nous réorganiser. On récupérait les soldats débandés et on les expédiait à l'arrière, pour les encadrer à nouveau et les réarmer. Mais quand il y avait des officiers, parmi les débandés, la police militaire leur demandait alors comment il se faisait qu'ils ne soient pas avec leur troupe. Ils écoutaient à peine la réponse. Ils les emmenaient sur la grève du fleuve et ils les fusillaient. Désertion. Si ça se trouve, votre fils était parmi eux. C'était peut-être celui qui criait, et qui s'est pissé dessus devant le peloton. C'était le plus jeune.

Il s'arrêta. Peut-être avait-il terminé. Il continuait à serrer le col de la bouteille de cognac, mais sans boire.

Je n'avais pas l'intention de me laisser distraire par sa méchanceté, aussi je gardai mon calme, et je parvins à dominer mon épouvante. Je me contentai, ajoutant une inutile pointe polémique, de dire que j'avais du mal à voir quelque chose de festif dans tout cela.

Il fit un signe comme pour dire que l'objection était sensée. Mais il partit aussitôt d'un rire acerbe, comme s'il voulait me faire peur.

— Vous ne pouvez rien comprendre du tout, dit-il entre deux rires.

Il était visible qu'il avait fini par me haïr.

Reprenant son sérieux, il me fixa de nouveau dans les yeux, et de la même voix monotone et féroce me dit une dernière chose, avant de me chasser.

Je vous offre la dernière image que j'ai de Caporetto, dit-il, faites-en ce que vous voulez. Une journée de pluie, froide comme en hiver. On dégringolait, tous autant qu'on était, vers le Piave, avec les Autrichiens à nos basques. Ça dégringolait n'importe comment, je peux vous le dire, l'ordre et l'honneur, tout ça, ça n'existait plus. Moi, j'étais allé me prendre une pause, tellement j'étais fatigué. J'étais sous le toit d'un poulailler, à regarder la pluie qui tombait, une désolation. Un truc à se suicider. Alors j'ai appelé, et un gamin est arrivé, il devait avoir vingt ans. Il savait très bien ce que j'attendais de lui. Il s'est agenouillé devant moi, j'ai ouvert mon pantalon et j'ai sorti ma queue. Pendant qu'il prenait le rythme avec sa tête, je me suis mis à lui caresser les cheveux, ils étaient coupés très court. J'avais cette sensation dans la paume de la main quand j'ai levé les yeux vers la route, et je les ai vus, à une centaine de mètres de nous. Un bataillon d'Autrichiens, bien en rang, marchant au pas, silencieux. Il y en avait peut-être deux cents, ou un peu plus, et la chose bizarre, c'est qu'ils avaient chacun un parapluie ouvert à la main, pour s'abriter de la pluie. Dans une main ils tenaient leur fusil, dans l'autre un parapluie. Sans blague. Des centaines de parapluies, tous bien alignés, qui se découpaient sur le gris de la campagne et se balançaient un peu, mais à l'unisson, comme des bouées noires, bercées par les vagues de la mer.

De temps en temps, je repense à ça, me dit-il, et chaque fois j'ai comme la sensation d'avoir vu mon enterrement en rêve. Mais ce n'est pas un rêve, c'est une photographie. Gardez-la. Elle est à vous. Moi, je n'en ai plus besoin.

Deux ans plus tard, comme je l'appris d'une connaissance commune, le docteur A., chirurgien de la compagnie, s'ôta la vie d'un coup de fusil, un dimanche matin où il pleuvait. Malgré le souvenir désagréable que ces conversations m'avaient laissé, je ressentis de la pitié pour lui, et ne pus m'empêcher de penser à tous ceux que la guerre avait continué à tuer bien après que les armes eurent cessé de tirer. C'était comme un animal qui avait emporté ses victimes au creux de sa tanière, et maintenant les dévorait calmement, en les gardant en vie le plus longtemps possible, pour que la chair vivante reste tiède. Je pourrais en un certain sens me compter au nombre de ces malheureuses proies, vu la façon

143

dont la guerre a rongé mes dernières années, en les dérobant aux justes occupations du temps de la paix. Mais je ne veux pas m'attribuer le crédit d'un destin dont je ne peux pas me glorifier : c'est de mon propre gré que j'ai déserté la vie et me suis condamné à mourir pendant des années de la mort de mon fils, dans le but de la comprendre, ou, peut-être, de l'avoir toujours là, près de moi, simplement. Il n'y a pas d'héroïsme dans les châtiments que l'on s'inflige à soi-même, ce ne sont pas des châtiments, en vérité, mais des plaisirs insondables. D'une manière que je suis incapable de comprendre, il m'était indispensable de maintenir mon fils en vie, et courir à ses côtés dans sa fuite fut un moyen pour le faire, ni plus ni moins raffiné que d'autres, j'en ai conscience. Je sais que son innocence est inscrite dans ses pas et je veux croire que ce mémorial pourra amener la loi militaire à y lire la preuve d'un jugement trop hâtif. Mais si ce ne devait pas être le cas, j'irais jusqu'à dire que mon travail n'aura de toute façon pas été vain, puisqu'il m'a conduit jusqu'au seuil de la mort en compagnie de mon fils, que j'ai tant aimé, sans même savoir pourquoi. Gaspiller mes jours en échange de sa compagnie aura été ma joie suprême. Et en ces heures qui sont les dernières pour moi, j'éprouve du plaisir et de la reconnaissance, parce que je peux, chaque fois que je le désire et mille fois par jour si je le veux, rappeler à mon souvenir l'image finale de lui que j'ai arrachée à l'oubli des événements. Je peux le voir, au cœur d'un chaos prodigieux, vêtu de son uniforme, examiner les eaux du fleuve en crue, marron et troubles, sous la dalle d'argent d'un ciel glacé. Des centaines de milliers d'hommes poussés, au terme de longues souffrances, vers un misérable pont, aux Delizie, qui les déglutissait avec une lenteur coupable. Il était impossible d'avancer ou de reculer, le seul exercice auquel chacun se

144

livrait, avec ce qu'il lui restait de force, c'était une sorte d'immobilité fébrile. Cabiria avait insisté pour qu'ils abandonnent leur uniforme et s'habillent en civils, mais mon fils n'avait pas voulu, et Ultimo non plus. Ainsi Cabiria était le seul à s'en retourner maintenant dans un complet trop étroit, noir, d'une élégance absurde. Il avait encore son sac militaire, celui dans lequel il avait mis son trésor. Pour lui, c'était devenu tout, et passer le fleuve était à ce moment-là la chose la plus importante. Qu'est-ce que tu feras quand tu seras de l'autre côté ? lui avait demandé Ultimo. Ils te le prendront. Mais lui, il s'était mis à rire. Faudra d'abord qu'ils le trouvent. Puis : on va tous rentrer chez nous. Et avec une énergie que les deux autres n'avaient plus, il les poussait, au milieu de tout ce boucan, pour sortir de là à découvert et aller dans un endroit qu'il connaissait, un ponton plus en aval, où il avait acheté avec son or un passage à un batelier. Elles ne passent pas, les barques, avait dit mon fils, tant que ce sera la crue les barques ne passeront pas, mais Cabiria savait, lui, que les barques passaient, tu parles, il suffisait de payer. Et il les poussait pour qu'ils sortent de là, même si ça ressemblait à une tâche impossible, parce que la grande masse des fugitifs s'ouvrait et se refermait autour d'eux comme un brouillard, comme une tempête de sable. On dirait des poissons dans la nasse, dit Cabiria. Il parlait des autres comme s'ils avaient été tous les trois quelque chose à part, trois voyageurs qui se seraient retrouvés là par accident, par un amusant détour de la vie. Il y avait une confusion insensée, et une rumeur disait que les Allemands allaient arriver, par-derrière, et même que les Italiens ne voulaient laisser passer personne, pour rendre la vie difficile à l'avancée ennemie et gagner quelques jours, quelques heures. Tout en haut d'une charrette, assise sur une chaise, il y avait une vieille qui n'arrêtait pas de crier Des lâches, vous êtes que des lâches, lâches, lâches, comme un oiseau de nuit perché sur une branche, elle croassait ce mot sans répit, lâches. Tais-toi la vieille, lui hurlèrent les soldats, mais elle ne leur prêtait pas attention et elle répétait à l'infini ce mot, qu'elle envoyait flotter sur le tumulte général, comme une malédiction, ou comme une prière. Lâches. Tandis qu'on entendait au loin des explosions, et tout près le bruit sourd des pas dans la boue, et de temps en temps le chant d'un soldat, ou les sons d'un instrument, et des vitres brisées, avec des pleurs, ou un moteur emballé, un klaxon, un gémissement, des milliers de gémissements. Jusqu'au moment où Ultimo aperçut, au milieu du grand concert des solitudes, une femme au visage dévoré par l'angoisse, qui errait comme soûle en murmurant quelque chose. En restant derrière Cabiria qui continuait à leur ouvrir un chemin dans la foule, il se retrouva près d'elle. Il entendit ainsi ce qu'elle murmurait, et elle murmurait : mon fils. Il est où, ton fils ? demanda Ultimo. Mon fils, répéta-t-elle. Il est où ? Tu m'entends ? Il est où, ton fils ? Elle parut alors s'apercevoir de sa présence. Et dit : J'ai perdu mon fils. Ultimo fit un signe de la tête, pour dire qu'il avait compris. On va le retrouver, dit-il. Où tu l'as perdu ? Elle dit que c'était un enfant. Il a quatre ans, dit-elle. Barrons-nous de là, hurla Cabiria dans son costume élégant, barrons-nous de là, ils vont pas nous attendre, les autres. Attends, dit Ultimo. Puis il se tourna vers le capitaine pour voir ce qu'il en pensait. Le capitaine s'approcha de la femme et lui demanda où elle avait vu son fils pour la dernière fois. Vous êtes complètement cons, hurla Cabiria. Je ne sais pas, dit la femme, on était derrière un camion de soldats, et puis le camion s'est arrêté, moi j'ai continué, et tout à coup je ne l'ai plus vu. Il a quatre ans. Un gros chandail vert. Ils regar-

dèrent autour d'eux, cherchant le gamin et le chandail vert.
Mais c'était comme chercher dans le noir. Le capitaine montra un camion de l'armée, à une cinquantaine de mètres derrière, et il demanda à la femme si c'était ce camion-là. J'ai perdu mon fils, répétait-elle. Ça ne peut être que celui-là, dit alors le capitaine. Essayons de retourner là-bas. Vous avez perdu la boule, ou quoi? se mit à crier Cabiria. Il y a toute une armée qui part en quenouille et vous voulez chercher un gosse là-dedans? Qu'est-ce qui vous prend, faut se tirer d'ici, on a rien à voir avec ce gosse, vous voulez sauver votre peau, oui ou non? Mais pendant que Cabiria hurlait, Ultimo fut traversé tout à coup par l'idée bizarre qu'au contraire, ce gosse, ça les concernait tous, et même qu'il était, d'une manière ou d'une autre, le début de tout. Il pensa brusquement que s'ils arrivaient à réunir cette mère et son enfant, tout allait se remettre en place, comme quand on trouve le bout d'un fil, et qu'alors on peut commencer à défaire le nœud qui a tout emmêlé. Il pensa que leur erreur avait été de se débattre de façon névrotique dans la nasse, alors que tout ce qu'ils avaient à faire c'était de remettre le monde à sa place, en commençant à l'endroit précis où ça s'était emmêlé. Il imagina le moment exact où les doigts de l'enfant avaient échappé à la main de sa mère, et il ne douta pas un seul instant que tout avait commencé là, qu'elle était là, la blessure antérieure à toutes les blessures, le battement d'aile qui avait déclenché le cyclone, la fêlure minuscule qui avait ouvert le monde en deux. Nous, on va chercher le gosse, dit-il à Cabiria. T'es complètement dingue, t'as qu'à y aller, le chercher, moi je vais au bateau, dit Cabiria, hors de lui. Toi tu ne t'en vas pas, tu nous attends ici, dit Ultimo. S'il te plaît. Et il le regarda dans les yeux, pour savoir s'il le ferait. Cabiria hochait la tête, il ne savait plus où regarder. Ultimo

147

continuait à le fixer, pour savoir. Alors le capitaine tira son pistolet d'officier, et le pointa sur Cabiria. Laisse ton sac, dit-il. Cabiria ne comprenait pas. Donne-moi ton sac. Comme ça on est sûrs que tu ne t'en iras pas. Cabiria ne voulait pas croire qu'on lui faisait ce coup-là. Mais le capitaine était sérieux. Ton sac, dit-il. Cabiria le fit glisser de ses épaules et le laissa tomber à terre. Le capitaine le prit. Attends-nous ici, dit-il. Cabiria regarda Ultimo. L'air de ne pas trouver les mots. Ultimo lui sourit. Tout ira bien, me laisse pas tomber maintenant, Cabiria, dit-il. Cabiria ne dit rien. Il les vit s'éloigner, avec la femme, en s'ouvrant un chemin dans la foule. Avant de disparaître au milieu du chaos, Ultimo se retourna encore une fois, et Cabiria le vit parfaitement, parce que même s'il y avait des milliers de gens autour d'eux, Ultimo avait l'ombre d'or, c'était impossible de le perdre. Il le vit se retourner et lui lancer encore un coup d'œil, comme le nageur qui s'en va au large et jette un regard vers le rivage, par prudence. Cabiria lui fit un signe de la tête. Ils se regardèrent, de loin, dans les yeux. Ce fut la dernière fois qu'ils se virent.

Arrivés au camion des soldats, ils trouvèrent l'enfant, que sa mère prit par la main, et le monde n'avait plus de raisons de s'emmêler. Le capitaine dit à la femme qu'ils pouvaient les emmener avec eux au bateau, et Ultimo pensa que ça n'avait plus d'importance maintenant, qu'il n'y aurait sans doute plus besoin de barques, de fleuves, de rien, le monde allait se remettre en ordre, et voilà : il dit pourtant que c'était une bonne idée, qu'il y aurait sûrement de la place aussi pour eux, dans la barque. Ils fendirent de nouveau la cohue. Mais arrivés à l'endroit où ils avaient laissé Cabiria, il n'y avait plus personne. Ultimo dit qu'il ne devait pas être bien loin. Ils se mirent à le chercher. Il est peut-être parti vers le fleuve, dit-il. Le ponton est un peu plus en aval, derrière ces trois maisons, ajouta-t-il. Ils sortirent de la cohue et bientôt ils marchaient à travers champs, appelant Cabiria de toutes leurs forces, en faisant attention à ne pas trop s'éloigner du fleuve. Ultimo, le capitaine, la femme et l'enfant. Ils marchèrent encore quelque temps puis s'arrêtèrent, parce que rien de ce qu'ils cherchaient ne se décidait à apparaître. Alors le capitaine, sans rien dire, posa par terre le sac de Cabiria et l'ouvrit. Dedans il y avait des boîtes de viande en conserve, des vêtements, une paire de chaussures. Le fumier, dit le capitaine. Ultimo s'approcha, et renversa entièrement le sac. Cabiria, dit-il tout bas. Derrière eux le grand animal qu'était la foule en fuite continuait de s'amasser contre l'entrée du pont. Le fleuve coulait à côté d'eux, gras d'une eau fangeuse. L'enfant s'assit sur une pierre. La mère continuait à le tenir par la main. Personne ne disait plus rien. Puis, du profil de la colline qui était devant eux, surgirent les ombres noires de soldats en armes, dans un silence irréel rompu seulement par une voix qui donnait des ordres dans une langue étrangère. L'enfant se leva. Ultimo ne bougea pas. Le sommet de la colline vomissait des soldats comme des insectes. Ils descendaient sans hâte mais d'un pas qui semblait inévitable et définitif. Non, prisonnier, non, dit le capitaine. Puis il dit : Je veux recommencer à me battre, Ultimo. Ultimo se retourna et lui sourit. Bonne chance, dit-il. Vous avez été un bon capitaine, dit-il. On se reverra chez nous, dit-il. Le capitaine sourit — mon fils. Et il s'échappa, une fois de plus, beaux messieurs des Hauts Commandements, il s'échappa comme il le faisait depuis des jours, non par peur mais par courage, non pour se sauver mais pour se damner, à la rencontre du plomb qu'il croyait ennemi, mais qui fut le vôtre, éminents justiciers de merde.

Ultimo se dit qu'il attendrait les Allemands immobile et les bras en l'air, curieux d'essayer un geste aussi vil, et pourtant élégant. Mais avant même qu'il puisse le faire, il sentit la main de la femme qui cherchait la sienne, et qui la serrait, tiède et tranquille. Il y avait le reflet de la main de l'enfant, dans cette étreinte, et la force avec laquelle les choses se transmettent. C'est ainsi qu'il se rendit sans lever les bras en l'air, mais en tenant fermement le cœur du monde.

Ici prend fin mon mémorial, rédigé en onze jours et onze nuits dans le but de restituer son honneur à mon fils, injustement condamné à mort pour désertion le 1er novembre 1917. J'aurais préféré l'écrire avec le soin que m'aurait permis une vieillesse tranquille mais, comme je vous l'ai dit, les circonstances en ont décidé autrement. On va venir me chercher d'un moment à l'autre, et je saluerai cette chambre où je suis né et où j'ai vécu, pour ne plus jamais la revoir. Je ne sais pas exactement quelle est ma faute, mais ils m'ont fait comprendre que mon châtiment sera de la payer de ma vie. J'ai assumé des responsabilités dans le parti, pendant toutes ces années, et j'ai sans doute laissé commettre des crimes dont je ne me suis pas donné la peine de prendre la mesure : si j'ai fait cela, c'était pour ne pas être dérangé et parce que je ne voulais pas en faire plus qu'il n'était nécessaire pour sauvegarder mon indifférence face à tout ce qui arrivait. Les hommes qui m'ont jugé cultivent de grandes espérances, et leur confiance dans le lendemain a besoin de s'abreuver à la source d'une quelconque justice. S'ils ont besoin du sacrifice d'un vieux fasciste, je suis l'homme qu'il leur faut. Je n'ai pas cherché à me défendre, mon destin m'est indifférent. Peut-être devrais-je réfléchir au fait qu'à trente ans de distance un fils et un père aient fini par trouver, par des voies différentes, un même et avilissant abordage : mais je ne pourrais pas en déduire d'autre morale que celle, bien vaine, de notre coupable mansuétude. Des légions d'hommes doux vivent au cœur de tous les grands bouleversements, et la voie du salut est pour eux insondable.

Je n'ai pas essayé d'en savoir plus sur la mort de mon fils, car c'étaient les derniers jours de sa vie qui m'intéressaient, rien d'autre. Je ne sais pas qui a commandé le peloton d'exécution, ni qui a signé sa condamnation à mort. Je ne veux faire retomber aucune faute sur eux : ils ont peut-être fait, simplement, ce qu'ils devaient faire. J'ignore en quel endroit secret de la bureaucratie le nom de mon fils est aujourd'hui encore accompagné de la mention déserteur. Mais je veux croire que si mon récit a contribué à jeter quelque lumière sur les journées de Caporetto, la diligence d'une quelconque procédure légale saura atteindre cet endroit perdu dans les archives militaires, et y inscrire le témoignage d'un jugement serein et juste.

Il ne me reste qu'à remercier tous ceux qui m'ont permis, par leurs souvenirs, de reconstituer une guerre que je n'ai pas faite. Certains figurent dans mon mémorial sous leur propre nom, mais je ne dois pas moins de reconnaissance à tous les autres. Je sais que chacun d'entre eux a été précieux, et d'une certaine manière inoubliable. Je ne peux toutefois cacher que dans ces jours sombres, c'est la voix d'Ultimo dont j'ai éprouvé, le plus intensément, le regret. J'ai dû faire beaucoup de chemin pour l'entendre, moi qui n'ai jamais cru aux voyages. Et ce ne fut sans doute pas très agréable pour lui de me voir arriver, et de penser que tous ces kilomètres ne l'avaient pas mis à l'abri du passé. Mais nous n'en réussîmes pas moins à nous reconnaître, et à trouver du plaisir ensemble au rituel des souvenirs et à l'effort de compréhension. Je ne l'ai jamais revu depuis et, je crois l'avoir déjà dit, il me reste la curiosité de savoir ce qu'il en a été de sa vie et de son rêve. J'aimerais vraiment qu'il n'ait pas été déçu. La veille du jour où je devais repartir, il me dit qu'il aurait aimé me raconter quelque chose, car il avait l'idée que je pourrais, plus que beaucoup d'autres, le comprendre. Quelque chose qui lui était arrivé non pas à Caporetto, me dit-il, mais plus tard, pendant ses jours de captivité. Je répondis que ce serait un privilège pour moi que de l'entendre. Il me regarda avec circonspection, pour voir si je ne disais pas cela par courtoisie. Puis il commença à raconter. Il me demanda si je savais quelque chose des camps de prisonniers où s'étaient retrouvés les Italiens qui s'étaient rendus à Caporetto. Pas de nourriture et beaucoup de travail, me dit-il. Un froid extrême. Lui, il était à Spitzenburg, dans la campagne autrichienne. On les emmenait tous les jours travailler à la manutention des installations militaires de l'arrière. Huit, dix heures. Nous étions comme des esclaves, me dit-il, et cette humiliation vous tuait un peu plus chaque jour. Vous finissiez par vous convaincre que vous n'existiez plus pour personne, même pas pour vous-même. Mais un jour, me dit-il, ils nous emmenèrent en camion jusqu'à un immense terreplein, au milieu de nulle part. Nous n'y étions jamais venus et nous avions du mal à comprendre ce qu'il pouvait y avoir à faire, dans un endroit pareil. Il y avait juste quelques baraques. Ils nous firent descendre et marcher dans l'herbe. Mais bientôt, ce fut clair : il y avait une grande piste d'atterrissage, au milieu des prés : un ruban de terre battue qui courait en ligne droite, parfait, sur une centaine de mètres, peut-être plus. On l'avait arraché aux mauvaises herbes et aux cultures, et on l'avait abandonné là, Dieu sait depuis combien de temps. Il était tellement inutile, et oublié : et j'ai pensé que c'était la première chose belle que je voyais depuis un sacré bout de temps. Ils avaient peut-être décidé qu'ils avaient besoin de cette piste, et ils nous avaient amenés là pour la remettre en état. Boucher les trous, reconstruire les baraques, ce genre de chose. Il y avait un grand silence autour de nous, juste le vent qui courait, libre, dans tout cet espace. Moi, je regardais ce ruban de terre, et peu à peu j'eus la sensation étrange que j'étais, enfin, revenu chez moi. Pas revenu de la guerre, ni même revenu dans mon village : c'était différent : j'étais revenu chez moi, si vous voyez ce que je veux dire. *Chez moi.*

Il me dit alors qu'on les avait mis au travail et qu'il s'était retrouvé à marcher sur cette piste, une pelle à la main, transportant de la terre d'un endroit à un autre. Il me dit qu'il avait aimé ça, prendre soin de cette bande de terre, mais qu'il l'avait fait comme en transe, parce qu'il continuait dans sa tête de chercher à comprendre ce que cet endroit avait de sacré. Il prononça exactement ce mot : sacré. C'était un mot surprenant, dans sa bouche. Comme un mot étranger. Je continuais à travailler, me dit-il, mais toujours en regardant cette piste pour essayer de comprendre. Et j'ai fini par comprendre. Tout à coup, j'ai vu *la route.* C'était la pensée des avions qui m'avait embrouillé, mais j'ai fini par y arriver, par réussir à voir la route sous le masque de la piste. *Une route.* Oh, vous ne pouvez pas comprendre ce que cela signifiait pour moi, j'ai grandi avec des routes dans la tête, pendant des années je n'ai rien vu d'autre, tout ce que je voyais se transformait pour moi en route, une route et un moteur, c'était le cadeau que m'avait fait mon père et c'était uniquement dans notre tête, et du monde entier qui existait autour de nous, nous n'entendions que le bruit des pistons, nous pensions en termes de routes, toujours, que ce soit le profil d'une colline ou les courbes d'une femme, ce que nous voyions, nous, c'était la route, et nous conduisions dessus, croyez-moi si vous voulez, pendant les années de ma jeunesse je passais tout mon temps à conduire, c'est de cette façon-là que j'ai pris possession du monde, et c'était la promesse de ma jeunesse : il y aurait des routes, et nous pourrions les parcourir en chevauchant la furie de nos moteurs, de notre imagination et de notre courage. Comprenez-vous, professeur ?

Peut-être, dis-je.

Pour moi, les routes ont été ce qu'étaient pour vous les chiffres, me dit-il.

Alors, je compris. La promesse d'un ordre à la portée de notre génie.

Les routes, dit-il, se sont éteintes pour moi, toutes, le jour où l'une d'elles a brisé mon père. Depuis ce moment-là, je n'ai plus été capable de rien voir. Il n'y avait que des figures confuses. La vie elle-même semblait tellement emmêlée, c'était devenu impossible. Je suis parti à la guerre pour retrouver quelque chose qui ne soit pas seulement un brouillard indéchiffrable. Et là, j'ai trouvé Caporetto, le long passage à vide de toutes les certitudes, l'éclipse totale de toutes les routes. Ceux qui n'y étaient pas ne peuvent pas comprendre. Mais moi, dans cette défaite, j'ai touché le fond de tous les désarrois. Je n'étais plus rien, quand je me suis retrouvé en captivité et, prisonnier, j'étais au bord de disparaître, à jamais. Puis, sous le masque d'une piste d'atterrissage, j'ai vu cette route. Elle avait quelque chose d'étrange, je vous l'ai dit, quelque chose de sacré. C'est qu'autour il n'y avait rien, les gens, les arbres, les maisons, les voix, la vie, rien, c'était quelque chose de plus qu'une route, c'était l'*idée* d'une route, le squelette de tout ce dont j'avais jamais rêvé, la perfection de tout ce que j'avais pensé, elle était sculptée là, dans le vide de la campagne. C'était le trésor que j'avais perdu. Je me suis arrêté. J'ai senti un calme, en moi, que j'avais oublié. Et j'ai fait une chose que je n'avais pas réussi à faire depuis bien longtemps. J'ai posé mon cul dans une automobile et j'ai allumé le moteur. Il y avait ces cent mètres de bande toute droite, au milieu de nulle part. Et ils étaient là pour moi. J'enclenchai une vitesse, et je les fis défiler sous les roues, d'abord lentement, puis de plus en plus vite. Arrivé au bout, je recommençai, une fois et puis une autre, toujours plus vite, jusqu'à la fin de la ligne droite et de nouveau dans l'autre sens. Les gardes me crièrent quelque chose. Ils n'aimaient pas qu'on tire au flanc. Ils ne pouvaient pas comprendre. Moi je sentais les trous et le vent, les vibrations du volant sous la paume de mes mains et les hésitations du moteur sous mon cul. Je sentais revenir, de très loin, une force que j'avais perdue et je voyais se recomposer sur ce tronçon de route le monde en lambeaux que j'avais subi pendant des années, sans jamais réussir à les faire tenir ensemble. Les gardes s'approchèrent. Furieux, ils criaient des phrases hachées qui avaient l'air de mordre. Moi j'étais à six mille tours, exactement au fond de la piste. J'ai compris que cette fois mes bourreaux étaient trop près pour que je revienne en arrière, et j'ai su que je ne freinerais pas. Il n'y avait plus de route, mais je ne m'arrêterais pas. Peut-être ai-je pensé un instant que j'allais devenir avion ou oiseau, mais je savais bien que l'ivresse futile du vol n'était pas une solution, et ne le serait jamais. Je viens de la campagne, nous sommes des gens de la terre, nous ne volons pas. C'est sur cette terre que nous trouverons notre salut. Sur ces routes de terre. Un soldat vint se planter devant moi, et à quelques centimètres de ma figure me cria quelque chose, écarlate.

Mais je ne le voyais pas. Il y avait encore une vingtaine de mètres de route, devant moi, et le temps d'un battement d'ailes pour trouver une courbe par où m'échapper. Je n'eus pas le temps d'avoir peur. Je revis, avec des yeux que je n'avais plus depuis des années, la première lettre de mon nom, telle que ma mère l'avait écrite, en rouge, il y avait bien longtemps, sur la boîte en carton de mes secrets. Je revis le geste net qui la traçait, toute propre, d'un seul mouvement. Et je m'aperçus que je l'avais, ce geste, en moi. Et que j'en serais capable. Dans le doux berceau de cette lettre, je lancerais mes chevaux, et je serais sauvé. J'ai serré les mains sur le volant, et jeté tout mon poids à gauche. J'ai senti les gémissements des pneus, qui mordaient la terre, et la résistance de l'automobile obligée de nager comme un poisson contre le courant. Et pour moi la route se fit courbe, une courbe majestueuse, pour moi seul. Je sentis à peine les premiers coups qui pleuvaient sur mes côtes. Peut-être la crosse du fusil. Je ne sais pas. Je suis tombé à genoux. D'autres gardes étaient arrivés, et tous criaient. Mais impossible de m'arrêter, maintenant. Je virai avec douceur sur la droite en longeant l'ourlet d'une jupe éblouissante que je n'avais jamais oubliée et je redonnai les gaz sur le dos arqué des poissons qui apportaient quelquefois sur notre table la promesse de la mer. Quand un coup de pied m'abattit, la figure dans la terre, j'étais en train de remonter à grande vitesse le dos-d'âne de Piassebene, et je sautai dans le vide en hurlant mon nom tandis que les coups pleuvaient sur moi, accompagnés de ces hurlements insupportables. Je fermai les yeux, et il me fut facile de descendre le long du cou de la plus belle femme que j'eusse jamais vue et de redonner prudemment des gaz avant de décrocher en vue de son épaule. J'étais en train de reprendre possession de ma vie entière. Je mis les mains sur ma tête, pour me protéger des coups, parce que je ne voulais pas perdre connaissance. Je ne sentais plus rien. Sauf le danger que la mort m'emporte avant que j'aie terminé. Je savais où je voulais terminer. C'était une idée inouïe, quelque chose que je n'avais jamais conçu de manière aussi claire. Mais il y avait longtemps qu'en moi, cette perfection était là. Avec mes dernières bribes de force, j'arrondis une courbe en coude ainsi que les tournants de Colle Tarso m'avaient appris à le faire et, pied au plancher, j'appelai à moi l'anse du grand fleuve où se trouvaient nos plages d'été et je laissai l'anse du fleuve m'emporter solennellement là où je voulais aller. J'entendais les cris de plus en plus loin et ma respiration bouillonnait dans mon sang. Quelque part mon cœur battait encore, agrippé au volant. L'antique sagesse du fleuve ne me trahit pas, et à 140 kilomètres-heure je me retrouvai à l'entrée de la ligne droite où la guerre avait imaginé, dans sa banalité, faire décoller de futiles avions et où je retrouvai la route d'où j'étais parti. J'avais appris des années plus tôt, par une nuit de brouillard, à côté de mon père, que c'est là le seul vrai chemin, celui qui porte au cœur des choses, et à la respiration du temps. Je savais maintenant qu'il existait aussi en moi, et qu'il me fallait seulement l'exhumer, jour après jour, des ruines de ma vie.

Ultimo s'arrêta, et finalement me regarda. Il me fixa longtemps. Il était visible qu'il y avait quelque chose d'autre, quelque part, comme un dernier secret. J'attendis. Mais il se taisait, et je lui demandai alors : Comment ça a été, depuis ? Il sourit. Il pencha un peu la tête. Pas facile, dit-il. Ce n'est pas comme on voudrait. Mais moi, ajouta-t-il, j'ai un plan. Quel plan ? lui demandai-je, en souriant. C'est un bon plan, dit-il. Il tira un peu sa chaise vers moi. Ses yeux s'étaient illuminés.

Moi, je construirai une route, dit-il. Où, je n'en sais rien, mais je la construirai. Une route comme jamais personne n'en a imaginé. Une route qui finit là où elle commence. Je la construirai au milieu de nulle part, pas une baraque, pas une palissade, rien. Ce ne sera pas une route pour les gens, ce sera une *piste*, faite pour courir. Elle ne mènera nulle part, parce qu'elle mènera à elle-même, et elle sera hors du monde, loin de toute imperfection. Elle sera toutes les routes de la terre en une seule, et elle sera là où rêvent d'arriver tous ceux qui sont un jour partis. Je la dessinerai moi-même et, vous savez quoi? je la ferai suffisamment longue pour pouvoir y mettre toute ma vie bout à bout, courbe après courbe, tout ce que mes yeux ont vu et qu'ils n'ont pas oublié. Rien ne sera perdu, ni la courbe d'un coucher de soleil, ni le pli d'un sourire. Rien de tout cela n'aura été vécu en vain, parce que cela deviendra un pays spécial, un dessin pour toujours, une piste parfaite. Je veux vous dire : quand j'aurai fini de la construire, je monterai dans une auto-mobile, je démarrerai, et tout seul je commencerai à tourner, de plus en plus vite. Je continuerai sans m'arrêter jusqu'à ne plus sentir mes bras et j'aurai la certitude d'avoir parcouru un anneau parfait. Alors je m'arrêterai à l'endroit exact d'où je suis parti. Je descendrai de l'automobile et, sans me retourner, je partirai.

Il souriait. Avec orgueil.

Tu parles sérieusement? lui dis-je.

Oui.

Vraiment?

C'est pour ça que je vis.

Je hochai la tête, en riant.

Il va te falloir un sacré paquet d'argent.

Je le trouverai.

Il dit cela avec l'air de celui qui le trouvera. Je l'imaginai au volant, arrêté sur la ligne droite de sa piste, un instant avant d'allumer le moteur et de reprendre possession de sa vie.

Ça m'embêtera de ne pas être là, ce jour-là, dis-je.

Il se pencha vers moi et du bout du doigt effleura la courbe de mon front, comme pour l'apprendre.

Vous y serez, dit-il.

ELIZAVETA

2 avril 1923
Je commence à écrire ce journal le 2 avril 1923.
Rien de poétique. J'ai seulement besoin d'enregistrer ma performance.
Comme un inventaire. Pour ne pas oublier. Un inventaire.
Qui je suis. 21 ans. Prénom : Elizaveta. Russe. De Saint-Pétersbourg.
Je suis née dans un palais qui avait cinquante-deux pièces. Il n'existe plus maintenant, paraît-il, à sa place on a construit un entrepôt à bois. Ce n'est qu'une des transformations qui pendant ces six dernières années
Cette décision que j'ai prise de ne me souvenir de rien de ma vie précédente, et en particulier rien de mon pays, qui ne m'appartient plus et que je veux anéantir. Pas par haine mais par indifférence. Il m'est indifférent. La Russie m'est indifférente.
Mon nouveau pays : les États-Unis, pour le moment.
Je ne crois pas que je *vieillirai* aux États-Unis.
Ce que je veux :

Mes parents sont morts pendant la Révolution de 1917. Ils se sont suicidés, en prenant une dose de poison, dans leur propriété de Basterkiewitz. Indifférence.

Moi sauvée par l'ambassadeur américain. Le train qui m'emportait dans la nuit avait seize wagons. Nous dans le premier. Ma sœur Alma, l'ambassadeur américain, moi, onze autres réfugiés de marque.

C'est de ma sœur Alma que l'ambassadeur américain est tombé amoureux. Mais je ne partirai jamais sans ma sœur Elizaveta, a-t-elle dit.

Et me voilà donc ici.

Que dire d'autre.

Sans argent. La vraie pauvreté. Si je peux vivre, c'est parce que je sais jouer. La musique, nous l'avions apprise comme un élément du trousseau nécessaire à notre état de filles à marier. Avec l'italien, le français, la peinture, la poésie, la danse et le jardinage. Mais il est resté la musique.

C'est suffisant pour le moment.

Je vais me coucher à 9.20 p.m.

Mon corps

Ma sœur était celle qui était jolie. Moi : des traits tristes. Grande bouche. Yeux quelconques. Cheveux trop fins. Couleur noire. Un beau noir. Les hommes pourtant sont attirés par mon corps. Je suis maigre. La poitrine. Les jambes. La peau de perle. Les chevilles. Décolleté. Les hommes sont attirés par mon corps. Parce que je suis laide de visage, il est plus facile pour eux d'exprimer directement l'appétit sexuel, sans passer par des préliminaires poétiques ou amoureux. J'en joue. J'aime montrer mon corps. Me pencher et laisser voir mes seins. Me promener pieds nus. Faire remonter mes jupes jusqu'à la cuisse. Appuyer ma poitrine contre les hommes pendant que je leur parle. Garder la main serrée entre mes cuisses pendant que je regarde autour de moi sans rien dire. D'autres choses encore.

Les hommes sont tous des enfants.

Les rendre fous.

J'ai couché avec onze hommes. Je suis encore vierge. Cela ne m'a pas déplu, de me faire prendre par-derrière par deux d'entre eux. Ils n'ont pas l'air d'avoir apprécié, car on ne les a plus revus. Je crois que je les ai vexés. Ça me plaît. Le sexe est une vengeance. Pour le moment, c'est comme ça. Ça ne le sera pas toujours. Mais pour le moment ça l'est.

De quoi je veux me venger.

De quoi je veux me venger.

3 avril 1923
Demande-moi ce que tu veux savoir, je te le dirai.

Alors il dit Je ne sais pas, je ne sais rien de toi.

Demande-moi.

Où est ta famille.

Je n'en ai pas.

C'est impossible.

Pose une autre question.

Tu es difficile, comme fille.

Mon père disait toujours que j'étais une fille difficile, et je sais maintenant que par ces mots il voulait me dire — et se dire — qu'il n'y aurait jamais aucun moyen de nous rapprocher, tous les deux, et qu'il finirait par s'en tenir à un sentiment d'affection distante, en regrettant à chaque instant de sa vie de ne pouvoir   personne, en réalité, c'est

difficile, mais simplement

J'enseigne le piano aux enfants. Quelquefois aussi aux adultes. C'est la Steinway & Sons qui me paie, une firme qui fabrique des pianos. Voilà l'histoire. Au début du siècle.

Que c'est bête, d'écrire un journal.

Au début du siècle,

4 avril 1923
Quel prénom : Ultimo. En italien ça veut dire *the last one*. On le donne dans les familles qui ne veulent plus avoir d'enfant. De même qu'on appelle Primo le premier-né.
Prénoms italiens :
Primo
Secondo
Quarto
Quinto
Sesto
Settimio.
Terzo?
J'ai demandé à Ultimo si dans sa famille ils n'avaient réellement plus eu d'enfants. Plus ou moins, m'a-t-il dit. Son père et sa mère n'ont voulu avoir que lui. Ensuite sa mère est tombée amoureuse d'un comte italien, c'était un de leurs amis, un ami de son père. Il est mort pendant une course automobile. Six mois plus tard, sa mère a eu un enfant, un garçon. Il était du comte. Son père l'a reconnu, mais tout le monde sait qu'il est du comte.
Mon père, lui, avait eu six enfants de quatre servantes de la maison. Quand il passait près d'eux, à la campagne, il leur

faisait une caresse sur la tête du plat de la main. Mais sans les regarder.

Le vice de se souvenir du passé.

C'est le *présent* que je dois noter. C'est à cela que sert ce journal.

Aujourd'hui leçon chez les Stevenson. Puis treize milles avec le fourgon, et autre leçon chez les White. Deux petites jumelles. Mozart. C'est-à-dire que j'essaie de leur faire jouer du Mozart. Pas pour qu'elles jouent comme Mozart. Mais elles ont l'âge de Mozart. Cinq ans. La paie de Steinway & Sons est d'un demi-dollar pour une heure de leçon. Quand nous réussissons à vendre un piano, le pourcentage qui nous revient est de 4,5 %. Je le partage avec Ultimo, 50-50. Je veux me souvenir de cette misère. Quand je redeviendrai riche, il sera *fondamental* pour moi de me souvenir de cette misère.

Il est certain que je redeviendrai riche. Je suis prête à tout pour qu'il en soit ainsi, et il en sera ainsi. Je veux sentir à nouveau la caresse des draps blancs, parfumés, et sentir encore combien gaspiller est un geste naturel. Je désire pouvoir jeter des choses dont je viens à peine de me servir, et renvoyer en cuisine des plats dont je ne vois pas le fond. Reconnaître la dévotion dans le regard des autres, la servitude dans leurs mains, la peur dans leurs paroles.

Je me souviens de tout quand nous étions riches. Je n'ai rien désappris. Je peux recommencer n'importe quand.

Je commence ici à compter les jours où je vais me coucher en ayant faim. Un, ce soir. Deux, demain, je le sais déjà. Combien faut-il de jours comme ceux-là à une princesse pour qu'elle apprenne ce qu'elle a à apprendre et puisse manger à nouveau ? 500 jours. Pas un de plus. Promis.

499 jours, encore.

Je ne suis pas aussi méchante que j'en ai l'air.
Je ne suis pas aussi laide que j'en ai l'air.
Je ne suis pas
Je vais me coucher à 10.14 p.m.
Une prière.

5 avril 1923
Le premier pianola mécanique que j'ai vu, c'était à la campagne, chez M. Brandisz. C'était assez étonnant, je dois le reconnaître. Quand il le faisait marcher, M. Brandisz se mettait debout à côté du meuble et il souriait. Parfois il s'émouvait et de petites larmes coulaient sur son visage de veuf. D'autres fois, il le faisait marcher en cachette, sans avertir personne et en faisant comme si de rien n'était. Quelquefois nous étions tous dans le jardin, et à travers les pièces de la maison arrivaient tout à coup les notes d'un morceau de Chopin. Si un jeune homme s'était alors précipité dans la maison, pour connaître la jeune fille qui jouait de cette façon lumineuse et tranquille, il n'aurait trouvé que la solitude funèbre d'un salon où les touches blanches et noires descendaient toutes seules, en l'absence, discutable, d'une âme. Il aurait été troublé.

C'est un peu ce que je ressens, invariablement, devant les corps masculins qui font l'amour avec moi.

Quand la technique des pianolas se perfectionna, aboutissant à des résultats surprenants, et intrinsèquement magiques, les fabricants de pianos en déduisirent que leur époque était terminée. Il était clair que si les gens pouvaient reproduire parfaitement Chopin sans avoir à le jouer, se plier à suivre de longues études pour assurer à son foyer le privilège distinctif de la musique deviendrait, en peu de temps, un luxe inutile. Ainsi la plupart d'entre eux commencèrent à considérer la possibilité de fabriquer des pianos mécaniques. Il leur apparut cependant évident à tous, presque immédiatement, que c'était là un travail déprimant. C'était bien plus facile que de fabriquer un piano, mais le pressentiment général était qu'on perdait au passage le cœur de la musique, quoi que puisse vouloir dire « le cœur de la musique ». Aussi en gardèrent-ils une sorte de trouble qui n'avait pas de solution.

Steinway & Sons, un des plus grands et des plus prestigieux fabricants de pianos du monde, décida alors d'approfondir ce problème. Ils étudièrent longtemps. Réfléchirent longtemps. Ils en vinrent finalement à la conviction qu'il faudrait arriver à vendre un piano avec, à l'intérieur, la capacité d'en jouer. N'oublions pas que c'était une phase d'étude, l'intuition n'était encore qu'à l'état d'ébauche. Le pas suivant fut de penser que l'idéal serait de vendre un piano en même temps qu'un pianiste capable de jouer à la demande. De cette façon, on obtiendrait la commodité du piano mécanique, tout en sauvant le cœur de la musique, et l'apport irremplaçable du toucher humain, à travers lequel passait, vraisemblablement, l'âme. Ils étudièrent réellement la faisabilité de cette hypothèse. Quand ils en arrivèrent à la conclusion que, d'un point de vue économique, la chose ne tenait pas debout, ils se replièrent sur la solution à laquelle je dois, actuellement, ma survie. En 1920, Steinway & Sons a lancé une initiative commerciale singulière, prévoyant des leçons de piano gratuites pour tous ceux qui veulent approcher l'art sublime du piano. Des centaines de professeurs de piano ont été sélectionnés à travers le monde et envoyés en tournée dans les villes et les campagnes pour y apporter le verbe de la technique pianistique. Nous tournons avec un fourgon de la

169

firme, une camionnette, et accompagnés d'un chauffeur-technicien. L'idée de génie, c'est qu'aux familles qui en font la demande, nous apportons le piano, gratis, nous le montons là où ils préfèrent, et ensuite, pendant trois mois, nous nous présentons pour la leçon, une fois par jour, gratuitement, afin qu'ils puissent dépasser le premier, et compréhensible, moment de difficulté. À ceux qui, après l'essai, décident de procéder à l'achat, Steinway & Sons offre trois autres mois de leçons au prix symbolique de dix cents l'heure. Il faut reconnaître qu'ils ont bien étudié la chose.

Quelquefois nous passons prendre, en échange, de vieux pianos mécaniques.

Ils les revendent ensuite aux cafés.

Cela me plaît d'écrire de cette manière, comme si j'écrivais un livre. C'est quelque chose qui ressemble à la danse. Un ordre. L'effort de l'élégance. Arrondir le mouvement. Ouvrir et fermer. Faire des choses qu'on termine. Des phrases.

D'ailleurs, au bout d'une page, je suis déjà épuisée.

Je me demande si les écrivains se fatiguent autant. Je ne crois pas. Ça ne me fatigue pas de jouer pendant des heures, je pourrais continuer indéfiniment. Le métier, c'est ce qu'on fait sans fatigue.

Il y a seulement quelques années, la simple hypothèse d'associer à mon destin l'expression « avoir un métier » m'aurait semblé ridicule et vulgaire.

Je vais me coucher à 9.33 p.m.

Quelle solitude, quand même.

6 avril 1923

En moyenne, j'ai calculé, je reste 112 jours dans une famille. Certains renoncent dès les premières leçons : alors nous

emportons le piano et nous rayons leur nom de la liste. Beaucoup laissent passer les trois premiers mois puis achètent le
piano, mais renoncent aux leçons : ils se sont attachés au
meuble. Ils pensent que le seul fait de l'avoir, même muet,
peu importe, les distingue. Seuls quelques-uns profitent des
trois mois supplémentaires de leçons. Ce sont ceux qui, à la
fin, aimeraient que je reste, comme gouvernante des enfants,
pourquoi pas. Mais je n'ai jamais voulu accepter. Je continue
donc à tourner dans la campagne du New England, avec un
fourgon qui nous transporte, Ultimo et moi, et, selon les
moments, deux, trois, ou quatre pianos démontés.

Rien de plus déprimant que la campagne du New England.
C'est ainsi que j'ai conçu mon plan. Pour avoir un but. La
succession des jours toujours identiques, à barboter dans la
campagne, m'aurait tuée.

Je me suis fixé l'objectif de *corrompre* chacune des familles
dans lesquelles je travaille. J'ai en moyenne 112 jours devant
moi. Cela peut, quelquefois, être moins. Mais qu'importe, je
dois y arriver.

Ce journal est l'inventaire de cette entreprise.

Ce n'est pas difficile de *corrompre* une famille. Les familles
sont toutes corrompues.

Je vais me coucher.

Reçu une lettre de ma sœur. Elle vit au Caire. Elle mène une
existence de fleur de serre. Un rien peut la tuer, parce que
ses nerfs ont craqué à l'arrivée en Égypte. Elle le sait, elle est
lucide, et cela ne lui déplaît pas. Elle cultive sa beauté, c'est
tout ce qu'elle fait. Elle me donne des nouvelles. Je ne lui ai
jamais répondu.

Chose curieuse, Ultimo reçoit lui aussi chaque semaine une
lettre. Non seulement il ne répond pas, mais il ne les ouvre
même pas.

D'habitude, Ultimo dort dans le fourgon. Il évite de se payer l'hôtel et met l'argent de côté. Lui aussi, il a un plan.

Un plan de campagne.

Ah, ah.

Je vais me coucher à 10.11 p.m. J'ai faim. Comme prévu, 2ᵉ jour.

Encore 498, si Dieu veut.

Si Dieu veut était une phrase typique de mon père.

Avec tout le respect que je vous dois.

Toutes proportions gardées.

Parler à voix haute plutôt que *penser à voix haute.*

Si l'on s'en tient aux faits.

Et cetera.

Les morts meurent mais ils continuent à parler dans notre voix.

Bah.

8 avril 1923

Quand on a quelques jours seulement, il faut agir vite. Il me suffit de quatre, cinq leçons pour comprendre où je dois attaquer. Les familles sont comme les forteresses : elles ont toujours un point faible. Les Patterson, au bout d'une semaine, j'ai empoisonné leur chien. J'ai agi assez vite parce que Mary, la fille, bâillait pendant les leçons. Elle n'en avait vraiment rien à fiche. Ça n'aurait pas duré longtemps. Ils n'avaient même pas l'air de pouvoir se permettre un piano. Alors j'ai tué le chien. M. Patterson le détestait, Mme Patterson l'adorait. Le vétérinaire a dit que quelqu'un l'avait empoisonné. Deux et deux, quatre. Mme Patterson n'a pas douté une seconde, et elle tuera désormais son mari jour après jour, durant les années à venir. En général personne, jamais, ne soupçonne la maîtresse de piano, une jeune princesse russe frappée par les avanies du destin. Au contraire, j'apparais en général comme un ange envoyé du ciel pour les réveiller de leur agonie. On croirait même qu'ils ont *besoin* de moi. Ils attendent de moi que je les sauve. Cela me facilite la tâche.

Patterson : 17 jours. Pas de piano.

Un soir, Mme Patterson et moi, dans la véranda, pendant deux heures.

Travail d'orfèvre. Solidarité féminine. La dégoûtante chronique de sa vie sexuelle avec son mari. Elle ne l'avait jamais raconté à personne. L'épisode du pistolet. Il y a des gens qui pointent un pistolet sur leur femme pour se faire faire une pipe. Beaucoup de choses à apprendre.

Restée seule avec Mary, la fille, je lui ai dit : le chien, c'est moi qui l'ai empoisonné. Ç'aurait pu être une erreur. Imbécile de gamine : elle a ri.

Ne jamais en faire trop.

En démontant le piano, Ultimo a abîmé la tapisserie du mur. Nous avons dû laisser de l'argent.

À rester dans le fourgon, les pianos s'abîment, mais Ultimo sait les réparer. Il a travaillé longtemps dans les moteurs et il dit que pour un mécanicien, mettre les mains dans le ventre d'un piano c'est comme

Un chirurgien qui opère un enfant.

Ce qui ne change pas, dit-il, c'est que tous les deux sont vivants. Le piano et l'automobile.

Comment ça, vivants ?

Ils ont une âme qui peut s'éteindre.

L'autre jour Ultimo a pris une petite route, puis il a arrêté le fourgon au milieu de la campagne. Je l'ai aidé à décharger un piano. Il l'a monté. Puis il m'a dit : joue quelque chose.

Imbécile.

Mais j'ai joué longtemps.

J'ai bien joué, comme cela ne m'était pas arrivé depuis longtemps. Je pouvais *me voir* jouer, comme de loin.

Ultimo ne sait rien de mon plan. Je ne lui ai jamais rien dit. Quand je donne les leçons, il reste dans le fourgon ou il va se promener. Il n'aime pas entrer dans les maisons ou rencontrer les gens. Il a la *terreur* qu'on lui offre une tasse de thé. Il reste dans le fourgon et souvent il dessine.

Cette sensation pendant que je jouais au milieu de la campagne.

Ne pas l'oublier.

Faire attention à ne pas vivre complètement privée de toute *douceur*. Avoir la présomption de ne se nourrir que de Clément. Me répéter mille fois le mot *clément*. Clémence.

J'invoque la clémence de

Un orage clément.

Une réponse clémente.

Je serai clémente.

Emmène-moi manger, ce soir, Ultimo. Nous sommes allés à l'auberge et nous avons mangé en silence. Moi, je pensais à mon plan.

Je dois arrêter.

11.07 p.m.

20 avril 1923

Je suis le requiem qui sonne à vos portes de campagne je suis dans votre tête la maladie qui vient de loin je suis la poussière dans les yeux et le noir sous les ongles — je suis le requiem la jolie bouche à embrasser — je suis princesse et prince, épée et dragon — je suis une nuit d'incendie à dompter.

Je suis un requiem princesse.

Amen.

J'ai dit aux Giggs que leur fils est un génie. Des paysans. Misérables. Ils n'avaient pas l'argent mais ils ont accepté le piano par peur, ils ne connaissaient pas les bons mots pour refuser. Des paysans. De pauvres gens. Je leur ai dit que leur fils est un génie. Incroyables capacités d'apprentissage. Talent indéniable.

Une tête d'œuf, en réalité, tout juste médiocre.

Votre fils est un génie.

Ils ont changé. Ils ont commencé à vendre des choses pour acheter le piano. Ils ont accepté le second trimestre de leçons. À cause de la fierté, de l'émotion, ils ont même changé leur manière de marcher. Ils se sont rendus odieux à tout le voisinage, un petit village. Pour une modique somme supplémentaire, je serais heureuse de doubler les heures de leçon. Ils ont accepté. Vous êtes certaine que le garçon...?

Si seulement il avait un meilleur piano, il pourrait alors vraiment développer toutes ses capacités. C'est important, le toucher. Ils ont continué à vendre des choses et ils ont commandé en ville un Steinway demi-queue d'occasion. Le soir, ils invitent les voisins à écouter leur fils jouer. Personne ne vient. La rancœur grandit.

Ces soirées avec les gâteaux sur la table et le garçon qui joue dans la pièce vide. Je suis le requiem qui sonne dans les

Je suis partie de chez les Giggs au bout des six mois prévus par le règlement Steinway & Sons. Pas avant, cependant, d'avoir dit solennellement que le garçon avait besoin, et même, avait le droit d'aller étudier à la ville. Il ne peut pas y aller tout seul, dit M. Giggs. Non, ai-je convenu. Je ne peux pas aller à la ville, moi, j'ai ma terre à travailler ici, dit M. Giggs. Je comprends, dis-je. La terre, c'est tout ce qui m'est resté, dit M. Giggs. Tout ce qui vous est resté c'est votre fils, dis-je.

Quand je leur dis au revoir, M. Giggs pleure.

Je ne sais pas comment ça s'est terminé. Je m'en fiche. Maintenant ils étaient pris au piège. Ils n'avaient plus le choix qu'entre agoniser pendant des années dans le remords, ou s'en aller mourir de misère en ville.

Giggs. Six mois, deux pianos.

Newman. Suit son cours.

Cole.

Farrell.

Martin. La petite fille.

Helmond. Comme avec les McGrath.

Changer de doigté pour le Boccherini.

Écrire un manuel simple pour la technique de la pédale ?

Trois exemplaires du Hanon.

À Ultimo : chez les Newman, problème de remontée des touches dans les graves.

Accordage.

Long discours d'Ultimo. Jamais il n'en dit autant. Il adore ce travail. Il marque tous nos déplacements au stylo noir sur une carte. Tous les dix jours, il pose sur la carte une feuille de papier blanc léger et décalque la ligne noire au crayon. Ensuite il range les feuilles dans un carton à dessin. On dirait des dessins, mais qui ne ressemblent à rien. Le soir, il les étudie, longuement. Qu'est-ce que c'est ? Une route, répond-il.

Ce sont des gribouillis.

Non, dit-il.

Qu'est-ce que tu y vois ?

Des tentatives, dit-il.

Tentatives de quoi?

De résumer l'espace, dit-il.

Qu'est-ce que ça veut dire, résumer l'espace?

Ça veut dire le posséder, dit-il.

Et qu'est-ce que tu en fais, de l'espace, quand tu le possèdes?

Je le mets en ordre, dit-il.

L'espace est désordonné?

Oui, dit-il.

L'espace est désordonné.

Je sais où il cache ces lettres qu'il n'ouvre jamais. Il les garde.

Un jour, je les lirai.

Mais Ultimo, je n'ai pas envie de le corrompre. Lui, c'est un cristal à sauver.

Demain, chez les Farrell. Puis Sloman et Jenks.

Ne gâche pas tout, ma petite.

9.46 p.m.

Fais que je dorme sans rêver.

21 avril 1923

Famille Martin.

Dès la première leçon j'ai remarqué le regard fiévreux que M. Martin posait sur la petite fille. Cela a été un travail délicat, et je suis fière de moi. M. Martin assistait aux leçons assis dans un fauteuil, dans un coin de la pièce. Il ne disait jamais rien. À la fin seulement, il se levait et me serrait la main, en me remerciant. À sa fille il disait : Bravo, Rachel. Il était littéralement terrorisé par son amour pour elle.

La petite jouait assez bien.

14 ans. Très mignonne, je dois reconnaître.

Un jour qu'elle venait de finir un morceau, je me suis penchée sur elle et j'ai déposé un baiser sur ses lèvres. Elle n'a pas réagi. Nous en avons fait une habitude. Chaque fois qu'elle jouait bien, je me penchais sur elle et je déposais un baiser sur ses lèvres. C'était comme une récompense. Le père regardait, sans rien dire.

Un baiser plus long, un jour. Suis restée là, sur ses lèvres. Les yeux fermés.

Nous avons préparé soigneusement *La Cloche de loin* *. À quatre mains. Répété de nombreuses fois.

Venez vous asseoir ici près de nous, dis-je au père. Nous allons jouer *La Cloche de loin* pour vous tout seul. Venez vous asseoir près de nous.

Il tire son fauteuil à côté du piano.

Ensuite, tout joué du début à la fin. La petite vraiment bonne. Je suis contente, quand c'est fini. Je me penche sur elle et je dépose un baiser sur ses lèvres. Puis je souris et je regarde le père.

Il ne sait pas trop quoi faire.

Elle a bien joué, non? lui dis-je.

La petite fille sourit.

Le père se soulève un peu, dans son fauteuil. Ils s'embrassent. Juste un tout petit peu.

La petite fille rit, nerveuse. J'applaudis, mais de manière badine. Ça s'arrête là.

J'ai peut-être oublié de dire qu'il est veuf.

Il est veuf.

Il déplace toujours son fauteuil près du piano, maintenant. Les trois mois terminés, il achète le piano. Et trois mois de leçons encore.

Je dépose un baiser sur les lèvres de Rachel, je ferme les yeux et je glisse la langue. Elle s'écarte. Me regarde. Je souris et m'approche à nouveau. J'entrouvre ses lèvres du bout de ma langue. Je sens sa langue qui répond. Je m'écarte et je lui

178

souris. Tu as vraiment bien joué, lui dis-je. Elle se tourne vers son père. Il tremble. Ils s'embrassent. Je vois leurs lèvres s'ouvrir. Puis ils rient.

Je suis partie à la fin des six mois. Le père et la fille, je les revois debout, sur le seuil de la porte, qui me saluent en se tenant par la main. M. Martin a l'air malade, dit Ultimo, il a les yeux d'un malade.

Il l'est, dis-je.

Je vais me coucher en ayant faim. Je n'en peux plus. Je hais la misère. Il faut que je commence à me construire un avenir. Je ne peux plus attendre. Il faut que je m'en aille d'ici.

Possibilités :

rejoindre ma sœur

trouver un mari

me tirer une balle

rejoindre ma sœur, trouver un mari et lui tirer une balle.

Voilà *.

Je n'ai pas envie de dormir toute seule. Je sors et vais dormir avec Ultimo, dans le fourgon. Je le fais de temps en temps. Il me laisse les sièges, à l'avant, et s'installe derrière. J'aime bien me caresser pendant qu'il dort. Je me dis toujours qu'il ne dort pas. Ça m'excite. Quand je viens, je me moque bien de ne pas faire de bruit. Je veux qu'il m'entende.

J'aimerais qu'il le fasse aussi. Maintenant je vais dormir avec lui et lui demander de le faire. Attends que je m'endorme et masturbe-toi. Tu veux bien le faire pour moi ?

Non, je n'oserai pas le lui dire.

Bien sûr que non, je n'oserai pas.

Mais j'aimerais bien.

9.40 p.m.

22 avril 1923
Je le lui ai demandé. Je dois être folle.
Quand je me suis réveillée, je lui ai demandé s'il l'avait fait.
Oui.
Ça t'a plu?
Il n'a pas répondu.
C'est bizarre. Il ne faut pas que j'y pense.
Mais il y avait un grand soleil et nous avons roulé vitres baissées.
J'avais envie de jouer. À la leçon chez les Cole, c'est moi qui ai joué tout le temps. Scarlatti, Schubert. Mme Cole était contente. C'est à elle que je donne des leçons. Elle a 34 ans. Un peu tard, pour commencer. Mais elle en a tellement envie. C'était son rêve. Je me suis attachée à elle. Cela m'ennuie de devoir la corrompre elle aussi. Elle ne le mérite pas. Mais moi non plus je n'ai pas mérité cette vie-là. La faute aux Bolcheviques, et à la révolution, dit Mme Cole. Mais ce n'est pas vrai.
Je refuse de croire à l'Histoire. L'Histoire est une illusion d'optique. Ce ne sont que les histoires de quelques-uns, vendues comme si elles étaient la vie de tous. Mais ce n'est pas vrai. C'est la leur.
Ce que nous devrions faire, par rapport à l'Histoire, c'est *ne pas participer*. C'est une idée à eux, que nous devrions participer. Ils ont besoin que nous venions jouer sur la scène de leur folie.
Les collaborationnistes de l'Histoire : ceux pour qui c'est un devoir de participer à la
Je ne suis d'aucun côté, et je me moque de savoir qui gagne. Si celui qui gagne me prend tout, je ne serai de toute façon

180

pas son ennemie. J'aurais pu tout perdre à une table de jeu, ou à cause d'un tremblement de terre. Les causes se valent. Je reste en dehors de leur lutte. Qu'ai-je à y voir ? Vous devrez vous passer de moi.

Il y a des gens qui sont allés *combattre* pour les intérêts de ces gens-là : uniquement parce qu'ils n'avaient pas la force de résister au chantage. Il y a des gens qui *sont morts* pour cette raison-là.

Une folie.

Mme Cole a quatre enfants et un mari. Une jolie petite famille. Un des enfants est bizarre. Il est très petit, il ne parle jamais. La peau très blanche. Il a un regard tellement pénétrant que les adultes le fuient. De temps en temps, paraît-il, il fait des choses inexplicables. Il fait des choses magiques, dit le père, qui en rit. Mais on voit bien que, par en dessous, il y a un voile de peur. Tous, dans cette maison, ils ont un voile de peur.

J'ai commencé à dire, en passant, qu'il y avait une étrange atmosphère dans cette maison. Fascinante, j'ai dit. Ils n'ont pas bien compris si c'était un compliment ou quoi.

C'est incroyable, mais chaque jour il faut de nouveau accorder le piano, j'ai remarqué un jour. Et avant les leçons, chaque fois, j'ouvre le piano et je l'accorde. Tout bas, je marmonne des choses comme Incroyable, ou Vraiment incroyable.

Je m'amuse bien. Mais cela m'ennuie un peu pour Mme Cole.

Ils ont acheté le piano. Ultimo dit qu'avec nos pourcentages sur les ventes nous avons déjà gagné 19 dollars 60 chacun.

J'envoie toujours tout à ma sœur, pour que ce soit elle qui s'occupe de

Ultimo cache son argent dans un double fond du fourgon.

C'est là aussi qu'il met les fameuses lettres. Un jour, j'en ai pris une, je l'ai ouverte et je l'ai lue. Je n'y ai pas compris grand-chose, il faut que je lise toutes les autres. Celle-là était écrite par un prêtre italien. Elle venait d'une ville qui s'appelle Udine. Ou Adine, je ne me souviens pas.

Il faut que je lise toutes les autres.

Ultimo ne les ouvre même pas. Mais il les garde. Qui sait ce que ça veut dire. Beaucoup des choses qu'il fait n'ont pas tellement de sens.

Pour arriver à Sheftbury, chez les Martin, il y avait un dos-d'âne, sur la route. Chaque fois il était obligé de ralentir, parce que le fourgon était rempli de pianos. Et chaque fois il disait : dommage. Un jour il a fait demi-tour et il m'a dit : Aide-moi. Nous avons vidé le fourgon, et posé les pianos, démontés, dans un pré à côté de la route. Ce sont des pianos à cadre en bois : ils ne sont pas trop fatigants à déplacer. Ils nous les ont donnés exprès. Ensuite Ultimo est remonté au volant. Il m'a dit de monter avec lui. Tu ne dois pas avoir peur, c'est quelque chose de magnifique, m'a-t-il dit. Il a pris son élan et s'est lancé sur le dos-d'âne en accélérant au maximum. J'ai commencé à hurler quand nous étions encore dans la montée. Mais je ne hurlais rien de particulier. Lui par contre il est resté silencieux, tranquille, jusqu'au moment où nous avons été au sommet du dos-d'âne, et quand le fourgon s'est détaché du sol, alors il a hurlé très fort son nom. Ultimo Parri.

Après ça, le fourgon était un peu déglingué. Quand nous sommes revenus en arrière, tout doucement, du sommet du dos-d'âne on voyait en bas les pianos, démontés, dans l'herbe, des morceaux de piano posés en désordre au milieu d'un pré. On aurait dit un troupeau de je ne sais quoi qui paissait, tranquille. C'était beau. Ultimo a arrêté le fourgon. Nous sommes restés là à regarder.

Pourquoi es-tu toujours triste ? lui ai-je demandé.

Je ne suis pas triste.

Si, tu es triste.

Ce n'est pas ça, il m'a dit. Il m'a dit qu'à son avis les gens vivent des années et des années, mais en réalité il y a seulement une petite partie de ces années-là qu'ils vivent vraiment, et ce sont les années où ils réussissent à faire ce pour quoi ils sont nés. Là, alors, ils sont heureux. Le reste du temps, c'est du temps qu'ils passent à attendre ou à se souvenir. Quand tu attends ou quand tu te souviens, m'a-t-il dit, tu n'es ni triste ni heureux. Tu *as l'air* triste, mais c'est juste parce que tu es en train d'attendre, ou de te souvenir. Ils ne sont pas tristes, les gens qui attendent, pas plus que ceux qui se souviennent. Ils sont simplement loin.

Moi, j'attends, m'a-t-il dit.

Quoi ?

J'attends de faire ce pour quoi je suis né.

Son idée, c'est qu'il est né, lui, *pour construire une piste.* Ça alors. Il veut construire une piste pour les automobiles de course. C'est-à-dire que c'est une route où ne roulent que des automobiles de course. Qui ne mène nulle part, et même qui est fermée, on tourne et on tourne mais on n'arrive nulle part. C'est quelque chose qu'il a inventé, qui n'existe pas.

Ce n'est pas vrai qu'on n'arrive nulle part, me dit-il.

Il m'a raconté toute une histoire de son père et lui qui tournent dans le brouillard dans une ville où toutes les rues sont perpendiculaires.

Toujours ce père.

Mais c'est peut-être vrai, ce qu'il dit, que tous les chemins sont circulaires et qu'ils ne mènent pas quelque part mais à l'intérieur de soi, parce que le brouillard de nos peurs est trop épais, et les routes qui ont l'air de mener ailleurs sont des illusions.

Et moi, alors, je suis née pour faire quoi? Quand est-ce que je serai vraiment vivante? Ou quand est-ce que je l'ai été? Ultimo est plutôt sympathique. Mais tu as toujours l'impression, quand tu es avec lui, d'interrompre quelque chose de sérieux. C'est pesant. Être avec lui, c'est comme un *travail*. De toute façon, Dieu sait où il le trouvera, l'argent pour faire sa piste. Je ne crois pas que pour ce genre de chose on s'en tire avec 389 dollars.

C'est un gamin.

Je ne suis pas une gamine, moi.

Je suis une femme.

Une femme

Une femme

Une femme

Une femme

J'ai faim. Quel monde de merde.

10.06 p.m.

Ne pas oublier : une autre robe.

23 avril 1923

Ce que je sais faire :

1 jouer (Schubert, Scriabine, pas Bach, pas Mozart)

2 parler avec les gens sans que les gens comprennent où je veux en venir

3

4 comprendre ce qui se passe

5 le sexe

7 ne jamais baisser les bras

8 être avec des gens riches et bien élevés

8 voyager sans problèmes

9 être seule

Ce que je ne sais pas faire

1

2

3

Je suis allée trouver le pasteur Winkelman et je lui ai dit que chez les Cole il se passe des choses inquiétantes. Cet enfant, il est inquiétant.

Mais je vous en supplie, je vous en conjure, ne dites à personne que je suis venue vous parler, je perdrais mon travail, et sans mon travail je suis perdue, je n'ai pas de famille et je n'ai rien à moi, promettez-moi que vous ne le direz à personne.

Non, vraiment je vous supplie de ne dire à personne que je suis venue vous parler, parce que si l'on venait à savoir que je suis venue vous parler je perdrais mon travail, et sans mon travail

D'ailleurs si je vous dis tout ça c'est pour le bien de cette famille, et de toute la communauté de ce village, croyez-moi, ma seule intention est de

Je lui ai dit qu'un jour l'enfant s'est assis au piano et a joué, je le jure, une musique plutôt compliquée, que je ne connaissais pas, mais cette musique elle était, pour ainsi dire, *diabolique.*

Non, personne d'autre ne l'a entendu jouer, je suis allée immédiatement chercher sa mère mais quand sa mère est arrivée il était en train de s'amuser dans un coin, on aurait dit un petit ange.

Vous avez certainement remarqué que les autres enfants sont

mal à l'aise avec lui et que les adultes sont, pour ainsi dire, troublés.

Sans parler des choses bizarres qu'il est capable de faire. Je n'y croyais pas au départ, mais maintenant...

Non, absolument non, l'enfant ne sait pas jouer, personne ne lui a jamais donné de leçons, moi je n'enseigne le piano qu'à Mme Cole. Est-ce vrai que les animaux lancent d'étranges plaintes quand ils passent devant la maison des Cole ?

Non, c'est parce que j'ai eu quelques échos.

Promettez-moi que vous ne me trahirez pas. Je ne le fais que pour leur bien.

J'aime beaucoup Mme Cole. Elle est bonne.

Maintenant il n'y avait plus qu'à attendre quelques jours.

Je continue d'accorder le piano avant chaque leçon. Ultimo m'a demandé pourquoi. Il est toujours désaccordé, ai-je dit. Il faut peut-être changer les chevilles. Non, pas la peine.

Il y a un an que je mène cette vie-là. C'est Ultimo qui me l'a rappelé. C'est notre anniversaire, pour ainsi dire. Je lui ai demandé ce qu'il voulait comme cadeau. Je plaisantais. Mais il m'a dit : laisse-moi dormir avec toi.

C'est-à-dire ?

Dormir avec toi, dans ton lit.

Je me suis mise à rire. Tu es dingue ?

Tu m'as demandé quel cadeau je voulais.

Oui, mais je plaisantais. Et puis je ne pensais pas à ce genre de chose.

C'est juste un cadeau, m'a-t-il dit.

Je sais, mais...

Pour notre anniversaire.

Pff, mais qu'est-ce que tu en as à faire, de dormir avec moi ?

Ne t'inquiète pas.

Et moi, qu'est-ce que j'ai comme cadeau ?

Demande-moi ce que tu veux, m'a-t-il dit.

J'ai réfléchi un peu.

Laisse-moi lire tes lettres.

Quelles lettres ?

Les lettres que tu n'ouvres jamais. De toute façon je sais où tu les caches.

Pourquoi elles t'intéressent, mes lettres ?

Ne t'inquiète pas. Laisse-moi les lire.

Il a réfléchi un peu.

Mais après tu les refermes et tu ne m'en parles plus jamais.

D'accord.

D'accord.

Attends que je me sois changée, et après tu viens dormir.

D'accord.

Donne-moi les lettres.

Maintenant ?

Oui.

Il est allé les chercher.

C'est absurde, cette histoire. Ces lettres, elles sont toutes écrites par un prêtre, un prêtre italien, en Italie. Il dit qu'il s'appelle don Saverio. Au début il voulait savoir s'il était bien Ultimo Parri, il voulait vraiment en être sûr. Il lui posait donc toute sorte de questions, des questions sur la guerre, sur des choses qui s'étaient passées pendant la guerre, et si Ultimo lui répondait correctement, alors il serait sûr qu'il était bien Ultimo Parri. Mais évidemment Ultimo n'a jamais répondu. Alors le prêtre disait que s'il n'y avait eu que lui, il aurait cessé d'écrire, parce qu'il se méfiait, mais Cabiria insistait pour qu'il continue. C'était justement parce qu'il ne répondait pas, disait ce Cabiria, que ça voulait dire que c'était bien lui. Cabiria, ce doit être un type avec qui Ultimo a fait la guerre. Ils devaient être très amis. Maintenant il est en prison, et il y est encore pour longtemps. C'est pour cette raison qu'il ne peut pas écrire lui-même, mais qu'il fait écrire par le prêtre. On lit son courrier, semble-t-il. Et toute leur histoire, c'est un secret qu'il ne veut pas révéler à la police. Le prêtre m'a tout l'air de ne pas être très content que

C'est Ultimo qui frappe à la porte.
Je lui ouvre. Ou pas.

24 avril 1923
Je voulais éviter une solution banale, mais je n'avais pas envie d'inventer, avec les Farrell. Ils étaient trop ennuyeux comme famille, je voulais uniquement m'en aller très vite de là. M. Farrell continuait de me regarder. Le genre qui croit qu'un jour ou l'autre ça va se faire. Je le lui ai laissé croire. Pendant quelques semaines je l'ai tenu sur les charbons ardents. Puis j'ai attendu d'être seule avec lui. J'ai arraché mon corsage, devant, et je lui ai dit que s'il ne me donnait pas vingt dollars j'allais me mettre à crier. Tout à coup il n'était plus si sûr de lui. Il m'a donné les vingt dollars. Alors je lui ai dit que puisqu'il avait payé il pouvait toucher. Il a posé les mains sur mes seins. Il a posé un baiser sur mes mamelons. J'ai dit Ça suffit, maintenant. Et j'ai boutonné ma veste, sur le devant. Nous nous sommes arrangés pour rester seuls, d'autres fois, cette semaine. Chaque fois il payait. Je me suis laissé toucher aussi entre les jambes. La dernière fois qu'il a sorti ses vingt dollars, je lui ai dit que je ne voulais pas d'argent. Ouvre ton pantalon, je lui ai dit. Il en tremblait d'émotion. Ensuite j'ai arraché mon corsage, sur ma poitrine. Et je me suis mise à crier. Sa femme est arrivée, avec le

petit dernier qui courait derrière. M. Farrell était en train d'essayer de remonter son pantalon. Moi, je pleurais. Je n'arrivais pas à parler. Je faisais semblant de me rhabiller, sur le devant, mais je ne le faisais pas vraiment. Je voulais qu'elle voie que j'ai une belle poitrine.

Ils m'ont donné de l'argent pour que je promette de ne rien dire à personne. Ils ont même acheté le piano. Personne n'en jouera jamais. Mais il sera là pour leur rappeler jour après jour cette saloperie.

M. Farrell doit pourtant avoir dit quelque chose à quelqu'un parce que dans les maisons on a commencé à nous recevoir moins bien. J'ai compris que ça tournait mal et j'ai écrit à Steinway & Sons pour demander qu'on nous change de zone. C'est comme ça que nous nous sommes retrouvés dans le Kansas.

Mais c'était une des premières fois, je n'étais pas encore assez habile. Je ne referais plus ce genre de chose, aujourd'hui. Trop dangereux. Je ne fais plus d'erreur maintenant. Maintenant, ce sont des œuvres d'art. Comme chez les Cole, avec cet enfant bizarre. Pendant que je jouais avec Mme Cole, tout à coup j'ai fondu en larmes. Une vraie petite scène d'hystérie. Mme Cole ne comprenait rien. Je suis désolée, je suis désolée mais je n'en peux plus, j'ai dit entre deux sanglots, il y a quelque chose dans cette maison, j'ai peur, je suis vraiment désolée, j'ai peur, De quoi as-tu peur ? J'ai peur, et je continuais à sangloter, Qu'est-ce qui te fait peur ? et elle a commencé à pleurer elle aussi, elle savait très bien ce qui me faisait peur, elle voulait m'entendre lui dire de quoi j'avais peur, parce qu'elle craignait que je ne dise que c'était de son fils, et je ne le lui ai pas dit, mais elle savait très bien que c'était à cause de cet enfant, que c'était de lui que j'avais peur, parce qu'il y avait quelque chose de bizarre en lui,

189

même si personne ne voulait le dire à voix haute, et moi non plus je n'arrivais pas à le dire, mais je ne pouvais vraiment pas rester là une heure de plus, dans cette maison où il y avait un enfant qui était

LE DÉMON

mais je ne l'ai pas dit, j'ai juste pris mes affaires et je me suis sauvée en courant, pleurant toujours, après avoir dit au revoir à Mme Cole en la serrant dans mes bras comme une fille affectueuse, pendant qu'Ultimo démontait le piano et que je criais que je ne voulais pas de ce piano dans le fourgon, c'est un piano ensorcelé, et les voisins sortaient de chez eux pour voir ce qui se passait, mais sans oser s'approcher, parce que ce qu'ils voyaient c'était la maîtresse de piano qui sanglotait et serrait Mme Cole dans ses bras, pendant qu'Ultimo emportait l'une après l'autre les pièces du piano, ce qui montre bien que je m'étais vraiment attachée à Mme Cole, parce que je n'aurais eu aucun mal à lui faire acheter ce piano que je regardais sortir de chez elle avec des yeux dévorés par la terreur, mais à la fin je l'ai empêchée de le faire, et pourtant à ce moment-là elle était prête à l'acheter, je me suis sauvée en courant avant qu'elle ne l'achète pour me libérer de cette terreur, et c'est ce qui montre combien je lui étais attachée, moi qui ai pris pour règle de ne jamais laisser quoi que ce soit abîmer mon plan de corrompre toutes les familles que le hasard me

Qu'est-ce qu'il a qui ne va pas, ce piano ? m'a demandé Ultimo.
Rien.

27 avril 1923
À Butford, samedi, il y avait une course d'automobiles. Pour la foire de la ville. Mais Ultimo ne voulait pas y aller. Tu es fou, les automobiles de course c'est ton truc, avec la piste et tout ça, c'est *ton rêve* de faire une piste, et là il y a une course et tu ne vas pas la voir.
C'est du cirque, ça, il a dit.
Il m'a expliqué qu'ils sont tous d'accord, ils font de fausses courses, ça peut être amusant, mais eux ils savent déjà qui va gagner. C'est pour les paris, et parce que les gens aiment bien les automobiles.
J'y suis allée toute seule.
Ultimo, j'ai vu la piste, comme tu l'appelles, c'est vraiment ça. C'était un ovale de terre battue qui faisait le tour du parc de la foire, et les voitures tournaient sans s'arrêter, exactement comme
De cendre. Ce n'est pas de la terre, me dit-il. Ils mettent de la cendre et ensuite ils l'arrosent avec de l'eau, ou de l'huile. Il savait tout. Je lui ai demandé quel sens ça avait de se balader avec un rêve qui avait déjà été réalisé dans un trou comme Butford. Ça l'a beaucoup énervé.
Primo : c'est une piste pour les chevaux. Ils s'en servent pour les autos mais c'est pour les chevaux.
Secundo : c'est un ovale. C'est quoi une piste où tu tournes toujours dans le même sens ? C'est bon pour un cheval, mais l'automobile c'est autre chose.
Il me semblait avoir compris que tu voulais la faire comme ça, ronde, parfaite, comme le pâté de maisons avec ton père, tu ne m'avais pas dit que c'était comme le pâté de maisons avec ton père ? et tu arrivais à l'endroit d'où tu étais parti, mais tu te retrouvais quand même *autre part* ? Je n'y comprenais plus rien. Écoute, Elizaveta. Tu veux bien essayer de comprendre ?

Oui.

Alors écoute-moi bien.

Oui.

Les ovales, c'est là où courent les chevaux. Les automobiles vont sur les routes et les routes vont à travers le monde. Et les courbes qu'elles peuvent suivre sont infinies. Tu la vois, cette merveille ?

Oui.

Maintenant tu l'enlèves du monde. Des arbres contre lesquels on va se fracasser, des gens qui traversent la rue, des croisements que personne ne peut passer son temps à contrôler, des charrettes qui circulent, de la poussière et du bordel. Tu prends uniquement cette merveille, le geste propre qui fend l'espace et le temps, la main de l'homme sur le volant qui redessine la trace de la route, et qui l'*absout*. Et tu la mets au milieu de nulle part. Tu me suis ?

Oui.

Plein de virages et de courbes, Elizaveta, toutes les courbes que j'ai vues dans ma vie. Les contours du monde. Au milieu de nulle part.

Oui.

Tu démarres, et tu pars. Et tu tournes. Tu tournes jusqu'à ce que toutes les courbes disparaissent dans un geste unique qui commence et finit au même endroit, et qui disparaît à l'intérieur lui-même. Alors ça te semblera un cercle parfait, clos et parfait. Toute la vie dans ce cercle. Mais il est dans ta tête, le cercle, pas dans la réalité. Il est seulement à l'intérieur de toi.

Je ne sais pas.

C'est une sensation.

Oui, peut-être.

C'est cette chose-là.

Oui.

192

Et maintenant repense à Butford, Elizaveta.

Butford.

Oui.

Okay, je suis en train d'y penser.

Ça te paraît comment?

Nul.

Voilà.

Mais personne n'y a jamais pensé, à faire une chose comme ce que tu dis? Une piste comme celle-là?

Je ne sais pas. Moi, je n'en ai jamais vu.

Et toi, tu vas la faire.

Oui.

Tu es fou.

J'ai de la fièvre, ce soir. Je me sens fiévreuse. Il fait froid, je voudrais une autre chambre, une autre couverture, une autre vie. Je n'y arrive plus.

Je n'y arrive plus.

11.24 p.m.

Demain je ne vais pas travailler. Ils ne nous paient pas quand on ne va pas travailler. Nous sommes des esclaves. Il faut que ça s'arrête.

Trois heures du matin. Forte fièvre. J'ai peur. S'il vous plaît s'il vous plaît.

2 mai 1923

Médecin venu, mains visqueuses, voix grasse, quand il est entré je

Fièvre, médicaments, je me sens brûler à l'intérieur.

Je ne peux pas travailler.
Un peu mieux, maintenant.

3 mai 1923
Écrit à ma sœur. Je n'y arrive plus. Ça m'humilie mais je lui
ai demandé si elle a une idée pour sortir de cette
Une lettre *humiliante*.

La voisine est une Russe. Des histoires de Russie. Je m'en
fiche complètement.
Ma mère était *constamment* humiliée.
Ça aurait dû nous apprendre quelque chose.
Tous les médicaments par terre.
Ultimo m'aide.
Pluie.
Écrire me fatigue. Tout me fatigue.

4 mai 1923
Une jolie chanson chantée par quelqu'un dans la rue ce
matin.
Quelquefois, il suffit de peu.
Il faut que je reprenne le travail. Mon plan.

J'ai demandé à Ultimo pourquoi il ne va pas chercher ce trésor. Je t'avais dit que tu pouvais lire les lettres mais que tu ne
devais jamais m'en parler.
Je suis malade, Ultimo, dis-moi pourquoi tu ne vas pas chercher ce trésor.
L'histoire, c'est que son ami Cabiria a caché un trésor chez
un prêtre, en Italie, un trésor qu'ils avaient volé pendant la

retraite, sur le front. Il l'a laissé à un prêtre et ensuite il s'est retrouvé en prison.

Il n'en sortira pas, c'est pourquoi ce Cabiria voudrait qu'Ultimo aille le chercher et qu'il en profite.

Tu pourrais faire ta piste avec ça, j'ai dit à Ultimo.

Je ne veux pas de cet argent.

Pourquoi?

Selon lui, Cabiria les aurait trahis, là-bas, à la guerre. Au moment le plus important, il les avait abandonnés et il s'était enfui. Et lui, il s'était retrouvé prisonnier. Et un autre avait été fusillé.

Et alors?

Cabiria n'existe plus.

À mon avis c'est de la folie, si on devait toujours faire attention à tous ceux qui vous trahissent, ça ne serait pas très malin. Ultimo est bête parce qu'il ne sait pas pardonner.

Ce n'est pas une question de pardonner, je lui ai pardonné, à Cabiria. Mais pour moi il n'existe plus. C'est important, la mémoire. Il n'y a pas de coupables, il n'y a que des personnes qui cessent d'exister. C'est le moins qu'on puisse faire. C'est juste.

Tu es fou, Ultimo. Va chercher cet argent.

Je t'ai dit de ne plus me parler de ces lettres.

Pourtant tu les gardes, tu ne les jettes pas.

Il s'est levé et il est parti.

Puis il est revenu. Pour me dire qu'il faut remettre le monde en ordre quand quelqu'un le met en désordre. Il est fou.

Mon plan de *corrompre* toutes les familles où je travaille est-il une manière de remettre le monde en ordre?

À propos. Problèmes avec la police. Mais je ne risque rien. C'est à cause de cette histoire chez les Curtis. Ils ne peuvent rien prouver.

J'attends la réponse de ma sœur.

Demain je retourne travailler. Guiness, ensuite Lambert et Calkerman. Quelle barbe.

Je vais y aller *moi-même*, chercher ce trésor.

7 mai 1923

Au début, chez les Curtis, j'avais pensé à la femme. Des gens riches, qui s'ennuient. Ils avaient déjà un piano, mais c'est moi qui leur ai plu. La femme avait arrêté depuis des années, elle a recommencé à jouer. Elle n'avait rien à faire. Elle me traitait comme sa fille. Mais ce n'est possible que si vous achetez un autre piano. Ils en ont acheté un. Par ennui, ils feraient n'importe quoi. Madame avait un cercle d'amies avec lesquelles, par ennui, elle finissait par jouer à certains petits jeux. J'imagine que cela faisait partie de son idée de la *fidélité*, aller avec des femmes. Forcément, c'est à elle que j'ai pensé. Un jour elle me demande si je veux essayer ses robes. Je dis oui. Je m'habille et je me déshabille, devant elle. Elle aimait ça et je faisais semblant d'aimer aussi. Nous avons failli finir sur le lit. Mais je voulais la faire mijoter. Rien qu'un baiser. Ensuite les choses auraient continué comme elles devaient, mais il y a eu le jour de cette fête.

Madame avait décidé de donner une fête pendant laquelle j'aurais joué. Naturellement, tu seras payée, pour cela, me dit-elle. Le soir, je me retrouve assise dans la véranda avec M. Curtis. Lui, il boit. Pour lui aussi je dois être devenue quelque chose comme une fille. Les gens sont tellement seuls que À un moment donné, il fond en larmes. Puis il me dit qu'il n'a pas d'argent pour me payer, qu'il n'a pas d'argent pour payer quoi que ce soit, ni cette fête, qu'il n'a plus un rond et que chaque matin il fait semblant d'aller travailler dans un bureau qui n'existe plus. Il va au café, et de là il essaie d'arranger les choses. Je suis un homme ruiné, me dit-il. Je commence par penser qu'ils se sont corrompus tout seuls, ceux-là, mais ensuite je me dis que je pourrais les pousser un peu. Comme ça, juste pour rester fidèle à mon plan. Je dis à M. Curtis que j'ai une idée. Je ne sais pas comment certaines idées me viennent. J'ai du talent.

C'est ainsi qu'à un moment de la fête j'ai sorti certaines photos de la Sibérie et de ceux qui ont été envoyés là-bas par les Bolcheviques. C'est le genre de choses que ma sœur m'envoie. Moi, ça ne me fait aucun effet. Je m'en fiche complètement, de ce qui se passe là-bas, et depuis trop longtemps j'ai décidé de   Moi, ça ne me concerne pas. Bref, je dis quelque chose sur ces pauvres gens et je dis ensuite que M. Curtis m'a encouragée à recueillir des fonds à envoyer là-bas et que lui-même a ouvert les contributions avec la somme fabuleuse de 300 dollars. Ils se sont tous mis à applaudir. Dans ce genre de monde, la bienfaisance est une sorte de sport. Ce qui compte, c'est d'arriver classé. Tous, ils ont déboursé des sommes à donner le vertige. J'ai tout encaissé en faisant semblant d'être très émue. De ne pas y croire. Ensuite j'ai tout versé, en secret, à M. Curtis. Je rembourserai tout, m'a dit M. Curtis, qui était d'ailleurs probablement un brave homme. J'en suis persuadée, ai-je dit.

Puis, quand les six mois ont été écoulés, je leur ai dit au revoir et je suis partie. Mais avant j'ai écrit une lettre anonyme à tous les souscripteurs pour la Sibérie, en leur conseillant de vérifier où était allé leur argent. Je crois que

M. Curtis s'est tiré une balle, quelques mois plus tard. Mais il l'aurait fait de toute façon.

C'est lui, l'escroc, je n'ai rien à craindre de la police. Pas la peine qu'ils me cherchent. C'est du temps perdu.

L'important est de changer de zone fréquemment, ça oui. Ultimo ne comprend pas pourquoi mais moi si.

L'Amérique est grande, pas de problèmes.

Combien de temps vais-je rester ici ?

Combien de temps va rester Ultimo ?

Peut-être qu'un jour, à force de chevaucher, les Bolcheviques arriveront aussi dans ces plaines et nous devrons une fois de plus prendre nos cliques et nos claques.

Je voudrais vivre là où l'Histoire n'arrive pas. Y a-t-il un endroit qui échappe à l'Histoire ? Eh bien, c'est là que je veux vivre.

Je suis une clandestine qui dort cachée sur le grand navire de l'Histoire.

Ultimo est un clandestin.

Ce sont les lâches qui se sont embarqués avec un billet et tout. Où va le navire, pour eux c'est important. Pas pour nous.

Mais en fait je ne sais pas.

9.55 p.m. la clandestine va se coucher.

14 mai 1923

Réponse de ma sœur. Cette femme est incorrigible.

Il y a ce Vassili Zarubin, un propriétaire terrien qui m'a choisie quand j'avais 10 ans. Je serais devenue sa femme, ainsi en avait décidé mon père. Moi, je m'en fichais complètement. La chose avait été un peu repoussée, à cause de maladies que j'avais, et puis la Révolution est arrivée. Eh bien, ce Vassili Zarubin est toujours là, il vit à Rome et il est deux fois plus riche qu'avant. Il était gentil, cet homme-là. La nouvelle, c'est qu'il serait toujours prêt à m'épouser. Ma sœur ne doute pas un instant que je   En ce moment, il a une femme dans sa vie, en ce moment, mais il semble qu'il n'y aurait pas de problème si je

Ma sœur dit que je saurais quoi faire. Pour ça, oui. Elle n'a pas tort.

Vassili, mon amour.

Cela me plaît de penser que je pourrais redevenir riche en une vingtaine de jours. Le temps d'un voyage jusque là-bas. Très bien. Très très très bien.

J'étais contente, et j'ai dit à Ultimo de venir dormir avec moi. Maintenant il est là, tourné de l'autre côté. Il a la nuque fine, et de grandes oreilles ridicules. De longues jambes maigres. Il dort.

Voilà ce que je vais faire maintenant. Je me mets toute nue et je me serre contre lui. Je passe ma langue sur la peau de sa nuque, il se réveille, je lui murmure à l'oreille Ne te retourne pas, ne bouge pas, c'est un ange qui passe. Puis je prends son sexe dans ma main et je le caresse. Longtemps. Je m'arrête toujours juste avant qu'il jouisse. Puis je recommence. À la fin, je le fais jouir, en le caressant très lentement. Puis je m'endors, la tête entre ses épaules.

10.34 p.m.

Je ne ferai absolument rien de ce genre.

Envie de me caresser.

17 mai 1923

La police est venue. C'était bien pour cette histoire des

Curtis. J'ai dit tout ce que je savais. M. Curtis s'est effectivement tiré une balle, quelques mois après. Bien. Ils disent qu'il faudra peut-être que j'aille témoigner je ne sais où. Quand vous voulez, j'ai dit. Je suis désolée pour M. Curtis, j'ai dit. Juste un peu peur.

Les fois où j'ai vraiment eu peur.

L'incendie à Balkaev, petite.

Dans le train, le fameux jour.

Et avant, quand les Bolcheviques passaient au galop dans les rues.

Toutes les fois où je suis montée sur un bateau.

Puis toutes les fois où j'ai peur sans qu'il y ait de raisons d'avoir peur. C'est comme un piano qui se met à jouer tout seul, sans personne qui joue.

Les pianolas du cœur.

Quand je vivrai avec M. Vassili Zarubin, je n'aurai pas de pianos dans ma maison ni de pianolas, rien. Nous sommes désolés mais Madame ne supporte pas d'entendre de la musique, aucune sorte de musique. Elle ne fait une exception que pour *Going back*. Oui, c'est une chanson. Madame ne supporte que celle-là.

Ils chanteront pour moi *Going back*.

Vassili, mon amour.

Ultimo n'aime pas la police. Elle lui fait peur. Un jour, il y a des années, la police est venue chez lui, à la campagne, et ils ont emmené son père.

Ils faisaient une enquête sur cet accident, celui où était mort le comte, et selon eux il y avait des choses qui ne cadraient pas. Alors ils ont emmené son père et pendant deux jours ils n'ont pas cessé de l'interroger. Ils étaient convaincus qu'il avait quelque chose à voir avec cette étrange embardée. Il semblait qu'un témoin avait vu des choses bizarres.

Là-dessous il y avait des histoires d'argent, m'a dit Ultimo.
Mais il n'a pas voulu m'expliquer.
Ça ne lui plaisait pas cette histoire de son père qu'on prenait
pour un assassin. Alors la police, depuis ce jour-là, il ne peut
plus la voir.
Mais c'est une histoire dont il ne veut pas parler.
Une parmi tant d'autres.
Si bien que pendant tout le temps que la police était là, il
s'est baladé avec le fourgon dans la campagne.
Ici la campagne est fantastique, on dirait partout la Terre
promise.
De temps en temps une maison, mais toujours dans le
silence, comme si elle était là seulement pour se laisser regarder.
Être ici pour se laisser regarder. C'est le principe de ma
sœur. Ma sœur est une ferme dans la campagne, dans une
éternelle lumière de coucher de soleil, oh yes.
Un chien, je voudrais aussi. Quand je serai riche. Un chien.
Il faudra que je fasse des enfants, mais surtout je voudrais un
chien. Fidèle.
Un jour, pendant un hiver féroce, du côté de Valstock, ou
plus loin, du côté de la maison de Norma, soudain est sorti
des bois un
11.05 p.m.

19 mai 1923
Soudain Ultimo a disparu. Le fourgon, on l'a trouvé au vil-
lage. Ouvert. Tout était à sa place, mais lui n'y était pas.
Quelqu'un l'a vu monter dans un camion, sur la route pour
Pennington.
Mais on n'est même pas sûr que c'était lui.

Je suis allée regarder dans le double fond, sous les sièges. Son argent n'y était plus. Les lettres aussi, elles n'y étaient plus. Ses affaires, dans le fourgon, tout avait l'air d'être encore là. Il reviendra.

J'en ai profité pour ne pas aller travailler. Tout le temps à rêver sur Vassili mon amour. Il n'était ni beau ni laid. Peut-être un peu trop costaud, pour moi.

Quand les hommes faisaient la course à cheval, dans le grand pré, et que nous restions toutes près de la barrière, très élégantes, regardant la course comme autant de mères qui Je me suis mise devant le miroir et je me suis peignée comme je me peignais à l'époque.

Ici en Amérique ils n'ont aucun goût, et les dames riches arborent des bijoux qui me font rire. Nous, nous avions des bijoux magnifiques. Chaque bijou avait une histoire, et il n'y avait pratiquement pas une seule perle, sur notre peau, pour laquelle un homme, autrefois, ne se soit pas tué : par amour, ou pour dettes. Et porter un bijou, c'était alors comme porter sur nous notre propre vocation atavique à la tragédie. Nous savions que nous ne devions interrompre cette chaîne de sang pour rien au monde. Elle était notre vie.

Où sont-ils maintenant mes bijoux ?

Je ne dois pas y penser. Ils n'existent plus. Moi, je n'existe plus.

20 mai 1923

Je me suis fait conduire au travail par M. Blanket. Je n'aime pas ça, il conduit comme un pied. Il est persuadé d'être en contact direct avec Dieu. Ils se parlent. Dieu lui délivre ses conseils et ses suggestions. Il est déjà arrivé qu'il lui donne des indications utiles pour la Bourse. Pensez donc.

J'ai télégraphié à Steinway & Sons pour les avertir au sujet d'Ultimo.

S'ils savaient quelque chose. J'attends une réponse.

Ultimo est fou. Ils vont le licencier.

Ce n'est tout de même pas pour cette chose de l'autre nuit.

Excellents résultats chez les Stevenson. La fille ne mange pratiquement plus. Eux sont rongés d'inquiétude et ils ont déjà commencé chacun à décharger la faute sur l'autre. Je les ai convaincus que l'étude du piano est une excellente médecine. Trois mois supplémentaires de leçon.

10.51 p.m.

Je dors avec la lumière.

21 mai 1923

Orage. Je hais les orages. Les coups de tonnerre étaient si forts que j'ai dû arrêter la leçon. Nous sommes allés à la fenêtre voir tomber la grêle. Sur le moment j'ai cru voir Ultimo, sous un grand parapluie, qui revenait.

Aucune réponse de la Steinway.

Il faut que j'écrive à ma sœur pour savoir combien d'argent j'ai mis de côté. Mais je n'ai pas envie de le faire. Je n'ai envie de rien faire, ces jours-ci.

Elizaveta. Je n'arrive qu'à écrire mon nom.

Elizaveta.

Elizaveta.

Elizaveeeeeta.

Je ne veux pas d'orages, cette nuit.

22 mai 1923

Aucune nouvelle.

Ultimo. Bon sang mais qu'est-ce que tu fais.

Je me suis dit que ça avait peut-être un rapport avec cette fichue histoire de piste. Il a peut-être rencontré quelqu'un. Il a peut-être décidé d'aller récupérer son trésor.

Je suis retournée au fourgon et j'ai bien regardé ses affaires. Même les dessins, il les a emportés.

Il aurait pu me dire quelque chose, quand même.

J'ai écrit la lettre à ma sœur. Je ne sais pas si je l'enverrai.

11 heures, Stevenson.

3 heures, McMallow.

5 heures, Stanford.

Les Stanford désirent que leurs deux enfants ne jouent pas de musique composée par des Juifs. Scarlatti était juif ? Qu'est-ce que j'en sais, moi. Il faut que je cherche des musiques de Juifs à leur faire jouer sans leur dire. De la musique kascher, eh, eh.

Ils sont tous fous.

11.17 p.m.

23 mai 1923

Télégramme de Steinway & Sons. Ultimo a démissionné. On m'envoie quelqu'un d'autre. On me demande si Ultimo a emporté de l'argent. Ou du matériel de la firme.

Ultimo, qu'est-ce qui s'est passé ? Pourquoi même pas une ligne, pour moi ?

27 mai 1923

Même pas une ligne pour moi, qui t'en ai tant donné. Ultimo, j'aimais bien la façon dont tu mettais les mains dans les pianos, comme si elles avaient peur de leur faire du mal.

204

Ultimo, j'aimais bien quand tu me racontais les histoires à moitié. Ultimo, j'aimais bien ton nom, et comment tu dormais. Ultimo, j'aimais bien quand tu parlais à mi-voix. J'aimais bien parce que je te plaisais.

Et je regrette, pour cette nuit.

Mais que pouvons-nous y faire si

Farewell, cher ami.

Aujourd'hui, 27 mai 1923, j'arrête d'écrire ce journal, parce que Ultimo ne reviendra pas.

Elizaveta Seller, 21 ans.

Jusqu'à ce que tu reviennes.

ITALIE, Lac de Côme, 6 avril 1939

Seize ans plus tard.

Incroyable. Ce qu'on fait quand on est jeune. J'ai relu mon journal, après tant de temps. C'était moi cette petite jeune fille ? J'ai du mal à me reconnaître. Mais comment pouvais-je inventer tout ça ? Je n'ai plus l'imagination d'autrefois. Que de vertus qui se perdent. Celles qui sont inutiles, peut-être.
    Le plus incroyable, c'est l'histoire des familles. *Corrompre* les familles. Mais comment cela a-t-il pu me venir à l'esprit ? Jamais rien fait de tel. Les Cole, par exemple. De braves gens. Le fils était une peste, je l'adorais. Cheveux rouges, taches de rousseur. Il avait l'air sorti d'un livre. Le démon, et puis quoi encore ? Je lui apportais un cadeau chaque fois que je venais. De petites choses, parce que j'étais vraiment pauvre, cela au moins je ne l'ai pas inventé. Dieu, comme j'étais pauvre.
    Je n'étais qu'une jeune fille silencieuse qui n'avait personne. D'ici, du haut de ma quarantaine, je me vois loin et toute petite, ne comprenant rien à rien mais si fière, malgré

tout, une gamine qui marchait la tête droite, les cheveux bien peignés, sans savoir le moins du monde où aller.

Et M. Farrell, si grand, si élégant? On peut dire que je ne lui ai pas fait faire une belle fin. Pantalon baissé devant sa femme en larmes. Il ne méritait pas ça. En fait je me souviens de lui comme d'un homme gentil, et très propre. Il avait de la classe, pour un Américain. Évidemment j'étais amoureuse de lui. Avait-il un comportement équivoque quand il me ramenait chez moi? Qui sait? Je me rappelle encore son parfum, la fois où il s'est penché vers moi, avant que je ne descende de la voiture, et qu'il m'a embrassée sur la joue. Maintenant que j'ai son âge, je lis tellement de choses dans ce baiser. Certes, quelque chose d'un peu équivoque aussi. Maintenant que j'ai connu cette douleur poignante des désirs trop jeunes pour soi, il me semble la voir dans le sourire avec lequel il me laissa descendre de la voiture. Mais à l'époque... J'avais même été un peu déçue. Cela me paraissait le baiser d'un père à sa fille. Je ne savais d'ailleurs pas à quoi m'attendre. Je ne savais rien. C'est impressionnant, de se voir déjà vivre comme des grands, alors qu'on n'a encore rien compris de la vraie vie, de la vie d'adulte.

C'était pour Ultimo que j'écrivais tout cela, je le sais bien. J'oubliais mon journal partout, tous les jours il le lisait et le remettait en place. Il ne m'en a jamais rien dit. Mais je savais qu'il le lisait. Nous avions ces deux jeunesses recluses, cette sorte d'exil insensé, et tout ce que nous pouvions faire, c'était imaginer ce que nous n'avions pas. Des histoires. Lui, il avait sa piste, au milieu de nulle part, avec toutes les courbes qu'il avait dérobées au monde. Moi, j'écrivais pour lui. Pour moi. Qui sait?

Nous étions loin de tout. Trop loin.

Je sais maintenant que c'est une des plus belles choses que j'aie faites. Ces mois avec Ultimo. À trimballer des pianos. Et le soir à écrire pour lui. Quelquefois je réécrivais les histoires qu'il m'avait racontées. J'aimais le transformer en personnage de roman, en invention. Je voulais qu'il sache qu'il était quelqu'un de spécial, comme on en lit dans les livres, comme il en lisait, lui, dans ses bandes dessinées. Un héros. Voilà, je voulais peut-être qu'il sache qu'il était un héros.

Le lui dire, ça jamais.

Je ne parlais pas. Même aujourd'hui, je suis une dame polie, cordiale, sans plus. À quelque instant oublié de mon enfance, on m'a rendue muette, et ensuite c'était trop tard.

Écrire, j'ai tant écrit. Mais écrire est une forme sophistiquée de silence.

Je suis partie il y a une semaine, j'ai pris un train, à Rome, et je suis venue ici. J'ai mis du temps avant de trouver le bon village, parce que Ultimo était toujours assez vague quand il parlait des lieux. J'ai eu mille fois la tentation de faire demi-tour mais j'ai fini par arriver devant la vieille ferme, au milieu de la campagne. Elle était encore sur le mur, l'ombre de l'inscription d'autrefois. Garage Libero Parri. Je sais que c'est absurde. Mais c'est beau de penser que nous sommes capables de faire des choses de ce genre. À mon mari j'avais dit que je devais absolument aller voir un endroit, et je devais le voir seule. Il a compris. Peut-être devrais-je dire que j'ai effectivement épousé Vassili Zarubin (Vassili, mon amour), et que j'ai eu deux enfants de lui, et le privilège d'une vie riche et posée. Nous avons une très belle maison à Rome, derrière la Piazza del Gesù, et l'été nous allons à Minorque, où arrive encore le vent de l'océan. Notre maison est remplie de tableaux. Aucun piano, comme promis. En cela je n'avais pas menti. Je fredonne de temps en temps *Going back*. Tout bas.

Je suis une femme heureuse, comme devraient l'être toutes les femmes dans l'éclat de cet âge lumineux. J'ai des faiblesses élégantes, et des cicatrices *charmantes* *. Je n'ai plus d'illusions sur la noblesse des gens, et c'est pourquoi je sais apprécier chez eux cet art inestimable de cohabiter avec leurs propres imperfections. Je suis clémente, enfin, avec moi-même et avec les autres. Je suis donc prête à vieillir, en me promettant de le faire dans les excès et dans les sottises. Si l'âge adulte nous a donné ce que nous voulions, la vieillesse doit être une sorte de seconde enfance où nous revenons jouer, et il n'y a plus personne pour venir nous dire d'arrêter.

Je suis une femme heureuse, et c'est probablement pour cette raison-là que je me suis retrouvée, seule, devant l'ombre de l'inscription Garage. Je jure que pendant des années je n'y avais plus pensé, à Ultimo, aux pianos, et aux leçons à dix cents. Ce journal, je ne l'ai conservé que parce que je ne jette jamais rien. J'ai encore les billets du luna-park des dimanches, pourquoi aurais-je dû perdre précisément ce journal ? Mais c'est une histoire terminée, comme tant d'autres. Ce qui a bien pu se passer, je ne le sais pas exactement, mais cela doit avoir un lien avec cette perception que l'on a tout à coup, un jour, de son propre passé, quand nous vieillissons. Avant, c'étaient des silhouettes à l'arrière-plan, à peine éclairées, et soudain les voilà qui s'approchent de nous, leurs formes entrent dans la lumière, comme un spectacle tardif. Impossible d'échapper à la sensation qu'on doit les *recevoir*, comme des invités, comme des visites inattendues, comme

Je suis fatiguée.
22.45
Je veux faire exactement comme en ce temps-là.

10.45 p.m.

Lit vide.

Je n'irai pas me coucher en ayant faim. Je ne suis plus jamais allée me coucher en ayant faim.

Elizaveta.

Elizaveta la tête droite les cheveux bien peignés.

Le lendemain.

Dans la ferme il y avait l'ombre de l'inscription Garage, mais eux n'étaient plus là. Une dame aimable m'a dit que les Parri avaient déménagé en ville, il y avait bien des années. Une vingtaine, m'a-t-elle dit. Elle m'a demandé si j'étais au courant de l'accident. J'ai dit Plus ou moins. Ils ont déménagé en ville, a-t-elle conclu. J'ai demandé Ils sont toujours vivants ? Elle a haussé les épaules.

Tout ce que je pouvais retrouver, après toutes ces années, c'était le père d'Ultimo. Ultimo, lui, je n'ai aucune idée de ce qu'il a pu devenir. Et je ne sais d'ailleurs pas si j'aurais envie de le rencontrer, réellement. J'avais seulement besoin d'en savoir un peu plus sur lui. Peut-être pour en savoir un peu plus *sur moi*. Ou peut-être n'est-ce que la nostalgie. Comme un besoin de respirer le monde qu'il a eu dans les yeux. De toucher des objets qui l'ont connu.

J'ai demandé s'il était resté quelque chose du garage. La dame m'a dit non mais elle a ensuite fait un geste, vers la route. Il y avait de vieilles chambres à air, de vieux pneumatiques décolorés et gris, à moitié enfouis dans la terre, les uns à côté des autres, comme une courte barrière. Ils longeaient la route sur quelques mètres, et ensuite plus rien. Je suis allée les toucher. J'ai dit tout bas Ultimo.

J'aurais peut-être dû essayer de retrouver ce prêtre, à Udine, mais c'était difficile, et puis l'idée de voir en face ce père mythique, Libero Parri, me plaisait. Je voulais savoir si Ultimo l'avait rêvé ou s'il était vrai. Enfants, les parents sont un rêve, on n'y peut rien. Ils sont le plus grand des rêves.

Ce n'est pas vrai que mes parents se sont tués d'une dose de poison dans leur propriété de Basterkiewitz. Ils sont morts esclaves en Sibérie.

Alors je suis allée en ville. Libero Parri a un petit fourgon avec lequel il fait du transport. Il le gare dans un minuscule garage où il a aussi un petit bureau. Il y a une enseigne qui dit : Transports. Aux murs, des tas de photos de courses automobiles. Et de moteurs. Sous les cadres, il y a toujours une étiquette, écrite à la main, d'une écriture ordonnée qui dégringole vers la droite. Les tournants de Colle Tarso, dit l'une d'elles.

Je suis restée dehors pendant des heures, à attendre qu'il revienne. Et quand je l'ai vu je n'ai pas osé m'approcher. Je suis restée à le regarder de loin. Il a perdu une jambe dans l'accident. Et il doit avoir quelque chose à la main droite, parce qu'il la tient toujours contre lui, sans l'utiliser, sinon pour certains gestes élémentaires. Serrer le volant, renvoyer ses cheveux en arrière. Libero Parri. Tu existes vraiment, donc.

De temps en temps je cache mes mains dans mon giron, sous un châle, ou une veste, et je joue du Schubert. J'aime sentir mes doigts courir. La musique défile dans ma tête, et personne ne le sait. J'ai l'air d'être perdue quelque part dans mes pensées. Mais je suis en train de jouer du Schubert, en réalité.

Le lendemain, j'ai pris mon courage à deux mains et j'ai traversé la rue. Je lui ai dit qui j'étais. Je lui ai dit que j'avais vécu avec Ultimo, pendant quelques mois, il y avait des années de cela. En Amérique. Nous vendions des pianos. Je m'appelle Elizaveta.

Il a répété mon nom, comme pour chercher un souvenir. Oui, peut-être, a-t-il dit. Peut-être qu'Ultimo m'en avait vaguement parlé.

Il y avait très longtemps que je n'avais pas entendu ce nom prononcé par une voix qui ne soit pas la mienne. C'est bête, mais c'est peut-être seulement à ce moment-là que j'ai eu la certitude qu'Ultimo existait vraiment, en dehors de moi.

Cette mystérieuse circonstance qui fait que les choses de notre passé continuent d'exister y compris lorsqu'elles sortent de notre vie, et s'épanouissent, même, en donnant chaque saison de nouveaux fruits, pour une récolte dont nous ne saurons plus rien. La persistance illogique de la vie.

Nous nous sommes assis l'un en face de l'autre. Dans le petit bureau. Il nous a été facile à tous les deux de parler, je ne sais pas pourquoi. Il était inquiet parce qu'il fallait qu'il rentre chez lui, Florence l'attendait. On aurait dit qu'il était un peu *effrayé* par sa femme. Tous les hommes le sont, à un certain âge, mais il y a chez lui une inflexion particulière, comme la douceur des animaux domestiques. À un moment, il a décidé qu'il était de toute façon en retard et autant ne plus y penser. Ça l'a fait rire. Je ne m'appelle pas Libero pour rien, a-t-il dit, en riant. Avec l'air de vouloir surtout s'en convaincre lui-même.

— Mon fils, je ne le vois pas en train de réparer des pianos, a-t-il dit.

— Il savait y faire.

— Tout le temps à se demander où pouvait bien être le radiateur, à mon avis.

— Non, il savait vraiment y faire.

— Ça gagnait bien ?

— On ne peut pas dire...

— D'ailleurs, ce n'était pas un problème, ça, pour lui...

— Ah bon ?

— Ben, il est riche à millions, lui.

— Qui, Ultimo ?

— Il ne vous l'a pas dit ?

— Nous étions pauvres comme Job, tous les deux, à ce que je sais.

— Erreur, chère madame.

— Alors, pourquoi gagnait-il sa vie en vendant des pianos ?

— Disons qu'il pourrait être riche, s'il voulait. Vous voulez connaître l'histoire ?

— J'aimerais bien.

— C'est un peu compliqué.

— Je ne suis pas pressée.

— Bien, moi non plus. Plus maintenant. Ultimo vous a parlé du comte ?

— Oui, je sais qui c'est. Je sais comment il est mort. Et je sais qu'il est le père de son frère.

— Bravo !

— Désolée d'avoir été brutale.

— Non, non, j'aime mieux, ça me va.

— Excusez-moi.

— Florence aussi est comme ça. J'ai l'habitude. J'ai toujours bien aimé, d'ailleurs, pour tout vous dire. Il n'y a que les femmes qui savent faire ça.

— Excusez-moi.

— Bon, bref, le fait est que le comte lui a laissé un héritage consistant. Immobilier, actions, plein d'argent. Un patrimoine.

— Le comte ?

— Il avait fait une fixation, à propos d'Ultimo, il disait que c'était un gamin spécial. Et comme ça, sans rien dire à personne, il avait fait un testament où il lui laissait tout. Ceux qui font des courses automobiles font toujours des testaments, vous comprenez ?

— Oui.

— C'est même un peu comique parce que, dans ce cas-là, il aurait mieux valu qu'il laisse tout à son vrai fils, plutôt qu'à Ultimo. Mais il ne le savait pas encore, vous comprenez ? Quand il a écrit le testament il ne savait pas encore que...

— Évidemment.

— Ce qui fait qu'il a laissé tout ça à Ultimo.

— Incroyable.

— Le plus incroyable c'est que tout est encore à la banque. Ultimo n'a jamais voulu y toucher. Il ne veut pas en entendre parler, de cette histoire. Et l'argent reste là et fait des petits.

— Il ne l'a pas pris ?

— À ma connaissance, non.

Alors je me suis mise à repenser à cette histoire du trésor, et de son ami en prison, et du prêtre d'Udine. Il y avait une montagne d'argent, au-dessus de la tête d'Ultimo. Et il ne voulait pas en entendre parler. J'en ai connu, des hommes riches, mais une richesse aussi absurde que celle d'Ultimo, je n'en ai jamais rencontré.

— C'est bien de lui, ai-je dit.

— Comment ça ?

— Je ne sais pas, je ne peux pas dire que je l'ai très bien connu, mais ça me paraît bien de lui, de ne pas toucher à cet

214

argent. Il était comme ça, s'il y avait quelque chose qui ne lui avait pas plu, dans sa vie, cette chose-là n'existait plus, il l'effaçait. Cet argent, pour lui, il n'existe plus. Ça ne lui plaisait pas, cette histoire de l'accident, de son frère, toute cette histoire-là.

— Vous n'êtes pas charitable avec moi.

— Excusez-moi.

— Laissez tomber.

— Mais je ne voulais pas dire qu'il ne vous aime pas, il vous adore au contraire, croyez-moi, mais c'est sa manière de régler ses comptes avec la souffrance, il efface tout, il n'est pas capable...

— Laissez tomber.

— Croyez-moi, Ultimo n'arrêtait pas de parler de vous.

— Ah oui?

— Mon Dieu, il m'a fait une tête comme ça. J'ai vécu des mois avec les aventures de Libero Parri, vous ne pouvez pas imaginer...

— Ne dites pas de bêtises.

— Je vous le jure. Cette fois-là, à Turin, vous vous rappelez quand vous êtes allés à Turin, seuls tous les deux...

— Voir M. Gardini, on était allés voir M. Gardini. Il avait une secrétaire avec une jambe de bois. Et maintenant me voilà, moi aussi, avec une jambe de bois, je devrais aller là-bas pour lui montrer...

— Vous vous rappelez, le soir, quand vous êtes allés faire un tour, dans le brouillard?

— Je ne sais pas, on est allés au restaurant, ça oui, c'était la première fois...

— Vous vous rappelez qu'après vous avez fini par tourner en rond autour d'un pâté de maisons, dans le brouillard, pendant des heures, et que vous lui avez parlé longtemps...

215

— Non, je ne me rappelle pas, mais faut dire qu'on avait un peu bu...

— Ultimo ne l'a jamais oublié, vous le saviez?

— Autour du pâté de maisons?

— Vous marchiez et vous vous êtes perdus, en tournant autour d'un pâté de maisons.

— Je ne sais pas. Je me rappelle qu'on a dormi dans une pension qui s'appelait Deseo. Sur le moment j'ai cru que c'était un bordel et, ma foi, j'ai un peu hésité.

— Ultimo, il a grandi avec le souvenir de cette balade, vous me croyez?

— Possible.

— Vous ne pouvez pas savoir le nombre de fois qu'il me l'a raconté.

— Possible.

— Excusez-moi encore, je ne voulais pas être brutale.

— N'y pensez plus. Parlons d'autre chose, vous voulez bien?

— D'accord.

— Vous êtes riche, n'est-ce pas?

— Oui, moi l'argent je l'ai pris. J'ai épousé un homme très riche.

— C'est un brave homme?

— Il n'est pas méchant, non. Il ne l'est jamais.

— Et vous l'aimez?

— Oui, je crois que oui.

— Ça aide.

— Oui.

— Vous savez à quoi on reconnaît que quelqu'un vous aime? Vous aime vraiment, je veux dire.

— Je n'y ai jamais réfléchi.

— Moi si.

216

— Et vous avez trouvé la réponse ?

— Je crois que ça a à voir avec le fait d'attendre. Quelqu'un qui peut t'attendre, il t'aime.

— Bon alors, pour moi ça va. Mon mari m'a choisie quand j'étais encore une petite fille de dix ans. À l'époque, c'était courant. Il m'a vue, il m'a parlé une fois, lui c'était un monsieur, il avait trente ans. Il est allé trouver mon père et il lui a demandé ma main. Et puis il m'a attendue. Il a attendu douze ans, non, plus, treize, quatorze ans, je ne me rappelle même plus. En tout cas, pendant un sacré bout de temps, j'avais disparu dans le néant, et quand je suis revenue il était là qui m'attendait. Entre-temps il y avait eu une révolution, nous nous étions retrouvés chacun à l'autre bout du monde, mais quand il m'a vue revenir, vous savez ce qu'il m'a dit ?

— Attendez que je m'installe mieux. Je ne veux rien en perdre.

— Non, rien de spécial, c'est un homme qui n'a pas beaucoup d'imagination.

— Dites quand même.

— Il est venu à ma rencontre et il m'a dit : ça ne compte pas.

— C'est bien.

— En me baisant la main. Ça ne compte pas, Elizaveta.

— Il vous aime.

— Oui.

— Et en ce moment, où est-il ?

— Chez nous.

— Vous lui avez dit ce que vous veniez faire ici ?

— Cela n'a pas été nécessaire.

— Alors, à moi, dites-le.

— Dire quoi ?

— Ce que vous êtes venue faire ici.

— Question difficile.

— Vous voulez y réfléchir un peu ?

— Non... c'est que ce n'est pas simple... je voulais voir le garage. Peut-être que je voulais aussi vous voir, vous. Je crois que j'avais besoin de remettre quelques morceaux en place. Quand on est jeune, on laisse derrière soi un tas de choses inachevées... ensuite, la vie vous laisse un peu plus de temps... on a envie de revenir en arrière pour faire une ultime mise en ordre. En réalité, je ne sais pas. Peut-être que mon bonheur commençait à m'ennuyer un peu.

— Vous ne l'avez plus jamais revu, Ultimo ?

— Non. Et vous ?

— Je ne l'ai plus revu, non. Il est parti un jour, et nous ne l'avons plus revu. Sur le moment je ne me suis pas fait de souci, il y avait partout des gens rentrés de la guerre, et en général ils ne s'y retrouvaient pas trop, dans la vie normale, alors beaucoup partaient en vadrouille. J'étais sûr qu'il reviendrait. Mais en fait il était parti pour toujours.

— Il vous écrit, de temps en temps ?

— De temps en temps. Une, deux lettres par an. Il demande si on a besoin. Mais il ne raconte pas grand-chose. Il dit que tout va bien. Et puis il s'excuse toujours. C'est ça qui m'énerve. Pourquoi s'excuser ? Si on commence à s'excuser, on n'a pas fini.

— Vous avez été un père magnifique.
— Possible.

— Si vous devez y aller, sans façon, vous me le dites.
— Oui, c'est vrai qu'il est un peu tard.
— Votre femme doit se faire du souci.
— Oui. Vous voulez venir avec moi, vous voulez faire sa connaissance?
— Moi?
— Oui, vous.
— Non, je ne crois pas que... non, c'est aussi bien comme ça.
— Elle ne mord pas, vous savez?
— Je sais bien, ce n'est pas ça, c'est que, je ne sais pas, c'est aussi bien comme ça.
— D'accord.
— Une autre fois, peut-être.

— Dites-moi une dernière chose, Elizaveta.
— Oui.
— Mon fils, il vous a raconté quoi, sur l'accident? je veux dire, est-ce qu'il vous a jamais dit que... enfin, que certains pensaient que c'était ma faute, que c'était moi qui l'avais tué, le comte?
— Il n'aimait pas raconter cette histoire.
— Oui, je sais, mais il vous en a bien dit quelque chose.
— Quelque chose.
— Et vous, vous vous êtes fait une idée de ce qu'il en pensait?
— Il ne pensait pas qu'il était le fils d'un assassin.
— Mais il en était vraiment sûr?
— Oui, je crois qu'il en était vraiment sûr.
— Merci. Je vous remercie vraiment.

— Vraiment, ils vous ont accusé d'homicide?

— C'était la famille du comte... Cette bizarrerie de l'héritage, ça les avait rendus furieux, et c'est comme ça que... ils ont sorti cette histoire d'homicide...

— Pour reprendre l'argent?

— Je crois que oui. Cette idée de l'homicide, ils y sont arrivés à cause de ce que certains témoins avaient raconté. Ils disaient que tout à coup, sans raison, l'automobile avait foncé vers une rangée de platanes, qu'elle était sortie de la route, et qu'au moment de l'impact j'étais penché vers le comte et j'avais les deux mains sur le volant.

— Ils avaient acheté les témoins?

— Non. Tout ça était vrai.

— Y compris les mains sur le volant?

— Oui. Certains disent aussi qu'ils ont entendu la voix du comte qui criait « Non, non ».

— Mais c'est absurde, vous seriez mort vous aussi, dans cette affaire.

— Pardonnez-moi maintenant, mais je n'ai vraiment pas envie de vous en dire plus.

— Vous ne me dites pas la vérité?

— Non.

Alors je lui demandai s'il l'avait tué.

Libero Parri eut un sourire.

— Vous êtes vraiment comme Florence. Vous n'avez pas peur des mots. Vous savez comment ça s'est passé, ce matin-là, le matin de la course? Le comte vient me chercher et Florence se met devant, devant nous deux, après avoir envoyé Ultimo je ne sais où. Et elle nous dit : j'attends un

220

enfant. Et je ne sais pas lequel de vous deux est le père. Je voudrais mourir pour ce que j'ai fait, mais maintenant c'est trop tard. Ne dites rien. Allez faire cette course imbécile. Après nous trouverons une solution. Je suis désolée. Allez-y et ne faites pas de sottises, j'y ai déjà largement pourvu. Et elle s'en va. Et moi je le savais qu'il y avait quelque chose entre eux, c'est-à-dire que je le savais sans le savoir, enfin *je m'y attendais*, ne me demandez pas d'expliquer pourquoi. Mais ça a été un coup terrible. On est montés en voiture sans rien dire et on s'est dirigés vers le départ. Il restait encore un peu de temps, alors on est allés se soûler. À un moment, le comte m'a dit qu'il aurait fallu qu'on se file des beignes, tous les deux, ou je ne sais quoi. Que les vrais hommes, c'est ce qu'ils font. On a continué à boire. Quand on est partis, on était complètement soûls. Vous imaginez ça, deux hommes dans cet état, avec une histoire pareille, qui foncent à 140 à l'heure dans la campagne ?

— Peut-être.

— Si vous voulez savoir la vérité, demandez-la à Ultimo. Lui, il la connaît. Je lui ai tout dit, à lui.

— Je ne le reverrai plus jamais, Ultimo, monsieur Parri.

— Il faut vraiment que j'y aille maintenant.

— Comme vous voulez.

— Je ne veux pas vous voir une tête pareille. Ce sont des histoires vieilles de trente ans, réfléchissez un peu, quelle importance pour vous ? C'est pour Ultimo que vous êtes venue ici. Ne vous laissez pas prendre par la curiosité de savoir qui est l'assassin. Ça, c'est bon pour les romans policiers. Ce sont les coiffeurs qui lisent les romans policiers.

— Vraiment ?

— Chez nous, en tout cas. Le barbier les lit et ensuite il nous les raconte pendant qu'il nous fait la barbe. Comme ça il nous évite la peine, voyez ?

— C'est un bon système.

— On a essayé avec les vrais livres, mais ça n'a pas marché.

— Ah non ?

— Notre idée sur les livres, c'est que si on n'arrive pas à les raconter pendant le temps d'un rasage, alors c'est de la littérature. Et ça, c'est pas pour nous. Vous lisez ?

— Oui. Et quelquefois aussi j'écris.

— Des livres ?

— Ça m'est arrivé.

— Fantastique.

— Oui.

— Vous savez que Fangio ne descend jamais sur la piste si on ne lui a pas fait la barbe juste avant ? Pour lui, c'est une idée fixe.

— Je ne suis pas sûre de savoir qui est Fangio.

— Ne dites surtout pas une chose pareille, même pour plaisanter.

Tant de choses encore, mais dont je ne me souviens plus, ou qui sont difficiles à écrire. Nous y sommes restés des heures, dans ce petit bureau. Et ensuite je lui ai demandé si je pouvais l'accompagner. Il m'a dit oui. Dieu, comme je suis fatiguée. J'ai énormément écrit.

11.41 p.m.

Le lendemain.

Il avait un peu de mal à marcher, à cause de sa jambe de bois. Il m'a dit que je n'étais pas la première personne qui prenait contact avec lui, sortie tout droit de la vie d'Ultimo. Un vieux professeur d'université, un mathématicien, était venu lui aussi, des années plus tôt. Il voulait savoir si Ultimo avait réussi à réaliser son rêve. Une piste au milieu de nulle part.

— Moi, cette bizarrerie-là, je n'en savais rien. J'ai essayé de me faire expliquer ça par le professeur mais je n'ai pas vraiment compris. Vous savez ce que c'est, vous ?

Je lui ai raconté l'histoire de la piste au milieu de nulle part, avec toutes les courbes qu'Ultimo avait dérobées au monde.

Quelle idée, il a dit. Il y a les routes, pour les courses automobiles. On n'a besoin de rien d'autre.

S'il y a une chose qui m'a toujours fascinée, c'est la cécité des parents devant les rêves des enfants. Ils ne les voient pas, tout simplement. Ce n'est pas par méchanceté.

Puis il s'est arrêté et m'a dit que je ne pouvais rien comprendre à Florence et lui, si je ne comprenais pas d'où ils venaient. C'est difficile, même d'imaginer, pour vous, m'a-t-il dit. Nous venions d'un monde qui ne savait pas ce qu'était la joie de vivre. Tout n'était qu'angoisse, punition. La vie des paysans. Vous n'avez pas idée. Je vais vous dire quelque chose sur mon frère. Il a travaillé comme une bête toute sa vie, avec la terre et le bétail, jusqu'au moment où il a réussi à s'acheter un logement en ville. À partir de ce jour-là, il s'est installé dans son logement et il n'a pratiquement plus mis les pieds dehors. Il était content. Quand je lui demandais ce qu'il pouvait bien faire toute la sainte journée, il me répondait par une phrase qui dit tout, de ce monde-là. Je profite de mon logement. Vous vous rendez compte ? Vous nous regardez maintenant, Florence et moi, et vous pensez peut-être qu'on n'a fait que des conneries, mais croyez-moi, c'était justement pour faire ça qu'on s'était damnés, pour faire des conneries, pour sortir enfin des marais. Une fatigue du diable, croyez-moi. Mais personne n'aurait pu nous arrêter. Vous rendez-vous compte de ce que c'était pour moi, une automobile enveloppée dans un nuage de fumée à l'horizon? Comprenez-vous que j'aurais tout donné, pour avoir même une seule possibilité de m'en aller moi aussi dans son nuage de fumée?

Ou pour un comte bien habillé, qui savait trouver les mots justes et qui sentait le parfum d'un monde que nous n'avions jamais vu.

Vous me voyez là, maintenant, avec ma jambe de bois, un fils qui n'est pas le mien, un autre disparu dans le néant, et un petit camion d'invalide pour transporter des cagettes de fruits, et vous devez penser que je suis un homme triste, ou un raté. Mais ne vous arrêtez pas aux apparences. Vous savez, les gens vivent pendant tellement d'années, mais en réalité ils ne sont vivants que quand ils arrivent à faire ce pour quoi ils sont nés. Avant et après, ils ne font qu'attendre et se souvenir. Mais ils ne sont pas tristes quand ils attendent ou qu'ils se souviennent. Ils *ont l'air* tristes. Mais ils sont seulement un peu loin.

Oui, je sais, je lui ai dit.

Vous auriez dû me voir quand je vendais mes vaches pour avoir de l'essence. Quel plaisir.

Et vous, est-ce que vous avez fait ce pour quoi vous êtes née? il m'a demandé. Vous êtes loin, mais c'est parce que vous attendez ou parce que vous vous souvenez?

Les deux peut-être, j'ai dit.

Il s'est mis à rire.

Puis il s'est arrêté. Il voulait me regarder bien dans les yeux, pendant qu'il me posait la question qui lui tournait dans la tête depuis un moment. Et vous, qu'est-ce que vous lui avez fait, à Ultimo, pour avoir été effacée comme ça, pire que moi?

Il l'a posée en souriant, comme s'il était clair maintenant que pour nous deux, de toute façon, il n'y avait plus rien à faire.

— Rien ne dit qu'il m'ait effacée vraiment.

— Il est parti sans un mot, vous me l'avez dit vous-même. Il ne vous a même jamais écrit. Vous appelez ça comment?

— Être effacée.

— C'est sa manière de régler ses comptes avec la souffrance, c'est vous qui me l'avez expliqué. Qu'est-ce que vous lui avez fait? Dites-le-moi, quelle importance maintenant?

Que lui ai-je fait, que lui ai-je fait, cher vieux monsieur Parri, Libero Parri, Garage Libero Parri. Vous devriez le demander à cette gamine, là-bas, qui corrompait les familles, tête droite et cheveux bien peignés. Pour moi, d'ici, c'est difficile à comprendre. Il y avait tellement de choses dans ma tête, à cette époque-là, que j'entendais à peine le monde du dehors, il passait comme une ombre, la vie était tout entière dans mes pensées. Ce garçon, c'est à peine si je l'entrevoyais, il était plus vrai dans mon journal que sur les routes d'Amérique, c'était une musique que je percevais à peine et que je chantais les yeux ouverts dans mes rêves. Ultimo, je crois que je ne suis jamais arrivée à le voir comme une personne réelle, vraie. C'était trop tôt, pour moi. Et si j'y pense, maintenant, de la hauteur relative de mes presque quarante ans, je vois, très loin, une rose de gestes que je ne sais comment définir. Nos corps, cher monsieur Parri, nos corps étaient pour nous des jouets sans mode d'emploi, aucun de nous deux ne savait s'en servir, le mien, j'en jouais en femme accomplie dans les pages de mon journal, mais c'était une manière de ne pas m'en servir le jour, à la lumière du soleil. Et Ultimo, si je me souviens bien, portait le sien comme un imperméable trop grand. Oui, je dois lui avoir fait quelque chose, bien sûr que j'ai dû lui faire quelque chose, je me souviens même vaguement d'une nuit embarrassante, avec moi qui riais, et toute une valse de gestes que je ne voulais pas comprendre, et des paroles que je suppliais de ne pas entendre. Mais ce que je lui ai fait, exactement, je ne sais pas.

Je lui ai fait que je n'étais pas encore née, et ça, pour les gens, c'est difficile à comprendre.

Il m'a fallu tellement de temps pour naître. C'est comme ça.

Mais à M. Parri j'ai seulement dit :

— Je n'étais pas amoureuse de lui.

Ça arrive, a-t-il dit.

J'ai fait mes valises, dans ma chambre de cet hôtel luxueux, au bord du lac. Il est temps que je parte. Une chambre d'hôtel, quand on a tout remis dans sa valise, et qu'on n'a plus derrière soi que le désordre, *son* désordre, c'est beau la trace d'un passage, dommage qu'il n'y ait pour la lire et l'effacer que des femmes de chambre lasses, qui ont le cœur ailleurs. Je vais prendre le train et rentrer à Rome. J'ai deux enfants, et tant de choses dont je dois m'occuper. J'ai un mari, auprès de qui il est délicieux de revenir. Je serai heureuse de voir défiler le paysage par la fenêtre, pendant que je jouerai du Schubert, les mains cachées sous mon châle en soie indienne.

Cela m'impressionne, après tant d'années, de recommencer à écrire un journal. Mais c'est seulement une parmi tant d'autres choses qui m'arrivent ces derniers temps et que je ne sais pas comment interpréter. Quelle saison du cœur est-ce donc que celle-ci, où l'on se précipite au secours des années oubliées, en feignant de les avoir entendues crier à l'aide ?

Avant que nous nous quittions, Libero Parri a encore eu le temps de m'expliquer qui est Fangio et comment on peut truquer un carburateur sans que les juges de course s'en aperçoivent. Ça peut toujours servir, a-t-il dit.

Et puis encore une chose, a-t-il ajouté.

Ultimo était sec comme un coup de trique, il avait ces oreilles, là, et des yeux couleur souris, je le sais. Il avait l'air de quelqu'un qui est obligé de se faire constamment des piqûres, non ?

Oui, c'est assez ressemblant.

Je sais, a dit Libero Parri. Mais il avait l'ombre d'or, et vous étiez amoureuse de lui. Et vous l'êtes encore. Et vous ne cesserez jamais de l'être parce que c'est pour ça que vous êtes née.

Je lui ai demandé ce que c'était, l'ombre d'or.

Laissez tomber. Ceux qui l'ont ne peuvent pas comprendre.

Il m'a tendu la main. La main blessée, celle qui lui sert pour quelques gestes importants.

Je l'ai vu s'en aller, de dos, avec ce pas claudicant et assuré.

C'est seulement maintenant que je m'aperçois que pendant tout ce temps où nous parlions, il ne m'est pas venu à l'esprit de lui demander des nouvelles d'Ultimo, s'il savait où il était, et ce qu'il faisait. Et lui pareil, il m'a raconté des tas d'histoires, mais toujours sur le gamin qui trottinait derrière lui, comme si l'homme qu'Ultimo est certainement devenu, entre-temps, ne le concernait plus. Absurde. Il aurait été si naturel d'en parler, tous les deux, mais nous ne l'avons pas fait, et je ne sais pas pourquoi.

Ou peut-être que je le sais.

3.47 p.m.

Sinnington, Angleterre, 7 mai 1969

Bien longtemps après

D'accord, faisons cette sottise. Pourquoi pas. De toute façon je n'arrive pas à m'endormir. Une vieille dame de soixante-sept ans reprend son journal de jeune fille et

Cher journal, je te dois une dernière page, la voici. Il m'aura fallu un peu de temps. Les vois-tu, ces lettres étirées et laborieuses ? ce sont les miennes. Elles étaient déjà là, dans les lettres agiles de mes vingt ans et dans la belle écriture de la femme resplendissante que je ne suis plus. Elles étaient la fleur dans la graine.

Qu'as-tu fait depuis tout ce temps ? Tu étais dans mes valises, voilà ce que tu as fait. Même quand j'ai tout jeté, tu es resté. Je te dois une dernière page. La voilà.

J'écris dans le petit salon, à la lumière d'une lampe de chevet. J'ai laissé les deux autres au lit, et j'ai fermé la porte. Je veux qu'ils dorment pendant que je reste éveillée, avant ce jour singulier qui m'attend demain. Je l'ai voulu si fort et il est revenu me chercher du fond de mon passé. Ce sera un grand jour. Personne ne peut rien y comprendre, et je ne peux rien raconter à personne. Ils me croient tous folle. Qu'ils pensent ce qu'ils veulent. Je n'ai pas envie d'expliquer. Cette histoire-là n'est pas pour eux.

Ils pensent que je suis une vieille folle et une femme méchante. Ce n'est pas vrai, mais j'aime qu'ils le pensent. Je ne veux pas qu'ils oublient que je suis riche, qui plus est, riche d'une manière incontestable et agaçante. C'est un privilège que je n'ai pas mérité et qui me met pourtant en situation de disposer des autres. C'est ce que j'ai toujours désiré. Petite, j'en rêvais. Aujourd'hui je le fais, chaque jour. Je ne sais pas ce qui pousse un enfant à grandir avec le sentiment de la vengeance, mais pour moi il en a été ainsi, et toutes les années passées à me convaincre que ce n'était qu'un caprice d'enfant, qu'il fallait surmonter, n'ont servi à rien. Conneries. C'est le ressentiment, l'ivresse du ressentiment, la vitalité du ressentiment qui m'a rendue vivante, et pendant toutes ces années où je ne voulais pas le comprendre, j'étais morte. Jeune fille, le ressentiment était si proche de moi, il était mon compagnon de lit, il portait mes vêtements, il était mon odeur. *Je vivais* pour me venger. Mais la jeunesse... c'est l'indigence, c'est la pauvreté, du moins ça l'a été pour moi, j'étais trop jeune, et trop dure, je n'étais pas à la hauteur de ma vérité, on ne l'est jamais, quand on est jeune, personne. Mais je l'aime, cette petite jeune fille qui, le soir, la plume à la main, corrompait les familles, empoisonnait les caniches à coups de pesticide et arrachait sa chemise devant des comptables lubriques. J'étais là avec toi, mon Elizaveta, c'était moi, mais je ne pouvais pas t'aider, j'essayais de crier mais tu n'entendais pas. Je voudrais que tu saches que je ne t'ai pas trahie, même si je me suis trompée je ne t'ai pas trahie, au bout du compte. Je suis une vieille folle, richissime et méchante. Je te le devais bien. Je te devais les deux jeunes gens qui sont dans mon lit, ils sont magnifiques et ils sont pour toi. Elle, elle s'appelle Aurora. Lui, c'est un Égyptien, je ne sais même pas quel âge il a. Un garçon. Au début, les garçons, je les achetais. Quand je suis sortie du ramollissement de mes quarante ans, j'étais devenue trop vieille pour les attirer par mes charmes. J'avais tellement d'argent, j'ai commencé à les payer. Les premières fois c'était horrible, mais tout passe avec un peu d'alcool, crois-moi. Ensuite j'ai appris à faire ce que bon me semble. Je les payais pour qu'ils viennent dormir avec moi, c'est directement de toi que cela me vient. Je n'ai pas oublié un seul instant que j'avais des lèvres de vieille femme et la peau fatiguée. Je ne veux pas qu'ils m'embrassent et je ne me déshabille pas pour eux. C'est pour leur corps que nous sommes là, pas pour le mien. Je les regarde, je les touche, je passe ma langue sur leur peau. Je respire leur odeur, et j'écoute leur voix quand ils jouissent. Je n'aime pas baiser avec eux, et si je le fais, quelquefois, c'est par lassitude. On est trop proches, quand on baise, cela aussi c'est toi qui me l'as enseigné. Avec le temps j'ai compris que je pouvais faire mieux. Je me suis mise à acheter des filles. Les plus belles que je trouvais. Non que j'aime les filles, c'est une chose que je n'ai plus retrouvée, tu l'avais peut-être, mais moi je l'ai perdue en chemin, cela ne me va pas, de faire l'amour avec une femme plus belle que moi. Je ne sais pas. Je les paie en tout cas pour qu'elles restent avec moi, et, quand elles sont avec moi, séduisent des garçons. Les garçons, c'est moi qui les choisis. Ceux qui me plaisent. Tout est plus simple avec les pauvres. Elles les attirent et nous les amenons ici. Les premières fois, je les laisse se débrouiller seuls. Je lis un livre, dans la pièce à côté, c'est une sensation que je te recommande. Ensuite les choses s'enchaînent de façon très normale. Brusquement je suis là, avec eux, je les regarde. J'aime recueillir les miettes de leur fête, ce ne sont pas des miettes, ce sont des miracles. J'aime caresser les cheveux de ce garçon pendant qu'il baise et tenir son sexe entre mes lèvres pendant qu'il embrasse une bouche jeune que je n'ai plus. N'est-ce pas que tu reconnais là quelque chose ? Tu étais ainsi, Elizaveta, même si tu n'étais pas à la hauteur de ta vérité tu étais ainsi, tu pouvais essayer de le cacher sous l'acier de ta vilaine petite figure, pâle et offensée, mais c'est ainsi que tu étais. Comment as-tu fait pour ne pas te briser, dans le brouillard de ces jours tous pareils, vaincus par la peur, avec en toi ce désir, et dehors ce monde aveugle ? Tu t'en es sortie, tu ne t'es pas brisée, et maintenant, te voilà. Amuse-toi bien, Elizaveta.

Et ne pense pas aux quarante ans de cette femme resplendissante, épouse et mère, femme superbe. Mon Dieu, quelle souffrance à relire ces pages. Quel embarras. Comment peut-on vivre ainsi dans la fiction, avec autant de noblesse et d'aveuglement... Et ces journées qui étaient les miennes, pendant ces années-là, que Dieu me pardonne, ces journées *justes*... la capacité mystique que nous avons de grandir, d'un seul coup, en reléguant ce que nous sommes au rang d'imperfection, sinon d'erreur. Il y aurait de quoi avoir honte, c'est tout. Mais il y a tout de même quelque chose de grandiose dans ce passage de l'âge, où les humains qui ont encore de l'énergie à dépenser, la rassemblent tout entière dans l'effort titanesque de *devenir grands*. Et ils se donnent cette beauté de statue grecque, où le profil grotesque de ce qu'ils étaient dans leur jeunesse se recompose, magistralement, en formes et en proportions merveilleuses, dictées par le sens de la responsabilité, la subtilité de l'expérience, le *ralenti* * des corps matures. Même les visages acquièrent souvent une densité lumineuse où se lit une vérité qui était absente des traits sans prudence des années de la jeunesse. C'est la longue saison où l'on devient père et mère, et l'on met de l'ordre dans la vie, à travers le geste patient de la transmettre. Peut-on vraiment se soustraire à un passage comme celui-là ? Je ne crois pas. Des vies sans hiver, quelles vies ce serait ? Quelles vies sont donc les vôtres, éternels enfants de l'été ? La permanence de la graine sous la neige, voilà ce qu'il nous est donné aussi de connaître. Et d'apprécier. J'ai adoré, moi, lorsque j'ai eu quarante ans, l'incessant crépitement souterrain, le hurlement obstiné sous la neige, le désespoir muet au cœur du calme, la fragilité infinie, la solidité de la pierre posée sur du sable, l'invincible angoisse d'être heureux *de cette façon-là*. Avec toujours le soupçon qu'il aurait suffi d'un regard dans la rue, d'un moment de solitude, quelques minutes de trop à attendre une amie, et tout se serait écroulé d'un seul coup, sans condition. Et nous serions revenus en arrière, comme des navires rappelés au port, après la bataille. Le port que nous étions dans notre jeunesse.

Il est vrai qu'ensuite il ne se passe souvent rien, et pour beaucoup le dégel s'éloigne, l'hiver reste là à veiller sur les années à venir, en vieillesses prudentes, sans soleil. Mais il n'en a pas été ainsi pour moi — pour moi, et pour toi Elizaveta à la tête droite, aux cheveux bien peignés. Voir mourir lentement notre Vassili, mon cher ami, mon mari, le nôtre, m'a aidée. Quand il s'en est allé, j'ai regardé mes enfants et je n'ai plus compris tout à coup pourquoi je devais vivre pour leur jeunesse et non pour la mienne. Alors je suis revenue vers toi. Nous avions laissé un travail inachevé. Il était temps de le finir.

233

La première chose que j'ai faite fut de cesser d'être clémente. La deuxième, de payer des jeunes gens. La troisième, de chercher Ultimo. J'ai peiné à comprendre que j'en avais besoin, mais j'ai eu beaucoup de temps pour le comprendre. Je sais maintenant que Libero Parri se trompait, quand il croyait que j'étais née pour aimer Ultimo. Aucune femme ne naît que pour aimer quelqu'un. Je suis née pour me venger, et c'est vrai, je suis enfin vivante aujourd'hui où je me venge chaque jour, sans repentir. Mais il est pourtant vrai, chère petite Elizaveta, que tu étais amoureuse de lui, et que je le serai toujours. En cela, le vieux Parri ne se trompait pas. Tu ne pouvais pas le comprendre, et pendant très longtemps je n'ai pas voulu le savoir. Mais c'est ainsi. Nous n'avons jamais aimé personne d'autre, toi et moi. Il était vilain, bizarre et inapprochable. Mais nous avons toujours su que dans cette ombre d'or nous aurions été sauvées. Il aurait reconstruit le monde chaque fois que nous l'aurions brisé, et près de lui nous aurions pu être nous-mêmes. Et il en a été ainsi.

Je partis à la recherche de Libero Parri, mais ne le trouvai pas. Un coup de sang l'avait emporté, juste après la guerre. Chez lui, il y avait une femme petite et fière, aux traits enfantins. Florence, je t'ai vue, enfin. Je lui ai dit que cela me faisait de la peine. Je l'ai serrée contre moi. C'était une femme dure. Merveilleusement inclémente. Je lui ai raconté toute mon histoire et ensuite je lui ai demandé où je pouvais trouver Ultimo. Elle m'a tendu une enveloppe, grande, blanche. Ultimo a laissé ça pour vous, m'a-t-elle dit.

Dans l'enveloppe il y avait une grande feuille, repliée plusieurs fois. Grande comme une carte. Sur le papier gris, à l'encre de Chine rouge, était tracé le dessin d'un circuit. Dix-huit courbes. Il se déployait dans l'espace avec une indéniable élégance. Le trait était net et propre, le rayon des courbes exact. Et dans le gris tout autour, très serrée, la petite écriture d'Ultimo racontait chaque mètre de cette route. Il l'avait promis : toute sa vie était là.

Mais il n'y avait rien d'autre pour moi, pas une ligne, pas un message, rien. Uniquement ce circuit.

Il a réussi à le construire ? dis-je.

Mais Florence ne répondit pas.

Elle était assise près de son fils, et elle le tenait par la main. Le fils du comte. Il avait l'air absent. Un corps d'adulte, mais un air d'enfant. Muet. Un idiot.

Il a réussi à le construire, n'est-ce pas ? dis-je.

C'est un dessin, dit Florence.

Oui, mais il a réussi, n'est-ce pas ?

Il m'a dit de vous laisser le dessin, c'est tout, dit-elle.

Oui, il y a réussi, et vous savez même où.

Je suis sa mère, moi.

Puis, après une pause : C'est juste un dessin.

Elle continuait de garder près d'elle cet homme-enfant, comme un juste châtiment dont elle aurait été fière.

Avant de prendre congé, j'eus le temps d'entendre à nouveau la voix dont Ultimo m'avait parlé, et qu'elle semblait avoir perdue. La voix de cette Florence-là.

Vous êtes riche à crever et vous avez tout votre temps. Cherchez-le. Dit-elle. Avec douceur.

Je ne savais même pas si elle parlait d'Ultimo ou du circuit.

Mais je répondis sans hésiter.

Bien sûr que je vais le chercher.

Et l'homme-enfant, alors, sourit.

Je l'ai cherché, Elizaveta, et je l'ai trouvé. Tu peux être fière de moi.

Je vais peut-être dormir un peu. Mais c'est à l'aube que je veux me réveiller. Je ne veux pas perdre un seul rayon de ce jour qui se lève pour moi, et pour moi seule.

Quel silence, partout.

Pardonne-moi tous ces sentiments, Elizaveta, mais les vieilles personnes ont tendance à s'émouvoir.

Quelle merveille.

J'aime tout de cet instant.

Qui tombe à 2.12 a.m.

Foutu journal, content maintenant ?

1947. SINNINGTON, ANGLETERRE

Mon frère me tient par la main, Mon frère me tient par la main et dans l'autre main je tiens la serviette du capitaine Skodel, Mon frère me tient par la main et je dois faire attention à ne pas laisser traîner par terre la serviette du capitaine Skodel que je tiens dans l'autre main, Je dois faire attention que la serviette du capitaine Skodel ne traîne pas dans la terre battue de la piste, Le capitaine Skodel m'a dit de faire attention à ne pas traîner sa serviette dans la terre battue de la piste, Alors je garde les yeux sur la terre battue brune de cette piste d'aviation. Pendant que nous marchons.

Mais tout à coup je ne me rappelle plus où j'ai mis la pièce, Le capitaine Skodel m'a donné une pièce et maintenant je ne me rappelle plus où je l'ai mise, Le capitaine Skodel m'a demandé de porter sa serviette et en échange il m'a donné une pièce et maintenant je ne me rappelle plus où je l'ai mise, Je devrais chercher dans toutes mes poches pour me rappeler où je l'ai mise, mais comment je fais pour chercher dans mes poches si mon frère me tient par la main et que dans l'autre main je tiens la serviette du capitaine Skodel ? Je devrais lâcher la main de mon frère ou la serviette du capitaine Skodel. Mais je ne peux pas.

D'ailleurs elle pourrait aussi ne pas être dans mes poches, Je pourrais l'avoir laissée quelque part au lieu de l'avoir mise dans mes poches, Mais je ne peux pas savoir si je l'ai laissée quelque part si je ne m'arrête pas pour regarder dans mes poches avant, Je devrais arrêter de marcher et chercher dans mes poches si je retrouve ma pièce, Mais je continue à marcher sans avoir le courage de m'arrêter parce qu'à côté de moi mon frère et le capitaine Skodel marchent, à grands pas, sur la piste d'aviation, Mon frère et le capitaine Skodel sont très amis et ils marchent à grands pas, l'un à côté de l'autre, en riant, et alors je ne peux pas m'arrêter pour chercher ma pièce. Je dois arrêter d'y penser.

Nous sommes trois à marcher, Nous marchons à trois, tout seuls, sur cette piste d'aviation construite au milieu de nulle part, Nous sommes très petits pendant que nous marchons sur cette piste d'aviation parce que autour il n'y a rien jusqu'à l'horizon, Dans la lumière du soir nous sommes trois petits hommes qui marchent sur une piste d'aviation au milieu de nulle part et j'ai perdu ma pièce, La lumière du soir et le ciel sont une grande cathédrale et nous sommes tout petits pendant que nous marchons sur cette piste d'aviation, comme des pèlerins, Nous sommes trois petits pèlerins qui marchent à grands pas dans une cathédrale de lumière au milieu de nulle part. Et l'un d'eux a perdu sa pièce.

Le capitaine Skodel marche d'un pas assuré et d'ailleurs lui il connaît cette piste comme sa poche, La raison pour laquelle le capitaine Skodel connaît cette piste comme sa poche c'est qu'il y a atterri 86 fois, Sur cette piste le capitaine Skodel a atterri 86 fois en l'espace de quatre ans, Pendant les quatre années de la guerre il a pu la connaître très intimement, puisqu'il y a atterri 86 fois, et autant de fois décollé, évidemment, C'est le nombre de fois où il a décollé et atterri pendant les quatre années de la guerre où l'Angleterre a dû se défendre contre l'agression nazie. Pendant la guerre gagnée contre les nazis.

Moi je ne l'ai pas faite cette guerre-là, Mon frère et moi nous ne l'avons pas faite cette guerre-là, Moi je ne l'ai pas faite et mon frère l'a faite d'une manière très spéciale, Mon frère l'a faite comme expert-mécanicien volontaire, cette guerre-là, Il ne l'a donc pas faite vraiment, mais il y a participé comme expert-mécanicien volontaire détaché sur cette piste d'aviation, La mission de mon frère c'était de faire l'expert-mécanicien volontaire sur cette piste de Sinnington, Angleterre, au milieu de la campagne, Sur cette piste de Sinnington, Angleterre, il n'a jamais tiré. Il réparait les avions.

C'est pour ça que mon frère et le capitaine Skodel sont très amis, Mon frère et le capitaine Skodel sont devenus très amis parce qu'ils ont vécu dans cette base de Sinnington, Angleterre, pendant quatre ans, Chaque jour, pendant quatre ans, ils ont pensé que c'était le dernier jour mais le capitaine Skodel revenait toujours de ses missions, alors ils ont fini par

devenir grands amis, En quatre ans, 86 fois ils se sont salués
en pensant que c'était la dernière fois, et maintenant ils vont
se saluer, et cette fois ce sera vraiment la dernière fois. Parce
que le capitaine Skodel va partir.

Mon frère me dit quelque chose, Mon frère me dit d'allonger
le pas, Je dois allonger le pas parce que mon frère me dit que
le capitaine Skodel est pressé de partir, Il me dit que le capitaine Skodel veut arriver à Londres avant la nuit et donc il
est pressé de partir, Alors je dois allonger le pas, mais sans
laisser traîner la serviette du capitaine Skodel sur la terre battue de la piste, Comment je peux allonger le pas sans risquer
de laisser traîner la serviette du capitaine Skodel qui est
pressé de partir ? Je vais courir le risque de laisser traîner la
serviette du capitaine Skodel sur la piste qu'il connaît comme
sa poche. Je laisse traîner la serviette.

Je lève les yeux pour voir si le capitaine Skodel s'aperçoit que
je laisse traîner sa serviette, Mais quand je lève les yeux je ne
vois pas le capitaine Skodel parce que je vois seulement cet
avion, un seul avion au milieu de la piste, Je vois un chasseur
Spitfire au milieu de la piste, le museau vers l'ouest, et c'est le
seul avion, sur la piste, Le chasseur Spitfire 808 du capitaine
Skodel est au milieu de la piste et il n'y a plus d'autres avions
nulle part, Il y avait encore quatre avions, rien qu'hier, à
côté du chasseur Spitfire 808 du capitaine Skodel, mais
maintenant on n'en voit plus un seul, au milieu de la piste.
Ou en vol.

Parce que ce sera le dernier avion à décoller, Le chasseur Spitfire 808 sera le dernier avion à décoller de cette piste de Sinnington, Angleterre, Mon frère me dit que c'est le dernier avion qui décollera de cette piste de Sinnington, Angleterre, parce que la guerre est finie, Il n'y aura plus d'avions qui décolleront de cette piste de Sinnington, Angleterre, parce que la guerre est finie depuis deux ans, Il y avait d'autres avions mais maintenant il n'y en a plus parce que la guerre est finie depuis deux ans et qu'aujourd'hui on ferme l'aéroport militaire de Sinnington, Angleterre, Mon frère me tient par la main et me dit qu'aucun avion ne décollera plus de cette piste de Sinnington, Angleterre, et n'atterrira pas non plus. Celui-là c'est le dernier.

Alors la terreur me vient d'avoir perdu ma pièce, Quand mon frère me dit que c'est le dernier avion qui décollera de cette piste de Sinnington, Angleterre, de nouveau la terreur m'assaille d'avoir perdu ma pièce, Alors au lieu d'allonger le pas je m'arrête, bloqué par la terreur d'avoir perdu ma pièce, Mon frère ne sait pas que j'ai perdu ma pièce alors il se tourne vers moi et il me demande quelque chose, Mon frère ne sait pas que j'ai perdu ma pièce et alors il se tourne vers moi et il me demande ce qui m'arrive, Le capitaine Skodel aussi se tourne vers moi au moment où mon frère me demande ce qui m'arrive. Mais moi je ne réponds pas.

Le capitaine Skodel dit quelque chose et il rit, il ne fait que parler et rire, Le capitaine Skodel ne fait que parler et rire avec son beau sourire fatigué, Moi je sais qu'il est très triste et c'est pour ça qu'il ne fait que parler et rire avec son beau sourire fatigué, Pendant qu'il sourit avec son beau sourire fatigué il pense probablement à cette piste sur laquelle il a atterri 86 fois, Il revoit cette piste comme il la voyait du ciel, chaque fois qu'il revenait, les 86 fois où il a atterri sur cette piste, Il revenait de ses missions et du haut du ciel enfin il voyait cette piste toute mince au milieu de nulle part et alors il savait qu'il allait retrouver la terre. Alors maintenant il est triste, et il rit.

J'ai décidé qu'il vaut mieux marcher parce que plus tôt nous arriverons à l'avion plus tôt je pourrai chercher ma pièce, quand nous arriverons à l'avion je pourrai donner la serviette au capitaine Skodel et alors je pourrai chercher ma pièce dans mes poches, Je donnerai la serviette au capitaine Skodel et alors avec la main gauche je pourrai chercher dans mes poches ma pièce, Je pourrai chercher ma pièce avec la main gauche parce que la droite je continuerai à la garder serrée dans celle de mon frère, Je pourrai chercher dans toutes mes poches à gauche, dans mon pantalon et dans ma veste, mais je ne pourrai pas le faire dans celles de droite parce que de ce côté-là je tiendrai mon frère par la main. Mon frère me tient toujours par la main.

Mon frère me tient toujours par la main et ça depuis le jour où je suis arrivé ici, Il me tient toujours par la main depuis le jour où je suis arrivé ici, aussitôt la guerre finie, Aussitôt la guerre finie je suis arrivé ici et mon frère m'a pris par la main en promettant à notre mère qu'il ne cesserait jamais de le faire, Ma mère lui a fait promettre qu'il me tiendrait toujours par la main, et c'est seulement à cette condition que ma mère lui a permis de m'amener ici, aussitôt la guerre finie, Probablement c'était juste une façon de parler, mais nous nous l'avons prise à la lettre. Nous nous tenons par la main.

Nous devons être arrivés parce que mon frère me dit de m'arrêter ici, Je m'arrête ici et je vois que nous sommes arrivés à une vingtaine de pas de l'avion, L'avion du capitaine Skodel est immobile à une vingtaine de pas de nous, alors nous nous arrêtons, Le capitaine Skodel regarde son avion immobile à une vingtaine de pas de nous et ne dit rien, Étant donné que le capitaine Skodel ne dit rien et mon frère non plus il y a tout à coup un grand silence sur cette piste toute seule au milieu de nulle part où l'avion du capitaine Skodel attend immobile à une vingtaine de pas de nous. Il y a juste le vent.

Maintenant le capitaine Skodel va reprendre sa serviette, C'est très important pour moi parce qu'une fois que le capitaine Skodel reprendra sa serviette moi j'aurai la main gauche libre, Alors je pourrai chercher dans mes poches ma pièce avec la main gauche libre, ce que je ne pouvais pas faire tant que je devais tenir la serviette du capitaine Skodel, Je dois juste attendre que le capitaine Skodel reprenne sa serviette, mais il ne le fait pas, Le capitaine Skodel ne reprend pas sa serviette parce qu'il est maintenant en train d'étreindre mon frère, Mon frère et le capitaine Skodel s'étreignent, pendant que moi j'attends que le capitaine Skodel reprenne sa serviette. Ils s'étreignent fort, mais en silence.

Mais quand le capitaine Skodel veut reprendre sa serviette je ne réussis pas à ouvrir la main qui serre la poignée de sa serviette, Je voudrais tellement ouvrir la main mais je ne réussis pas à l'ouvrir et le capitaine Skodel ne peut pas reprendre sa serviette, Ça m'arrive quelquefois que je ne réussis pas à faire les gestes que je veux alors le capitaine Skodel veut reprendre sa serviette mais moi je ne réussis pas à ouvrir la main qui serre la poignée de sa serviette, Si je ne réussis pas à ouvrir la main qui serre la poignée de sa serviette je ne pourrai pas chercher ma pièce et le capitaine Skodel ne pourra pas reprendre sa serviette. Mais plus j'y pense et plus je serre.

Ma mère disait que ce n'est pas important et que ça nous arrive à tous, Ma mère disait que ça nous arrive à tous de ne pas réussir à faire ce que nous voulons et donc ça n'était pas important si, par exemple, je restais à regarder fixement mes chaussures, Si, par exemple, je restais à regarder fixement mes chaussures sans réussir à les mettre ma mère disait que ce n'était pas important parce qu'à tous ça nous arrive de ne pas réussir à faire ce que nous voudrions, en réalité, faire, Ma mère disait qu'à tous ça nous arrive de ne pas réussir à faire ce que nous voudrions, en réalité, faire et donc ce n'était pas grave si ce que tu voulais faire c'était simplement mettre tes chaussures. Alors moi je mettais mes chaussures.

Heureusement mon frère m'aide à ouvrir la main et moi, à la fin, je l'ouvre, Heureusement mon frère se penche vers moi et m'aide avec douceur à ouvrir la main comme ça moi, à la fin, je l'ouvre, Quand il m'aide avec douceur à ouvrir la main moi, à la fin, je l'ouvre, en desserrant un par un les doigts de la poignée de la serviette, Je m'aperçois que j'ai les doigts rouges et gonflés pendant que je les regarde se desserrer un par un de la poignée de la serviette, Je sens à peine mes doigts et je m'aperçois qu'ils sont tout rouges et gonflés pendant que je les regarde se desserrer un par un de la poignée de la serviette. Mais maintenant je peux chercher ma pièce.

J'attendrai un peu que mes doigts redeviennent normaux et puis je chercherai ma pièce, Si je n'attends pas un peu que mes doigts redeviennent normaux je risque de chercher ma pièce mais de ne pas la trouver, Alors j'attends un peu que mes doigts redeviennent normaux pendant que le capitaine Skodel marche tout seul vers son avion en tenant à la main sa serviette, Pendant que j'attends un peu que mes doigts redeviennent normaux le capitaine Skodel marche tout seul vers son Spitfire 808 en tenant à la main sa serviette et en la balançant, Sans se retourner le capitaine Skodel marche en balançant sa serviette comme si c'était un jour quelconque. Alors que non.

Je glisse la main dans ma poche et les moteurs déchirent la cathédrale, Je glisse la main dans la poche gauche de ma veste et les deux moteurs du Spitfire 808 déchirent le silence de la cathédrale de lumière, Les deux moteurs du Spitfire 808 déchirent le silence de cette cathédrale mais moi je n'ai pas peur parce que je suis en train de chercher ma pièce dans la poche gauche de ma veste, et ça occupe toutes mes pensées, Je cherche ma pièce dans la poche gauche de ma veste et comme ça je remarque à peine que le Spitfire 808 roule doucement sur la piste pendant que ses deux moteurs déchirent le silence de cette cathédrale de lumière. Puis il met la proue au vent et il s'arrête.

Je sens quelque chose dans la poche de ma veste mais ce n'est pas ma pièce, Je sens une bille en verre au fond de la poche et pourtant je ne sens pas ma pièce, Si ma pièce était là je la sentirais mais là je sens une bille en verre et aussi quelque chose d'autre, mais en tissu, Une pièce tu la reconnais facilement parce qu'elle n'est ni en verre ni en tissu, et donc j'ôte la main de la poche de ma veste, Quand j'ôte la main de la poche de ma veste pour la mettre dans la poche de mon pantalon le capitaine Skodel pousse au maximum ses deux moteurs, Le capitaine Skodel pousse au maximum ses deux moteurs pendant que moi j'enfile la main dans la poche de devant de mon pantalon. Je suis en train de chercher ma pièce.

Ce cabrage qui les lance, légers, dans le ciel, Comme je l'aime ce cabrage en douceur qui les lance, légers, dans le ciel, Je n'ai jamais dit à personne combien je l'aime ce cabrage en douceur qui les lance, légers, dans le ciel, Parce que parler ça me fait souffrir, je n'ai jamais dit à personne combien j'aime les regarder pendant que ce cabrage en douceur les lance, légers, dans le ciel, Mais si seulement je réussissais à parler sans souffrir, je dirais tout de suite à mon frère combien j'aime les regarder pendant que ce cabrage en douceur les lance, légers, dans le ciel, Légers il les lance dans le ciel et légèrement déstabilisés. Par le travers.

Alors j'ai vu le dernier avion décoller de cette piste de Sinnington, Angleterre, Pendant que je cherchais ma pièce dans la poche de devant de mon pantalon j'ai vu le dernier avion décoller avant que cette piste de Sinnington, Angleterre, ne soit définitivement fermée, C'est dommage, je me dis, parce que avant d'être définitivement fermée cette piste de Sinnington, Angleterre, elle a vu tellement d'aventures, C'est dommage, je me dis, parce qu'elle a vu tellement d'aventures de fierté et de courage, Tellement d'aventures de fierté et de courage et de peur, De fierté et de courage et de peur et de folie. Tellement d'aventures d'hommes en guerre.

Et juste pendant que je pense que c'est dommage, l'avion du capitaine Skodel vire largement dans le ciel, Juste pendant que je pense que c'est dommage, l'avion du capitaine Skodel vire amplement dans le ciel et revient vers nous, Il vire amplement dans le ciel rose et revient vers nous en perdant de l'altitude, L'avion du capitaine Skodel revient vers nous de plus en plus bas dans le ciel rose jusqu'à passer au-dessus de nos têtes dans le ciel rose à grande vitesse, Tellement bas qu'il passe juste au-dessus de nos têtes en traversant le ciel rose à grande vitesse. Pour nous saluer.

Je pourrais avoir peur mais je n'ai pas peur, et même je ris, Je pourrais avoir peur avec ce boucan qui frôle nos têtes, mais je n'ai pas peur, et même je ris, Je pourrais avoir peur avec ce boucan et l'ombre noire qui frôle nos têtes, mais la vérité c'est que je n'ai pas peur, et même je ris très fort, La vérité c'est que je me mets à rire et mon frère aussi se met à rire, et tous les deux nous nous mettons à rire, La vérité c'est que nous nous mettons à rire très fort pendant que l'ombre noire frôle nos têtes et que le boucan nous ébouriffe les cheveux. Nous rions d'émotion.

Tellement que pendant un instant j'oublie ma pièce, mais tout de suite après je m'en souviens, Pendant un instant j'oublie que je suis en train de chercher ma pièce, mais tout de suite après je m'en souviens très bien, Je me souviens très bien que je suis en train de chercher ma pièce dans la poche gauche de mon pantalon, Avec la main je cherche ma pièce dans la poche gauche de mon pantalon, mais je ne la trouve pas, Je remue mes doigts dans la poche gauche de mon pantalon mais je ne trouve pas ma pièce pendant que l'avion du capitaine Skodel s'éloigne dans le ciel rose. Il devient de plus en plus petit.

Peut-être que quand le capitaine Skodel disparaîtra, ma pièce aussi disparaîtra, Peut-être que quand le capitaine Skodel disparaîtra à l'horizon ma pièce aussi disparaîtra et avec elle tout ce qui appartenait au capitaine Skodel, Peut-être que quand les gens disparaissent à l'horizon tout ce qu'ils ont touché disparaît avec eux, y compris les pièces qu'ils ont laissées derrière eux, Aussi je ferais mieux de me dépêcher à chercher la pièce avant qu'elle disparaisse à l'horizon en même temps que le capitaine Skodel, Je ferais mieux de l'avoir entre les doigts au moment où le capitaine Skodel disparaîtra à l'horizon. Comme ça la pièce ne disparaîtra pas.

Mais l'avion est de plus en plus petit et je ne la trouve pas, L'avion du capitaine Skodel est de plus en plus petit à l'horizon et je n'ai toujours pas trouvé ma pièce, C'est un petit insecte noir maintenant à l'horizon qui va bientôt disparaître et moi je n'ai toujours pas trouvé ma pièce dans la poche de mon pantalon, C'est un bourdonnement de petit insecte noir à l'horizon et je l'entends disparaître pendant que je remue les doigts dans la poche de mon pantalon sans réussir à trouver ma pièce, Je l'entends disparaître inexorablement à l'horizon, sans réussir à trouver ma pièce. Voilà il disparaît.

À l'instant même où il disparaît, je le jure, je sens la pièce disparaître, À l'instant même où l'avion du capitaine Skodel disparaît à l'horizon, je sens la pièce disparaître, je le jure, À l'instant même où l'avion du capitaine Skodel disparaît à l'horizon un silence infini tombe sur nous, et dans ce silence, je le jure, je sens la pièce disparaître, Je la sens disparaître avalée par ce silence glacé qui est tombé sur nous en même temps qu'une solitude tout à coup, un silence glacé et une solitude tout à coup où je sens ma pièce disparaître. Elle disparaît comme une bulle de savon.

Alors j'ai envie de pleurer, tout à coup, et mon frère s'en aperçoit, J'ai envie de pleurer parce que j'ai senti la pièce disparaître et mon frère s'en aperçoit et il me serre plus fort la main et me dit de ne pas pleurer, Mais moi j'ai grande envie de pleurer, tout à coup, et même si mon frère me serre plus fort la main et me dit de ne pas pleurer je commence à pleurer parce que j'ai senti la pièce disparaître comme une bulle de savon, Parce que j'ai senti la pièce disparaître et arriver ce silence et cette solitude. Alors je pleure.

Mais mon frère me dit de ne pas pleurer et me demande si je veux savoir un secret, Mon frère sourit et me dit si j'ai envie de savoir un secret au milieu de ce silence et de cette solitude, Et moi je fais oui avec la tête, parce que j'ai bien envie de savoir un secret au milieu de ce silence et de cette solitude, alors mon frère me dit un secret au milieu de ce silence et de cette solitude, Il me dit un secret pour disperser ce silence et cette solitude, il me le dit tout bas, en se penchant un peu sur moi. Tu la vois cette piste, il me demande.

Elle est à nous, il dit.

Cette piste est à nous, il dit, parce que je l'ai achetée, Cette piste de Sinnington, Angleterre, maintenant elle est à nous parce que je l'ai achetée pour 70 000 livres sterling, il dit, Cette piste de Sinnington, Angleterre, maintenant elle est à nous, il dit, parce que je l'ai achetée pour 70 000 livres sterling en même temps que toute la terre que tu vois autour, J'ai acheté pour 70 000 livres sterling cette piste de Sinnington, Angleterre, et toute la terre que tu vois autour, il dit, parce que ce n'est pas une piste d'aviation, ça, et ce n'est pas de la terre ce que tu vois tout autour, jusqu'aux arbres, là-bas. C'est mon circuit, il dit.

Et il n'y aura plus d'avions mais seulement des automobiles, il dit, Les avions ne décolleront plus de cette piste mais des automobiles fileront sur cette ligne droite, Les avions ne décolleront plus sur cette piste mais des automobiles fileront en dévorant cette ligne droite, Les avions ne décolleront plus parce que les automobiles fileront en dévorant cette ligne droite et puis en tournant dix-huit fois au milieu de la campagne, d'abord en dévorant cette ligne droite et puis en filant sur dix-huit courbes au milieu de la campagne jusqu'à revenir sur cette ligne droite. Mon circuit, il dit.

Tu les vois, il me demande, Tu les vois les automobiles qui filent au milieu de la campagne, il me demande, Tu les vois les automobiles qui filent en souplesse au milieu de la campagne et qui s'éloignent pour ensuite revenir, il me demande, Tu les vois qui foncent sur cette ligne droite et puis qui virent au milieu de la campagne pour aller prendre en souplesse dix-huit courbes jusqu'à revenir ici, il me demande, Tu les vois flamboyantes les automobiles foncer dans la poussière de cette ligne droite pour virer ensuite à gauche dans la campagne où elles dessinent à toute vitesse dix-huit courbes qui petit à petit les feront revenir exactement ici, il me demande. Alors je regarde.

Et je vois le vert émeraude de l'herbe, la courbe douce d'une colline à peine esquissée, une vague rangée d'arbres fruitiers, le lit sec d'un petit cours d'eau, un tas de bois à couper, la clarté sombre d'un sentier, les dépressions inégales du terrain, un maquis de fleurs, le profil acéré d'un roncier, une palissade au loin, la terre remuée d'un champ abandonné, une pyramide branlante de bidons d'essence, des buissons qui ont poussé suivant un ordre mystérieux, une carcasse d'avion au soleil, quelques roseaux au bord du marais, le ventre d'un réservoir ouvert, l'ombre des arbres sur le sol, la souple descente en piqué des petits oiseaux sur l'herbe, la toile d'araignée des branches au milieu des feuilles, le reflet tremblant des flaques d'eau, beaucoup de nids légers, un calot militaire dans l'herbe, le jaune d'épis solitaires, une empreinte de pas toute sèche dans la boue du sentier, le pendule des tiges trop longues dans le vent, le vol de l'insecte incertain, la racine soulevée au pied du chêne, les tanières cachées de bestioles frénétiques, le bord dentelé de feuilles sombres, la mousse sur les pierres, le papillon sur un pétale bleu, les petites pattes recroquevillées du bourdon en vol, les pierres bleuâtres dans le lit à sec du ruisseau, la maladie qui brûle les fougères, le reflet vert sur le dos du poisson dans l'étang, la larme de sève sur l'écorce de l'arbre, la rouille d'une faucille oubliée, la toile d'araignée et l'araignée, la bave de l'escargot et la fumée de la terre. Puis je vois les automobiles, flamboyantes.

Elles sont comme des fantômes et elles tournent sans faire de bruit, Elles sont comme des fantômes qui tournent très lentement sans faire le moindre bruit, Elles sont comme des fantômes colorés qui tournent très lentement en effleurant la terre sans faire le moindre bruit sinon une sorte de respiration, Comme des fantômes colorés qui respirent sans faire le moindre bruit et tournent très lentement en effleurant la terre, Des fantômes colorés qui tournent très lentement, effleurant la terre, sans faire le moindre bruit sinon une sorte de respiration régulière, Elles tournent en silence très lentement en respirant la terre, sans faire le moindre bruit sinon une sorte de respiration. Des fantômes colorés.

Quand sans rien dire mon frère lâche ma main, Je suis en train de regarder les automobiles flamboyantes quand mon frère sans rien dire lâche ma main, Il ne lâche jamais ma main mon frère mais pendant que je suis en train de regarder les automobiles flamboyantes lui sans rien dire il lâche ma main et il s'éloigne, Il ne lâche jamais ma main mon frère parce qu'il me tient toujours par la main mais pendant que je suis en train de regarder les automobiles flamboyantes lui sans rien dire et sans même m'avertir avant il lâche ma main. Et il s'éloigne.

Mon frère fait quelques pas et j'ai peur, Je vois mon frère faire quelques pas et je voudrais le suivre mais je ne réussis pas à bouger parce que j'ai peur, Je vois mon frère qui après avoir lâché ma main fait quelques pas sur la piste et je voudrais le suivre mais je ne réussis pas à bouger alors je reste immobile avec la main en l'air et cloué par la peur, Alors je reste immobile avec la main en l'air et cloué par la peur pendant que mon frère fait quelques pas sur la piste et puis s'arrête et se penche, Il fait quelques pas sur la piste et puis s'arrête et se penche en tendant la main. Il ramasse une poignée de terre, sur la piste.

Combien de temps il va mettre, Je me demande combien de temps il va mettre, Je me demande combien de temps il va mettre mon frère et lui en attendant il est toujours là-bas, Je me demande combien de temps il va mettre mon frère mais lui en attendant il est toujours là-bas qui se relève et regarde la terre qu'il a prise dans la main, Il regarde la terre poussiéreuse qu'il a dans la main puis il regarde les automobiles flamboyantes, Il regarde la terre poussiéreuse qu'il a dans la main puis il lève les yeux sur les automobiles flamboyantes et il sourit, Il regarde la terre poussiéreuse puis les automobiles flamboyantes puis de nouveau la terre poussiéreuse. Puis il met la terre dans sa poche, et il sourit.

Il met la main dans sa poche, il l'ouvre, et ensuite la ressort, vide, Mon frère met la main dans sa poche, il l'ouvre, et ensuite la ressort, vide, Alors finalement mon frère met la main dans sa poche, il l'ouvre, la ressort vide et revient vers moi, Après avoir mis la terre poussiéreuse dans sa poche il se retourne et revient vers moi sans cesser de sourire, Il se retourne et revient vers moi sans cesser de sourire dans cette cathédrale de lumière terne et de solitude, Sans cesser de sourire dans cette cathédrale de lumière terne et de solitude où je l'attends. Maintenant il va me prendre par la main.

Mais lui au lieu de ça il fait cette drôle de chose, Mais lui au lieu de me prendre par la main il fait cette drôle de chose, Au lieu de me prendre par la main il fait une drôle de chose que je n'arrive pas à comprendre, Au lieu de me prendre par la main il prend un peu de cette terre qu'il a dans la poche sans que je puisse comprendre, Il prend un peu de cette terre qu'il a dans la poche et sans cesser de sourire il me regarde dans les yeux, Il prend un peu de cette terre sans cesser de sourire et en me regardant dans les yeux il me la glisse dans la poche, En me regardant dans les yeux il me glisse un peu de cette terre dans la poche de la veste. Elle est à toi, il dit.

Mon frère me dit qu'elle est à moi et moi je cesse d'avoir peur, Je n'arrive pas à comprendre pourquoi mais quand mon frère me dit que cette terre est à moi je cesse d'avoir peur, Il a pris un peu de cette terre il me l'a glissée dans la poche en me disant qu'elle est à moi et alors j'ai cessé d'avoir peur, Même si en réalité mon frère ne m'a pas pris par la main moi j'ai cessé d'avoir peur quand il a pris un peu de cette terre et d'un geste gentil me l'a glissée dans la poche de ma veste en me disant sans cesser de sourire qu'elle était à moi. Cette terre-là.

Il n'y a que nous ici, Il n'y a que nous ici mon frère et moi, Il n'y a que nous ici mon frère, moi et cette terre qui est à nous, Il n'y a que nous ici mon frère, moi, cette terre qui est à nous et les automobiles flamboyantes, Il n'y a que nous ici comme des fantômes colorés qui tournent très lentement en effleurant la terre sans faire le moindre bruit sinon une sorte de respiration sous les voûtes de cette cathédrale de lumière et de solitude. C'est parfait.

Tout doucement alors je glisse la main dans ma poche, Tout doucement alors je glisse la main dans ma poche et je plonge les doigts dans la terre poussiéreuse, Tout doucement je glisse la main dans la poche de ma veste et sans peur je plonge les doigts dans la terre poussiéreuse pour la toucher, Sans peur je plonge les doigts dans notre terre encore tiède de soleil pour le plaisir de la toucher, Je les remue sans peur dans notre terre encore tiède de soleil et je ne cesse pas de la toucher jusqu'à ce que dans notre terre encore tiède de soleil mes doigts touchent quelque chose de métallique. Ma pièce.

Ma pièce, ma petite pièce, Où avais-tu disparu ma petite pièce, Je t'ai tellement cherchée mais tu avais disparu ma petite pièce, Dans toutes mes poches je t'ai cherchée mais tu avais disparu ma petite pièce, Où avais-tu disparu pendant que je te cherchais dans toutes mes poches ma petite pièce, Alors tu n'as pas disparu à l'horizon pendant que moi je continuais à te chercher dans toutes mes poches ma petite pièce, Je pensais que tu avais disparu à l'horizon mais pendant que moi je te cherchais dans toutes mes poches tu étais là à m'attendre ma petite pièce, J'étais sûr que tu avais disparu à l'horizon mais pendant que je te cherchais tu étais là qui attendais d'être trouvée. Ma petite pièce.

Je ferme la main, dans ma poche, avec une force et une assurance que je ne reconnais pas. Je la garde un peu immobile, en serrant sous mes doigts et dans ma paume la terre et la pièce. Puis lentement mais sans trembler je sors la main de ma poche et je la tourne avec précaution jusqu'à ce que le dos soit vers le bas. J'ouvre la main, doucement. Les doigts l'un après l'autre, dans l'ordre. Je ne tremble pas, je n'ai pas peur. J'ouvre la main, doucement. Je regarde. Notre terre et ma pièce. Ma pièce, toute sale de terre. Dans ma main.

Allons-y, petit frère. On a plein de travail qui nous attend, il dit.

1950. MILLE MILLES

C'était une auberge sur la nationale, au début du village. On pouvait manger et dormir. Il y avait aussi un atelier de mécanique et une station d'essence. Tout appartenait au même propriétaire. Au début la pompe à essence était un engin rudimentaire qui fuyait de partout. Mais après la guerre ils avaient tout refait, moderne et brillant. Elles étaient deux les pompes, rouges. Il y avait le nom de l'essence, et les chiffres qui s'actionnaient automatiquement. Ils avaient tout éclairé et maintenant c'était l'endroit le plus étincelant du village. L'auberge aussi ils l'avaient refaite. Ils avaient mis des tables avec des plastiques dessus. Et il y avait des sièges rembourrés. C'était un bel endroit.

Avant guerre, la Grande Course passait par là chaque année. Certains concurrents s'arrêtaient pour manger quelque chose, et beaucoup s'y ravitaillaient ou y faisaient de petites réparations. Il y avait toujours un tas de gens pour guetter les voitures et les pilotes. Beaucoup étaient devenus amis avec eux. Après la guerre, pourtant, on décida que la Grande Course éviterait les villages, quand ce serait possible, pour raison de sécurité. Aussi le tracé était-il maintenant dévié sur une route secondaire, un kilomètre avant l'auberge, et contournait l'agglomération. À l'auberge ils l'avaient mal pris. Mais la Grande Course ils l'avaient désormais dans le sang et les choses n'avaient donc pas tellement changé. Pendant ces journées-là rien ne fermait jamais, et si tu voulais savoir comment se passait la course, là ils savaient tout. Il y avait même des pilotes qui rallongeaient d'un kilomètre pour venir dire bonjour. Ou pour s'en jeter un.

La Grande Course était une affaire éreintante que les plus rapides expédiaient en douze, treize heures. Mais n'importe qui pouvait se présenter au départ. Certains finissaient par y mettre jusqu'à deux jours. C'étaient mille six cents kilomètres, sans étapes. Un ou deux contrôles et allez. Des centaines de voitures, l'une derrière l'autre, à travers les routes d'Italie. Les gens adoraient. Tout s'arrêtait, là où la Grande Course passait, et les automobiles s'emparaient des yeux et du cœur de chacun. Souvent quelqu'un y laissait sa peau. Un pilote, parfois, mais le plus souvent c'étaient des gens accourus sur le bord de la route, pour voir. Des gens normaux. Mais rien n'était normal, pendant ces heures-là.

Vieillards et enfants, et tous les adultes : ils devenaient bizarres.

Cette année-là la Grande Course passa par le village le 21 mai. Elle dura deux jours. Mais ces choses-là eurent lieu la nuit. Cela commença le soir, alors que le soleil venait de se coucher, et se termina alors qu'il faisait encore nuit. De l'auberge on pouvait voir au loin les sillages de lumière des autos de la course qui tournaient vers la campagne. Dans le noir, c'était comme des phares minuscules qui veillaient au bord de l'océan sur les vagues de blé.

La fille sortit de l'auberge presque en courant, et en claquant la porte. Elle devait avoir dans les quinze ans. Seize ans. Elle portait des chaussures à talons et une jupe étroite aux hanches. Elle avait bouclé avec soin ses longs cheveux noirs et avait au cou un rang de petites perles. Elle avait une belle poitrine, jeune, qu'elle gardait cachée sous un petit pull serré et décolleté. Elle avait les ongles vernis de rouge.

Elle fit quelques pas rageurs puis s'arrêta à côté des pompes, en pleine lumière. Elle regardait l'obscurité devant elle. Elle avait les yeux humides et le visage sérieux.

La porte de l'auberge s'ouvrit de nouveau, brusquement, et une femme se pencha un peu vers l'extérieur, sans vraiment sortir. Elle criait.

— Et ne te permets pas de traiter ton père de cette façon, tu entends?

La fille ne dit rien. Ne se retourna même pas.

— Regarde-toi, tu as l'air d'une traînée.

La fille haussa les épaules.

— Tu fais ton malheur toi-même, sais-tu? de cette façon tu fais ton malheur toi-même!

La femme aussi avait les yeux humides.

— Et regarde-moi quand je te parle!

La fille ne se retourna pas. Ne dit rien.

La femme resta un moment dans le silence, hochant la tête. Elle fit un pas à l'extérieur et laissa la porte se refermer. Elle rajusta une mèche qui était tombée sur son front. C'était une jolie femme d'une quarantaine d'années. Elle avait un tablier de cuisine noué sur les hanches. Elle dit en élevant la voix :

— Peu importe ce que tu as dans la tête, mais tes parents tu dois les respecter, tu entends? tant que tu seras ici, la règle c'est que tes parents tu les respectes et si tu veux sortir tu dois demander avant, et dire où tu vas! Tu m'écoutes?

La fille ne bougea pas. La femme hocha la tête, et s'essuya

les mains à son tablier. Mais comme ça, sans motif. Elle regarda vers la Grande Course, là où tournaient les phares des autos. On entendait le bruit des moteurs, par vagues, et dans les pauses le silence de la campagne envahi par les grillons. Elle finit par faire quelques pas vers la fille et s'arrêta quand elle arriva derrière elle. Elle recommença à parler, mais sans crier :

— Tu ne dois pas le traiter comme ça, ton père.

— Je le déteste, mon père, dit la fille.

— Ne dis pas de sottises.

— Il ne comprend rien, dit la fille en se retournant.

La femme la regarda bien, avec un air de ne pas arriver à comprendre, elle non plus.

Puis elle dit :

— Comment elles vont, les chaussures ?

— Un peu larges.

— Moi je n'arrive même pas à marcher, avec ces chaussures-là.

— Elles sont juste un peu larges, dit la fille en reniflant.

— Tu as vraiment l'air d'une traînée, dit la femme, cette fois sans méchanceté.

La fille se tourna à nouveau de l'autre côté.

La femme lui demanda où elle voulait aller, habillée comme ça.

La fille fit un geste vague vers la Grande Course.

— Ne rentre pas tard. Et ne va pas t'attirer des ennuis.

Elle cherchait encore quelque chose à dire.

— Et ne me file pas mes bas. C'est ma seule paire.

La fille instinctivement baissa les yeux sur ses jambes. C'étaient de jolies jambes, pas tellement longues mais fines.

— Je ne les abîmerai pas.

— Bon.

Puis la femme se tourna et repartit vers l'auberge. Elle ouvrit la porte et jeta un dernier regard vers sa fille. Elle avait vraiment l'air d'une traînée. Mais elle était jolie. Son cœur se serra. Elle ne savait pas vraiment pourquoi. Elle rentra dans l'auberge d'un pas rapide. À l'intérieur il y avait beaucoup de monde. Et tous parlaient de la Grande Course. Il y avait ceux qui mangeaient et ceux qui ne faisaient que boire. La radio était allumée et transmettait de la musique légère et des nouvelles de la Course. Il y avait aussi quelques femmes, mais peu. Beaucoup fumaient. Tous parlaient fort. C'était comme une fête. La femme traversa rapidement la salle, l'air joyeux, comme si rien ne s'était passé. Avant d'entrer dans la cuisine elle croisa le regard de son mari. Mais rien qu'un instant, comme ça, sans que cela veuille rien dire. Quelqu'un lui lança une plaisanterie, peut-être sur sa fille. Elle répondit par un éclat de rire.

Dehors, sous la lumière de la station d'essence, la fille prit une des cigarettes qu'elle avait cachées sous son pull et l'alluma. Elle regarda derrière, vers l'auberge, un peu pour vérifier, un peu par défi. Elle se mit à fumer. Elle ne savait pas bien quoi faire. Quelquefois il arrivait que des pilotes s'arrêtent, pour prendre de l'essence ou chercher un mécanicien. Ils savaient qu'ici il y en avait un. Mais cela n'arrivait pas souvent. Tu risquais d'attendre des heures et de ne voir personne. Elle resta un peu là, à se dandiner d'une jambe sur l'autre et à fumer. Puis de l'obscurité surgit la faible lumière d'une bicyclette. Elle venait du village. Il y avait un homme jeune en selle. Il était du coin. Sur la barre il transportait un enfant blond, un enfant de quatre ou cinq ans. Quand il arriva devant la fille, l'homme serra les freins et s'arrêta.

— Salut.

— Salut.

— C'est plein, chez vous ?

— Oui.

— Tu vas pas à la Course ?

— Je vais y aller.

L'homme la regarda bien. Elle se laissa regarder.

— As-tu vu la jolie dame ? dit l'homme à l'enfant. Regarde bien ces lolos, parce qu'on n'en voit pas tous les jours, des lolos comme ça, ajouta-t-il, et il se mit à rire.

Parce que les gens, quand c'était la Grande Course, disaient et pensaient des choses qu'ils gardaient pour eux les autres jours.

La fille répondit par un geste qu'elle avait appris au cinéma.

L'enfant sourit.

L'homme pensa que c'était bien dommage de ne pas être sorti tout seul, ce soir-là. Il était sûr que ça aurait marché.

— Il est déjà passé Fangio ? demanda-t-il.

— Non, je ne crois pas.

— Je lui ai promis de lui montrer Fangio, dit l'homme en désignant l'enfant.

La fille fit une caresse à l'enfant.

— Fangio, c'est le plus grand, lui dit-elle, en souriant.

Puis elle leva la tête et arrêta ses yeux dans ceux de l'homme. Elle n'avait pas d'intention particulière, c'était juste pour s'amuser.

— Je vous fais le plein ? demanda-t-elle, en montrant la pompe à essence.

L'homme se sentit embarrassé. Il se mit à rire.

— Non, dit-il, parce que rien d'autre ne lui venait à l'esprit.

La fille continuait à le fixer dans les yeux, avec un sourire bizarre.

266

L'homme pédala un demi-tour à vide. Il ne savait pas trop quoi faire. Il fit une caresse sur la tête de l'enfant.

— Alors à plus tard, dit-il.

La fille ne cessait pas de le fixer.

— Faites attention, dit-elle.

— Oui, à plus tard à la Course.

— Peut-être.

L'homme sourit. Puis il appuya sur les pédales et partit. Il ne se retourna pas.

La fille resta à fumer sa cigarette. Elle était contente de l'avoir regardé comme ça. Cela lui avait peut-être donné aussi un peu de courage. Alors elle décida d'aller vers la Grande Course. Il y avait un peu de chemin à faire, et avec les talons ce ne serait pas très facile. Mais si un pilote arrivait, il la verrait. J'ai encore deux cigarettes, pensa-t-elle.

Dans l'auberge tout alla normalement jusqu'à ce qu'un homme arrive, en moto, pour dire qu'il y avait eu un accident, dans la courbe du Tordo, et qu'il y avait peut-être des morts. Alors les visages se firent sérieux et tout le monde se rua au-dehors. On voyait qu'ils étaient électrisés. Ils voulaient tous courir voir l'accident. Qui en vélo, qui à pied. Quelques-uns avaient une automobile. Ils partiraient en faisant crisser les pneus, comme la police dans les films. « Tous les ans c'est pareil », disaient-ils, en hochant la tête. Mais on voyait qu'ils aimaient ça.

La femme entendit la nouvelle pendant qu'elle était dans la cuisine, aux fourneaux. Elle se montra dans la salle et vit ceux qui se levaient de table et enfilaient leur veste pour partir. Et ceux qui vidaient leur verre en vitesse. Elle dit quelque chose à son mari, qui lui répondit de ne pas s'inquiéter. Elle alla au comptoir ramasser les verres vides, et saluait en même temps ceux qui sortaient. Puis elle retourna dans la cuisine éteindre les fourneaux. Pendant un certain temps ça ne servirait à rien de garder les choses au chaud. Peut-être qu'ils reviendraient affamés dans deux ou trois heures, mais pour l'instant ça ne servait à rien. Elle repensa à sa fille, et se demanda s'ils se rencontreraient, son père et elle, au milieu de la foule de l'accident. Peut-être feraient-ils la paix. La Grande Course faisait et défaisait, ç'avait toujours été comme ça. Dans la salle les voix s'amenuisaient en désordre jusqu'à s'éteindre, entre le bruit des chaises tirées et des portes qui battaient. Bientôt il n'y eut plus que le silence, et la radio qui annonçait l'accident.

Ils n'avaient pas l'air d'en savoir grand-chose, à la radio, mais la femme revint quand même dans la salle pour mieux entendre. Quand elle fut au comptoir elle s'aperçut qu'un homme était resté assis à une table, dans un coin. Il avait une assiette vide, devant lui, et il attendait tranquillement. Il avait ôté sa veste et l'avait posée sur le dossier de sa chaise. Sur la table il y avait une bouteille de vin presque vide.

— Excusez-moi, je ne vous avais pas vu, dit la femme.

— Ne vous inquiétez pas.

— Vous attendiez quelque chose, non?

— De la viande, je crois.

— Oui, la viande.

— Mais ne vous inquiétez pas.

La femme secoua la tête, comme pour chasser son embarras.

— Je n'ai vraiment pas toute ma tête, ce soir, dit-elle. Je croyais que tout le monde était parti.

Elle revint dans la cuisine, pour rallumer la cuisinière. Je ne sais pas où j'ai la tête ce soir, se dit-elle. Peut-être que j'ai trop bu. Je ne devrais pas boire quand on a tout ce travail.

Mais ensuite elle se dit que c'était la nuit de la Grande Course, et elle se versa un autre verre et dit tout bas Mais qu'ils aillent au diable. Et elle se mit à rire, toute seule.

Elle arriva à la table avec une assiette de viande qui fumait.

— Vous n'allez pas voir l'accident? demanda-t-elle.

— Non.

— Ici, les accidents, ils adorent.

— J'ai vu ça, dit l'homme, en souriant.

La femme prit l'assiette de soupe vide mais resta là, debout, à côté de la table.

— Vous étiez là aussi hier soir, non? demanda-t-elle.

— Oui.

— Vous êtes un passionné de la Course?

— Non, pas vraiment, je suis ici parce que j'attends un ami. Il devait arriver hier, mais il a peut-être eu des problèmes sur la route. On s'était mis d'accord, je devais l'attendre.

— Je vous apporte encore du vin, vous voulez?

— Oui, avec plaisir.

— Et du pain, j'ai oublié le pain aussi.

La radio transmettait à présent de la musique. Ils attendaient sans doute d'en savoir plus sur l'accident. Il semblait qu'il y eût des blessés, mais aucun mort. La femme retourna dans la cuisine, et pensa que c'était tellement bizarre ce silence, et cette solitude, précisément cette nuit-là. C'était un peu comme un charme. Ça la mettait de bonne humeur. Mais c'était peut-être seulement le vin.

Quand elle fut de retour à la table, avec le pain et le vin, elle eut l'idée de demander à l'homme si elle pouvait s'asseoir là.

— Bien sûr, dit l'homme. Prenez un verre pour vous aussi.

— Oui, c'est une bonne idée —, dit la femme, et elle alla au comptoir prendre un verre propre. Avant de revenir à la table, elle alla baisser un peu le volume de la radio. Maintenant qu'ils étaient tous partis, il n'y avait plus besoin de toute cette musique.

— Il paraît que personne n'est mort, dit-elle, en s'asseyant.

— C'est ce qu'ils ont dit.

— Espérons.

— Oui.

— Vous savez combien j'en ai vu, des morts de la Grande Course ? Quatre. En toutes ces années : quatre. Un pilote, un Allemand avec un nom imprononçable, il y a longtemps. Et trois personnes, l'an dernier, qui étaient allées pour voir. Il y avait même une femme. La pauvre.

— Il y a souvent des gens qui y restent.

— L'automobile a quitté la chaussée, et ils sont morts sur le coup. Ils les ont amenés ici, vous savez ?

— Vraiment ?

— On les a couchés sur les tables, avec les nappes pardessus —, dit la femme. Puis elle pensa : bon Dieu qu'est-ce que je raconte ?

L'homme comprit et se mit à rire un peu.

— Excusez-moi, je suis vraiment idiote —, dit la femme en hochant la tête. Et elle se mit à rire elle aussi.

— Vraiment excusez-moi, je n'en rate pas une ce soir. Mais de toute façon ce n'était pas sur *cette* table, je vous le jure.

L'homme lui versa du vin et, pendant quelque temps encore, ils continuèrent à rire, tout doucement.

270

Puis la femme dit que la Grande Course c'était quand même quelque chose de magnifique.

— À part les morts, je veux dire.

Elle dit qu'elle, elle n'en avait pas perdu une seule. Elle les avait toutes vues passer. À part les années de la guerre, évidemment, puisqu'ils ne l'avaient pas faite ces années-là. Elle dit qu'elle se souvenait même de la première fois, en 1927. La première fois elle avait quinze ans.

— Ç'a été extraordinaire. On n'avait jamais rien vu de pareil, les gens, les automobiles... On vivait dans un désert, avant, et puis d'un jour à l'autre, voilà tout ce monde qui débarque devant notre porte. Ça commençait plusieurs jours avant, vous savez? Ils venaient pour essayer le tracé. Ils essayaient les virages, ils allaient repérer les points de ravitaillement et les ateliers de mécanique. Ils arrivaient, beaux, détendus, ils s'arrêtaient pour manger ou même dormir. Sur les voitures ils avaient une flèche rouge avec marqué dessus « concurrent aux essais ». Pour moi, c'étaient tous des héros, tous, sans exception. Même les gros ou les vieux, des chevaliers.

L'homme l'écoutait, en mangeant sa viande.

— Je me lavais les cheveux tous les matins. Et pendant ces jours-là je ne comprenais plus rien à rien. Quinze ans, vous pensez. Je crois que je suis tombée amoureuse d'une dizaine de pilotes, rien que cette première année. Je les aimais tous.

Elle rit.

L'homme dit que peut-être les pilotes aussi étaient amoureux d'elle.

— Qui sait. C'est sûr qu'ils avaient le compliment facile. Ils savaient y faire. Et quand ils repartaient ils vous embrassaient, et certains même tout près de la bouche, je sens

271

encore la pointe des moustaches, ici, c'était quelque chose, on attendait ça pendant des heures. On en avait de ces battements de cœur...

En souriant, la femme déplaça la corbeille à pain et se mit à aligner les miettes, sur la nappe. Elle dit qu'après, quand la vraie course commençait, on ne dormait plus pendant deux jours, c'était une fête continue.

— Vous savez, autrefois elle passait vraiment là devant, ç'aurait été impossible de dormir, même si on avait voulu. Toutes les minutes il y avait un vrombissement, et puis les phares, et les gens qui hurlaient. On passait notre temps à servir à manger et à boire, et puis il y avait l'essence ou les réparations à l'atelier. On ne sentait même plus la fatigue. Et la nuit... quelle merveille, cette longue nuit de la Course, on était tous un peu fous, on se sauvait pour aller au virage de la rivière, on courait dans le noir avec les autres, c'était comme si tout était permis, tous les recoins étaient bons pour se cacher et faire ce qu'on voulait, et rien ne pouvait nous faire peur. C'était comme un rêve.

Elle fit une pause, comme pour écouter l'écho de ce qu'elle venait de dire. Puis elle dit que le lendemain, une fois la course terminée, tout était recouvert de poussière, même dans les maisons, sur les bouteilles et jusque dans les tiroirs. La poussière de la route.

L'homme passa son pain dans le jus de la viande. Il laissa l'assiette propre comme au sortir de l'évier.

— Ça vous a plu, hein?

— Oui, félicitations.

— Spécialité de la maison.

— Très bon, vraiment. Je vous verse encore un peu de vin?

272

— Mais oui, allez, dit la femme, en prenant l'assiette et en se levant. Je vous apporte les fruits, dit-elle.

Et en allant vers la cuisine elle commença à dire que maintenant ils voulaient faire les courses sur des circuits, ces pistes idiotes construites exprès pour les voitures de course. Elle continua à parler pendant qu'elle était dans la cuisine, et quand elle ressortit avec les fruits elle demanda à l'homme si à son avis ce n'était pas malheureux.

— Quoi donc?

— Cette histoire des circuits et des courses automobiles.

L'homme eut un drôle de sourire.

— Il n'y a plus de poésie, d'héroïsme, rien, dit la femme. Ils font des centaines de fois le même tour, abrutis comme des bêtes.

L'homme dit qu'à bien y réfléchir ça n'était pas si stupide.

— Vous plaisantez? dit la femme, en revenant s'asseoir en face de lui. À prendre toujours les mêmes courbes? Elle est où la difficulté? Et puis sans le monde autour, et les gens, les vrais, ceux qui sortent sur le pas de la porte avec le torchon à la main ou le bébé dans les bras... C'est artificiel ces circuits, tout est faux, voilà, rien n'est vrai.

— En quel sens?

— Comment ça en quel sens? c'est pas des vraies routes, ça n'existe que dans la tête de ceux qui les ont faites, les vraies routes c'est celles-là, vous ne croyez pas? — Et elle indiqua de la tête les phares qui veillaient sur l'océan de la campagne.

— Oui, peut-être bien, dit l'homme.

— Et ce n'est pas malheureux?

L'homme resta un peu à y penser. Puis il dit que oui, en effet c'était malheureux. Il dit que les circuits c'était vraiment malheureux.

273

— Vous pouvez le dire —, dit la femme. Puis ils se mirent à rire tous les deux.

La radio continuait à transmettre de la musique. Peut-être y avait-il eu des informations sur l'accident, mais ils ne s'en étaient pas aperçus.

La femme pensa qu'elle parlait peut-être trop. Elle pensa aussi que c'était bizarre que cet homme soit là par hasard, pour retrouver un ami, juste la nuit de la Grande Course. Alors elle lui dit qu'elle n'y croyait pas, qu'il devait bien y avoir une raison pour qu'il ait choisi précisément cet endroit-là.

— Oui, à dire vrai, il y en a une.

— Et c'est quoi?

— Mais c'est une histoire qui n'a rien à voir avec la Course. Pas avec celle-ci, en tout cas.

La femme se pencha un peu vers lui et posa sa main sur son bras, en serrant.

— Alors là, il faut me raconter.

— Mais ce n'est pas une belle histoire.

— N'importe, racontez-moi.

Elle commençait à s'amuser. Elle resta comme ça, sa main posée.

L'homme se mit à parler un peu timidement, mais tranquillement. Il dit que bien des années avant son père avait eu un accident d'automobile exactement ici, dans la ligne droite avant le village, là où il y avait toute cette rangée de platanes.

— Vous voyez toute cette rangée de platanes?

— Bien sûr.

— Mon père était mécanicien et il courait avec un pilote, un comte passionné d'automobiles. Ils ne s'en tiraient pas mal. Un jour ils sont venus faire une course dans le coin, et arrivés dans cette ligne droite le comte, brusquement, a donné un grand coup de volant vers les arbres. Il a fait ça tout en accélérant et en se mettant à crier son nom.

— Vous voulez dire qu'il l'a fait exprès ?

— Oui.

— Qu'est-ce qu'il voulait faire ?

— Se suicider, j'imagine.

— Vous plaisantez ?

— Non, non, rien de plus vrai. Mon père avait compris, et il s'est jeté sur le volant pour essayer de dévier leur trajectoire. Mais le comte n'a pas lâché.

— Et puis ?

— Le comte est mort dans l'accident. Mon père a été éjecté et s'en est sorti. Il a perdu la jambe et s'est brisé les os un peu partout. Mais il est rentré à la maison.

— C'est triste.

— L'eau est passée sous les ponts.

— Quelle histoire... Se suicider en voiture...

— Mon père disait que ça n'était pas si bizarre. Il disait que tous ceux qui vont vite en voiture c'est plus ou moins ça qu'ils cherchent.

— Ça quoi ?

— Mourir.

— Mon Dieu, non, ce n'est pas vrai du tout.

— Je ne sais pas.

— Je vous le dis moi, ce n'est pas vrai. Et je vous assure que j'en ai connu, des pilotes. Ce n'étaient vraiment pas des gens qui avaient envie de mourir. Certains, peut-être, les plus fous, mais croyez-moi ils...

— Peut-être que ceux qui couraient du temps de mon père étaient tous fous. Vous auriez dû voir dans quelles voitures ils roulaient...

— Des vraies guimbardes, non?

— Incroyables.

— Oui, j'ai vu les photos.

— Et ils faisaient du 140, 150 à l'heure...

— Des fous.

— Oui.

— Et vous êtes revenu ici à cause de cet accident?

L'homme hésita un instant, puis il dit qu'il avait eu envie d'aller voir ces platanes. Il dit qu'il n'était jamais venu les voir, avant.

— Et maintenant vous les avez vus?

— De loin. Je n'ai pas eu envie d'aller trop près. Je les ai vus de loin.

— Nous voilà encore à parler des morts, vous avez remarqué?

— Bon Dieu.

Ça lui plut, à la femme, qu'il dise Bon Dieu. Il n'avait pas un air à dire ce genre de chose. Et en fait, si. Elle serra sa main sur son bras puis la retira.

— J'espère qu'il n'est pas mort lui aussi, votre ami, celui qui devait arriver hier.

— J'espère bien que non, flûte alors!

— Vous êtes sûr qu'il va venir?

— Oui. Je crois. Il y a un bout de temps que je ne l'ai pas vu. Mais il m'a écrit qu'il venait. On a fait la guerre ensemble, lui et moi.

— Vraiment?

— Pas *cette guerre*, l'autre, sur le Carse.

La femme traça un geste dans l'air.

— Personne ne s'en souvient plus, de cette guerre-là.

— Moi si. J'étais à Caporetto.

— Avec votre ami?

L'homme hésita un instant.

— Oui, aussi avec lui.

Puis il dit que celui qui n'avait pas été là-bas, il ne pouvait pas comprendre. Il dit que s'il n'y avait pas eu Caporetto, sa vie aurait complètement été différente. Et il dit que c'était depuis ce temps-là qu'il ne l'avait pas revu, son ami.

La femme regarda l'homme et pensa qu'il n'avait pas l'air assez vieux pour avoir fait Caporetto. Elle demanda comment ils s'étaient perdus de vue, son ami et lui.

— On s'est retrouvés éloignés, répondit l'homme.

Puis il se mit à raconter, sans même qu'elle lui demande. C'était une histoire qui avait à voir avec la Première Guerre mondiale. C'était une belle histoire d'ailleurs, il y avait même un genre de trésor, mais la femme n'écoutait pas vraiment parce que pendant qu'elle gardait les yeux fixés sur cet homme elle s'était mise à penser tout à coup que c'était vraiment drôle qu'elle se retrouve là à l'écouter, seuls tous les deux, la nuit de la Grande Course. Tout était tellement calme, et fébrile en même temps. Elle se mit à rêver, et à imaginer que personne ne rentrerait, cette nuit-là, et qu'ils resteraient ensemble tous les deux jusqu'à l'aube. Pendant que l'homme racontait, elle vit une série désordonnée d'images, qui lui plaisaient toutes. Il y en avait une où elle dansait avec l'homme, en suivant la musique à la radio, exactement au centre de la salle. Et dans une autre il dormait, sa veste sur les épaules, accoudé sur la table. Peut-être qu'elle aussi elle dormait. Ou bien elle restait là à le regarder, et de temps en temps elle lui passait la main dans les cheveux. C'était bizarre. Elle ferait peut-être mieux d'arrêter de boire.

Puis la porte s'ouvrit et l'homme s'interrompit. Deux jeunes entrèrent et quand ils virent que l'auberge était vide ils restèrent là un peu perdus.

— Il n'y a personne, dirent-ils.

La femme se leva, en disant qu'ils étaient tous au virage du Tordo, parce qu'il y avait eu un accident.

— Un accident ! dirent les deux jeunes, les yeux écarquillés.

La femme leur dit que s'ils se pressaient ils les trouveraient encore tous là-bas. Elle tint la porte ouverte pendant qu'ils s'en allaient au pas de course, et elle leur cria de faire attention. Puis elle resta un peu là, à regarder autour d'elle dans la lumière de la station d'essence et plus loin dans l'obscurité qui avalait la route. Comme si elle cherchait quelque chose. Quand elle referma la porte elle n'avait plus l'air aussi heureuse qu'avant.

L'homme lui demanda si elle se faisait du souci pour sa fille.

Ça lui plut, qu'il ait pu lire dans ses pensées. Il était vraiment bizarre, cet homme.

— Pff, ma fille... Vous avez dû en profiter, tout à l'heure, de cette scène avec son père ?

— Des choses qui arrivent.

— Oui, mais devant tout le monde...

— N'y pensez plus.

— Non, tout de même, vous avez vu ça comment elle était habillée ?

— Elle était jolie.

— *Je le sais*, qu'elle était jolie, mais on ne s'habille pas comme ça, une fille qui s'habille comme ça cherche à s'attirer des ennuis.

— C'est la nuit de la Grande Course, non ?

— Oui, mais moi je ne m'habillais pas comme ça, quand j'avais son âge, croyez-moi.

— Vous n'en aviez peut-être pas besoin.

La femme le prit comme un compliment. Et ça lui plut. Alors elle alla vers la table de l'homme et elle se surprit à lui donner une petite tape sur la joue. Mais regarde un peu ce que je fais moi, pensa-t-elle.

— Vous n'avez pas d'enfants, vous? demanda-t-elle en revenant s'asseoir.

— Non.

— Vous êtes marié?

— Non.

— Comment ça se fait?

Elle ne comprenait pas bien pourquoi, mais elle avait envie de lui poser des questions, d'une voix claire, une voix de jeune fille. Plutôt belle, comme voix.

L'homme répondit qu'il n'y avait pas de raison précise. Il ne s'était pas marié, voilà tout.

— Allons donc. Il y a toujours une raison, dit la femme.

— Ah oui?

— Ben, disons que la plupart du temps on *voulait* se marier, mais quelque chose est allé de travers.

— Vraiment?

— La plupart du temps c'est comme ça. Qu'est-ce qui est allé de travers pour vous?

L'homme se mit à rire. Mais vraiment de bon cœur. Pour la première fois la femme eut l'impression qu'il était vraiment lui-même, tel quel, sans protection, sans façade. Elle eut l'impression qu'il lui avait permis d'entrer dans quelque endroit secret. Alors elle se leva, dénoua son tablier de cuisine, le posa sur la table et, en se rasseyant, se pencha un peu au-dessus de la table, vers lui, et dit :

— Elle était comment? La fille, elle était comment?

— Méchante, dit l'homme en souriant.

— Fantastique. Et puis?

— Vous ne voulez quand même pas que je vous raconte toute l'histoire...

— Bien sûr que si. Pourquoi pas ?

L'homme ne trouva rien d'intelligent à répondre, alors il commença à raconter. Il le fit de manière amusante, comme si maintenant c'était quelque chose qui ne faisait plus mal. C'était une histoire vieille de plusieurs années. La femme crut mourir de rire à la scène où, après pas mal de temps, il avait fini par dire à la fille qu'il l'aimait, puis, très sérieux, il avait enlevé son pull et son pantalon, en silence. Il était resté en slip et en chaussettes. Les chaussures il les avait déjà enlevées. La fille avait commencé à rire, elle ne pouvait plus s'arrêter. Quand elle réussissait à reprendre son souffle, elle disait des choses horribles, puis à nouveau elle éclatait de rire. L'homme le racontait en riant mais il jura ensuite que, sur le moment, il s'était vraiment senti mourir. Mourir. C'est la chose la plus affreuse qui me soit jamais arrivée, dit-il. Je pensais qu'elle était folle de moi, dit-il.

— Alors que pas du tout, hein ?

— Je ne sais pas. Ce n'est pas si simple. Elle, elle n'était pas si simple.

— Elle était peut-être seulement nerveuse.

— Oui. Elle avait peut-être des problèmes avec les hommes en slip et en chaussettes, je ne sais pas.

— Et comment ça s'est terminé ?

— Oh, ça... ça s'est terminé d'une manière bizarre.

Il le dit avec une si belle voix que la femme repensa à l'image d'eux en train de danser, au milieu de l'auberge vide. Elle y ajouta même qu'il la serrait un peu. Que tu es bête, se dit-elle. Mais, en même temps, s'il n'avait pas continué elle en serait morte.

— Si vous ne me racontez pas comment ça s'est terminé

je me suicide en me jetant à vélo contre les platanes de la ligne droite.

— Vous n'y arriveriez jamais.

— Vous ne me connaissez pas.

L'homme sourit. On voyait qu'il n'avait pas envie de raconter cette histoire, mais qu'il avait aussi un peu envie de la raconter.

— Je vous écoute, dit la femme.

Alors il lui raconta.

— Ce fut à cause de cette histoire de journal. Vous savez, elle s'était mise à écrire un journal, à un moment, mais ce n'était pas vraiment un journal. Certaines choses étaient vraies, mais beaucoup d'autres non. Elle inventait. Je ne sais pas comment vous expliquer. Elle inventait des choses qu'elle faisait, ou que nous faisions, et qui étaient extra-ordinaires. C'était la part cachée de nous, très bien racontée, même les pires choses. Vous savez, les choses cachées, quoi ?

— Oui.

— Il y avait toutes ces choses-là. Elle écrivait presque tous les jours et puis elle laissait traîner son journal. Elle le faisait exprès, elle voulait que je le lise. Et je le lisais. Puis je le remettais à sa place. Nous n'en parlions jamais, mais nous le savions tous les deux. Ça a continué comme ça un bon bout de temps. C'était plus fort que dormir ensemble, ou faire l'amour. C'était quelque chose de très intime, vous compre-nez ?

— Oui.

— Pour moi c'était un peu comme d'être fiancés. Mais c'est là qu'il y eut le fameux soir, avec moi en slip et en chaussettes, et tout le reste. Pendant quelques jours, après, tout s'est passé normalement. Mais un matin, tandis qu'elle était allée donner sa leçon, j'ai pris son journal et dans le journal il était écrit que j'étais parti. J'avais disparu sans rien dire et en laissant là le fourgon, avec les clés à leur place et tous les pianos à l'intérieur. Sur le moment ça m'a semblé bizarre, mais je ne l'ai pas trop pris au sérieux. Sauf que les jours suivants, dans son journal, je continuais d'avoir disparu. Et pour finir le journal disait que j'étais vraiment parti, que j'avais démissionné et que j'étais parti sans un mot. Alors j'ai compris. J'ai fait exactement tout ce qui était marqué dans le journal. Je suis parti par le même chemin qu'elle avait indiqué, et exactement de la même manière. J'ai démissionné et j'ai disparu dans le néant sans un mot. Ça s'est terminé comme ça.

— Et vous ne l'avez plus jamais revue ?

— Non.

— Mais c'est fou.

— À dire vrai, ce que je pensais, c'était qu'un jour, d'une manière ou d'une autre, elle me ferait comprendre quelle était l'étape suivante. J'étais sûr qu'elle avait le contrôle de tout ça, et qu'un jour ou l'autre elle nous aurait remis ensemble. Il y avait sûrement une autre page de journal, après celle-ci, elle l'écrirait et je la lirais. Je me suis mis dans la tête qu'il suffisait d'attendre, qu'elle penserait à tout. Mais ça ne s'est pas passé comme ça.

— Elle ne s'est plus jamais manifestée ?

— Non.

— Peut-être qu'elle vous a cherché et qu'elle ne vous a pas trouvé.

L'homme sourit.

— Peut-être, dit-il.

— Comment ça *peut-être* ? Vous avez bien laissé derrière vous des traces, quelque chose qui permette à cette fille de vous retrouver ?

— Je ne sais pas, une fois peut-être, bien des années plus tard. Une fois je lui ai laissé quelque chose, chez mes parents, le seul endroit où elle aurait pu venir me chercher.

— Et que lui avez-vous laissé?

— Toute ma vie, dit l'homme.

— C'est-à-dire?

— Non, ça c'est trop long à expliquer.

— Expliquez-le-moi.

L'homme alors tendit la main, en effleura un instant le visage de la femme puis la reposa sur sa main à elle, sur la table.

— Vraiment, c'est une trop longue histoire, ne me demandez pas de la raconter, dit-il.

La femme laissa sa main immobile, sous la paume de la sienne.

— Ce n'était peut-être pas du tout la femme de votre vie. C'était probablement une petite gourde trop gâtée et plus ou moins frigide, vous savez? dit-elle.

— Non, elle ne l'était pas, dit l'homme.

Puis il dit que c'était sûrement la femme de sa vie.

— Et pourquoi?

— Parce qu'elle était méchante. Elle était folle, méchante, complètement tordue. Elle était vraie, si vous voyez ce que je veux dire. C'était une route avec plein de courbes absurdes, qui filait en rase campagne, sans jamais s'inquiéter du retour. Sans même savoir où elle allait exactement.

Il fit une petite pause.

— C'était une de ces routes sur lesquelles on se tue.

Ils restaient là, à se tenir par la main, et l'homme lui disait quelque chose de lui-même. Quelque chose qui venait vraiment de loin, d'un endroit très profond en lui.

— C'est que moi, je n'ai jamais eu d'autre possibilité que

d'être un enfant sage. J'avais compris que c'était ça, le système qui pouvait me sauver.

Il eut l'air de chercher quelque chose des yeux, dans l'air.

— Mais ce n'est peut-être pas comme ça, dit-elle.

La femme ôta sa main de sous la sienne. Elle arrangea une boucle de cheveux sur sa nuque. Ça l'embarrassait un peu, tout ça. Ça lui plaisait, mais ça l'embarrassait. Dans le silence, la radio continuait à transmettre une musique lente. Elle pensa sérieusement à se lever et à inviter l'homme à danser. Pour s'empêcher de le faire, elle dit la première chose qui lui passait par la tête.

— Vous parlez d'une manière bizarre, je veux dire, avec un accent bizarre.

— J'ai vécu longtemps loin de l'Italie, il m'est resté un peu d'anglais, quelque part.

— Vous connaissez l'anglais?

— Je l'ai appris, oui.

— Les soldats, à la fin de la guerre, ils parlaient comme ça. Les soldats américains. J'adorais.

— C'est une belle langue.

— Dites-moi quelque chose. En anglais.

— Qu'est-ce que vous voulez que je vous dise?

— N'importe. Ce que vous voulez.

— *It's great to be here.*

— C'est beau. Redites-le.

— *So nice, you are so nice, and it's so great to be here with you.*

La femme rit, prit son verre et but une gorgée de vin.

— On dirait vraiment un Américain, vous savez? Une autre, dites-m'en une autre.

L'homme sourit et fit non de la tête.

— Allez, dites-m'en une autre, juste une autre, et après c'est tout.

284

— Je ne sais pas, dit l'homme. Puis il dit *Let me kiss you, and hold you in my arms*. C'était un vers d'une chanson qu'on entendait partout, juste après la guerre, en Angleterre.

— Ça veut dire quoi ? demanda la femme.

— Ça veut dire que c'est bien ici, c'est joli, on y est bien.

La femme rit. Puis elle redevint sérieuse. Mais pas complètement sérieuse.

— Non, dites-moi ce que ça veut dire *vraiment*.

L'homme réfléchit un instant. Puis il dit

— Laisse-moi t'embrasser, et te serrer dans mes bras.

Il dit ça tranquillement, mais en la regardant dans les yeux.

La femme rit, et d'instinct se laissa aller en arrière, en s'appuyant contre le dossier.

Puis elle leva les yeux vers une des fenêtres. Et elle regarda l'homme à nouveau et lui sourit.

— Vous n'avez pas mangé de fruit.

— C'est vrai.

— C'est peut-être le moment de boire un petit alcool, qu'est-ce que vous en dites ?

— Oui, ça oui.

— Un petit alcool, alors.

Elle se leva et se dirigea vers le comptoir. Elle avait laissé son tablier sur la table. En marchant elle lissa sa jupe, sur les hanches, d'un geste rapide. Elle n'arrivait pas à mettre de l'ordre dans ses pensées.

Elle prit une bouteille sans étiquette et deux petits verres. L'alcool était transparent. Elle en versa un peu dans les deux verres. Puis elle leva les yeux sur l'homme.

— On la fait nous-mêmes. La petite *grappa* de la maison, voyez ?

Mais elle resta derrière le comptoir, en reposant la bouteille à côté des verres.

Alors l'homme se leva et se dirigea vers le comptoir. En traversant la salle, il secoua les miettes de pain restées accrochées à son pantalon. La femme le regarda bien, comme elle ne l'avait encore pas fait. C'était pour savoir s'il était beau. Mais c'était difficile à dire. Il avait un visage d'enfant vieilli, et il était très maigre. Elles étaient belles, les rides sur son visage. Sa bouche peut-être, quand il souriait. Qui sait quel âge il avait. Il était propre.

Il arriva au comptoir et s'accouda en face de la femme.

— Alors, à la Grande Course, dit-il en levant un des deux verres.

— À la Grande Course, à vous et à moi, dit la femme.

Ils se regardèrent dans les yeux. Oui, ses rides et aussi ses yeux, pas la couleur, mais *le pli* des yeux.

— À présent il vaut mieux que j'aille en cuisine. Ils vont revenir, tôt ou tard, dit la femme.

— Oui.

— Vous restez pour attendre votre ami ?

— Oui. Oui, peut-être.

— Si vous en voulez encore, ne vous gênez surtout pas, et elle montra la bouteille.

— Merci.

La femme sourit, se tourna et partit dans la cuisine.

Devant les fourneaux elle se mit à chercher les allumettes. Elle avait oublié son tablier sur la table. Son cœur battait fort. Elle souleva un couvercle, puis un autre. Elle ne trouvait pas les allumettes. Puis elle vit l'homme entrer dans la cuisine. Il vint vers elle, lentement, sans rien dire. Il s'arrêta juste à côté d'elle.

La femme se tourna vers l'homme. Il fit un drôle de sourire.

— Si vous me permettez, cette fois j'éviterais de me retrouver en chaussettes et en slip.

La femme rit beaucoup, mais en secret, en un endroit très loin, et important, de son cœur.

Elle passa ses bras autour du cou de l'homme, et mit la tête sur son épaule. Il posa les mains sur ses hanches. Ils se serrèrent fort. La femme se sentit tout à coup l'esprit clair comme un matin, et que tout était exactement comme elle le voulait.

— Pas ici, ici on peut nous voir, dit-elle.

Elle prit la main de l'homme et l'emmena dans un coin de la cuisine qui n'était pas visible des fenêtres. Puis elle lui prit la tête entre ses mains et elle l'embrassa. Elle le fit avec les yeux fermés.

L'homme la touchait, mais avec prudence, comme s'il n'était pas pressé. D'abord les seins, puis entre les jambes. De temps en temps ils se serraient plus fort et elle sentait son corps maigre sous ses vêtements. Elle glissa une main sous sa chemise. Elle se retrouva pressant ses hanches contre lui, sur le tempo de la musique lente qui venait de la salle. Elle sentait la respiration de l'homme, tranquille, juste un peu plus rapide. Elle ne pensait à rien.

On entendit un bruit sec. La femme comprit que quelqu'un avait ouvert la porte de l'auberge. Mais elle ne voulait pas être la première à s'écarter, et elle ne bougea pas. La porte se referma. L'homme non plus ne bougea pas. Ils étaient là, enlacés. Ils avaient juste cessé de se caresser. Une voix masculine demanda d'une voix forte

— Il y a quelqu'un ?

La femme savait que c'était fou, mais elle ne voulait vraiment pas être la première à avoir peur.

— Il y a quelqu'un ?

C'était une voix que la femme n'arrivait pas à reconnaître. On entendit les pas de l'homme venu de dehors qui traversaient la salle. Puis on entendit le volume de la radio baisser, d'un seul coup. La voix répéta encore une fois, dans le silence, Il y a quelqu'un ?

Alors la femme sentit que l'homme se serrait contre elle, et posait la tête sur son épaule, et très fort se serrait contre elle. On est fous, pensa-t-elle. Elle glissa la main dans les cheveux de l'homme et y posa des baisers, beaucoup, avec légèreté, comme on fait aux enfants.

Le volume de la radio redevint haut, et l'homme, là-bas, marmonna quelque chose d'incompréhensible. La femme l'imagina qui se promenait entre les tables, pour comprendre. Elle pensa à la veste restée sur le dossier et à son tablier, sur la table. Aux fruits dans l'assiette. Puis elle entendit la porte s'ouvrir à nouveau. La voix, là-bas, dit très fort une dernière chose.

— Alors, vraiment tous morts là-dedans, hein ?

Puis la porte se referma. Le silence revint. Juste la musique de la radio.

Peut-être qu'arriva du dehors comme le bruit d'une moto qui partait. Mais c'était plus probablement l'écho de la Grande Course.

L'homme releva la tête. Ils se regardèrent dans les yeux. Il fallait décider quoi faire, à présent. La femme sentit à nouveau cette clarté dans sa tête, comme l'air du matin. Elle fit une caresse à l'homme, puis le serra contre elle, avec force.

L'homme avait remis sa veste et il était un peu embarrassé maintenant, parce qu'il aurait théoriquement dû payer son dîner. Il continuait à approcher sa main de son portefeuille, mais, après ce qui s'était passé, c'était un geste qui était

288

impossible à faire. À la quatrième tentative la femme éclata de rire, et en riant comme une folle dit qu'il lui venait à l'esprit un tas de plaisanteries vulgaires.

— Il aurait mieux valu que je paie avant, je crois bien, dit l'homme, quand ils eurent repris leur sérieux.

— Souviens-t'en, la prochaine fois, dit la femme.

Mais elle s'en voulut d'avoir parlé d'une prochaine fois.

— Tu n'attends pas qu'ils reviennent de l'accident? demanda-t-elle.

Elle n'avait pas fini sa phrase qu'elle s'en voulait déjà de celle-là aussi. Mais elle le savait bien, que ce serait difficile désormais de trouver quelque chose qui sonne juste, elle le savait et il n'y avait rien à faire. Elle allait marcher sur des œufs jusqu'à ce qu'il ait disparu là dehors, dans l'obscurité.

L'homme aussi le savait, et dit qu'il fallait vraiment qu'il y aille. La femme ne demanda rien sur son ami qui devait arriver, et il n'en parla pas. Il but encore une gorgée de *grappa*, et ils plaisantèrent un peu sur les alcools maison. À la radio, à un moment, ils parlèrent de l'accident, et dirent qu'un pilote avait été admis à l'hôpital dans un état grave. Il semblait qu'un pneu avait explosé, en plein dans la courbe. Ça s'était bien terminé, puisque personne n'avait été blessé dans le public. Le journaliste disait que l'événement ramènerait dans l'actualité le débat sur les dangers de la Grande Course.

— Alors j'y vais, dit l'homme.

— Il est tard, où pourrais-tu aller à cette heure-ci?

— Oh, ça n'a pas d'importance, j'aime bien marcher la nuit.

— Si tu vas vers la Course tu pourras trouver quelqu'un qui t'emmène.

— Oui, je vais peut-être faire ça.

Ils étaient l'un en face de l'autre, debout, près de la porte.

Elle fit un pas en avant et sans prudence l'embrassa, avec douceur, sur la bouche.

— Ne te perds pas, là-bas dehors, dit-elle.

L'homme dit qu'il ne se perdrait pas.

Puis il lui dit qu'elle était une femme très belle. Pour autant qu'il y connaissait quelque chose, elle était une très belle femme.

Elle sourit.

L'homme ouvrit la porte et sortit. Il laissa la porte se refermer et s'éloigna sans se retourner.

La femme revint à la table où l'homme avait mangé. Elle prit le tablier qu'elle avait laissé là et le noua à sa taille. Elle rapprocha les deux chaises contre la table et remit le reste du pain dans la corbeille en osier. Elle prit les couverts sales et l'assiette de fruits et s'apprêta à retourner en cuisine. Mais en fait elle alla vers une fenêtre et jeta un regard en direction des pompes à essence. Elle regarda un peu autour. Il n'y avait personne.

— Bonne chance, dit-elle tout doucement.

L'homme s'éloigna des pompes. Trop de lumière, pensa-t-il. Il chercha la pénombre. Son idée était d'aller vers la Grande Course, mais quand il vit au loin les phares des autos qui balayaient la campagne il ne fut plus aussi sûr de vouloir aller là-bas. Il se tourna dans la direction opposée et il lui sembla apercevoir quelqu'un, sur le bord de la route, où l'obscurité commençait. Alors il décida d'aller de ce côté-là. Quand il fut plus près, il vit qu'il y avait la fille de la femme assise sur un pare-chocs. Elle avait enlevé ses chaussures et les avait posées, parallèles, dans l'herbe. Elle était encore bien peignée, mais la peau de son visage était un peu luisante de sueur maintenant.

— Vous avez une cigarette ? demanda la fille.

— Non, je ne fume pas, désolé.

La fille recommença à fixer l'obscurité, devant elle.

Il lui demanda si elle avait vu passer un homme, dans le coin, un homme très grand, qui sortait de l'auberge.

— Un grand et costaud ?

— Probablement, oui.

— Un peu bourré ?

— Je ne sais pas.

La fille fit une grimace comme pour dire qu'il ne lui avait pas plu.

— Il est parti voir la Course. Il ne savait même pas ce que c'était, mais il est parti là-bas.

L'homme se tourna pour regarder vers le virage, là-bas, où passaient les phares. Il s'imagina tous ces gens, la poussière qui se levait sous les pneus, et l'odeur subtile d'essence et d'huile brûlée. Il pouvait entendre, comme s'il y était, le bourdonnement de la foule entre un passage et un autre. Il savait de quelle voix les enfants hurlaient le numéro sur le flanc des automobiles, et il connaissait la fierté des pères qui disaient alors le nom des pilotes. Il se rappelait la fatigue et la peur, le silence et le bruit. Il se rappelait tout, car jamais il ne pourrait oublier.

Il se tourna vers la fille et vit qu'elle était en train de pleurer, sans bruit.

— Qu'est-ce qu'il y a, mademoiselle ? demanda-t-il.

La fille passa le dos de sa main sur les yeux. Elle pleurait en silence, mais ses épaules tressautaient, à cause des sanglots.

— Tout est nul, dit-elle.

L'homme regarda un peu autour de lui, puis fixa de nouveau la fille.

— Il ne faut pas pleurer comme ça.

— Tout est nul, répéta-t-elle.

— Ce n'est pas vrai.

— Si, c'est vrai.

Tout est nul, dit-elle encore une fois.

L'homme prit un mouchoir dans sa poche et le lui tendit. Elle le prit, sans remercier. Elle s'en tamponna les yeux, en continuant à pleurer.

— Vous devriez aller voir la Course, dit l'homme.

La fille fit non de la tête et se moucha dans le mouchoir. Puis elle dit qu'elle la détestait, la Course. Elle le dit avec méchanceté.

— On ne peut pas tout détester, dit alors l'homme.

La fille se tourna vers lui pour le regarder, comme si elle s'apercevait seulement à ce moment-là de sa présence.

— Qu'est-ce que vous dites ?

— Rien, je dis qu'on ne peut pas tout détester.

La fille baissa les yeux. Il ne l'intéressait déjà plus. Ou bien elle ne comprenait pas.

L'homme chercha quelque chose à lui dire, mais c'était difficile parce que la tristesse des jeunes est toujours irrémédiable, et leur souffrance sans motif.

Puis il entendit le bruit d'un moteur, au loin.

— Il y a quelqu'un qui arrive, dit-il.

Du côté de la Course, les phares d'une automobile étaient en train de remonter la route, en direction de la station d'essence, à grande vitesse.

La fille se tourna pour regarder. Elle clignait des yeux, parce qu'elle n'y voyait pas bien, à cause des larmes.

— C'est sûrement une auto de la Course, dit l'homme.

Les deux phares s'approchaient rapidement, on aurait dit les yeux d'un serpent qui ondoyait dans la nuit.

— Allez-y, dépêchez-vous, ils vont avoir besoin d'essence.

292

La fille se redressa et vit l'auto entrer dans la lumière et freiner brusquement devant les pompes. Alors elle ramassa ses chaussures qu'elle garda à la main et commença à courir sur le bord de la route. Tout en courant elle arrangeait ses cheveux. Elle avait fait quelques mètres, quand elle s'arrêta et se retourna. Elle avait le mouchoir à la main et le leva en l'air.

— Peu importe, vas-y, cria l'homme.

La fille se remit à courir.

L'homme vit de loin que l'auto était une Jaguar argent, splendide. Sur le capot, peint en rouge, elle avait un très beau numéro : 111. Il espéra qu'il porterait chance à la fille. Il la vit arriver aux pompes et s'approcher de l'auto. Peu après les portières s'ouvrirent et deux pilotes descendirent. Vus ainsi, de loin, ils avaient l'air vêtus avec élégance, des messieurs. Qui sait ? pensa l'homme. Il aurait suffi d'une seule phrase juste, et la fille aurait cessé de penser que tout était nul. Mais on ne peut jamais savoir quand les gens auront envie de dire une phrase juste.

Il jeta un dernier coup d'œil à la station d'essence, puis il se tourna de l'autre côté et commença à marcher vers l'obscurité. La route filait tout droit et disparaissait dans la nuit noire. L'homme commença à compter ses pas, et quand il arriva à 111 il recommença. Il le faisait pour la fille. Quelquefois ça marche, ces trucs-là.

L'homme mourut quatre ans plus tard, sur le bord d'une grande route, en Amérique du Sud. C'était une de ces routes qui courent sur des centaines de kilomètres, au milieu de nulle part, sans une seule courbe. Une de ces routes dont personne ne sait jamais où elles finissent ni où elles ont commencé. Puisque l'homme vivait là, ce fut là que son cœur s'arrêta.

ÉPILOGUE

Puisqu'elle se l'était promis, Elizaveta Seller, veuve Zarubin, chercha pendant des années un circuit à dix-huit courbes, construit au milieu de nulle part et qui n'avait sans doute jamais servi. Elle le connaissait par cœur et elle aurait pu le dessiner, très exactement, partout et à n'importe quel moment : elle le faisait, de temps en temps, paresseusement, au dos de lettres inutiles, ou sur la dernière page des livres qu'elle ne finissait pas.

Elle disposait d'une étonnante richesse, et la dépenser à des fins insondables n'était pas le moindre de ses plaisirs. Quand elle signait des chèques pour les hommes qui, dans tous les coins du monde, passaient leur temps à chercher des informations sur un circuit oublié, elle aimait le faire sous les yeux dépités de ses conseillers financiers. L'un d'eux, un Hollandais, lui demanda un jour la permission de calculer les dépenses auxquelles elle s'était exposée pour financer sa recherche insolite.

— Permission accordée, dit Elizaveta Seller.

Le Hollandais ouvrit un dossier et lut un chiffre qui avait une certaine solennité.

Elizaveta Seller ne broncha pas. Elle demanda au Hollandais s'il était assez aimable pour bien vouloir calculer pendant combien d'années elle allait pouvoir continuer à chercher, avant de se retrouver dans la misère.

— Ce n'est pas la question, objecta le Hollandais.

— Contentez-vous de calculer, s'il vous plaît.

Il apparut qu'approximativement, elle avait encore devant elle quelque chose comme cent quatre-vingt-deux ans.

— Nous le trouverons avant, dit Elizaveta Seller, convaincue.

Sur l'existence du circuit, elle n'avait aucun doute. Elle avait suffisamment connu Ultimo et son monde pour savoir que ces gens-là avaient la patience de l'insecte et la détermination du rapace. Ils n'avaient pas reçu le luxe du doute en héritage, et depuis des générations aucun d'eux n'avait jamais imaginé qu'il puisse y avoir dans une vie autre chose qu'une seule vie : et une seule folie. Avec de telles prémisses, si on avait du talent et la chance de vivre, ce qu'on voulait faire, on finirait par le faire. Depuis que Florence lui avait tendu le dessin, plié en huit, elle avait compris que ce n'était pas le rêve passager d'un jeune homme, ce rêve d'Ultimo, mais la décision sereine d'un adulte. Des gens qui avaient eu pendant des siècles la patience de défricher la terre, chaque année, sans douter de la fidélité des saisons, n'auraient jamais songé à dessiner quelque chose pour le goût de le faire, ou pour la faiblesse, qui leur est étrangère, de jouer avec leur imagination. Elle en était sûre : Ultimo avait *d'abord* construit son circuit, et *ensuite* l'avait dessiné. Et elle était sûre d'autre chose aussi : il l'avait dessiné *pour elle*.

Tout ce qu'il fallait c'était avoir de la patience, et chercher. Elle le fit d'abord aux États-Unis, parce que cela lui avait paru le plus logique. Puis elle lâcha ses hommes en Amérique du Sud et en Europe. Une année, cédant à une inspiration inutilement romantique, elle envoya un émissaire en Russie. De temps en temps lui arrivaient des comptes rendus détaillés sur des circuits bizarres et absurdes, à moitié détruits, complètement oubliés ou effacés dans des banlieues anonymes de grandes villes. Elle étudiait chaque cas, avec soin et même avec curiosité. Elle découvrit, comme il arrive souvent, que si farfelue et géniale que puisse être l'intuition qu'a eue quelqu'un, il y a toujours, de par le monde, un nombre impressionnant de personnes qui ont eu exactement la même. Il était même possible de trouver quelqu'un qui aurait mis au point une variante encore plus étonnante. En Colombie, on lui signala un circuit sur lequel le grand Nuvolari avait couru, disait-on. À présent, on en avait fait un lac artificiel. Et il reposait à vingt mètres sous l'eau, habité par les poissons. Elle s'amusa de l'idée d'y envoyer des plongeurs, pour l'observer, et en faire le dessin. Il n'avait pas dix-huit courbes, et, comparé au tracé d'Ultimo, c'était une plaisanterie de gamin.

— Laissez-le là-dessous, dit-elle.

Elle ne cherchait pas avec l'obsession fiévreuse d'un collectionneur, mais avec la méticulosité tranquille d'un artisan occupé à recoller ensemble les morceaux d'un vase cassé. Elle n'était pas pressée, elle n'avait pas de rivales, et elle aimait le geste de chercher. C'était une façon d'être avec Ultimo, et pendant toutes ces années ce fut la seule que le sort lui eût réservée. Une autre personne, peut-être, se serait rebellée, et aurait cédé à la tentation de préférer la réalité d'un fait quelconque à cette liturgie inconsistante de l'absence. Mais pas un instant l'idée ne l'effleura qu'il aurait été peut-être plus facile de trouver Ultimo que le circuit. Bien des années plus tôt, elle lui avait écrit dans un journal ce qu'elle attendait de lui, et il l'avait fait. Maintenant, c'était son tour. Il y avait un dessin, et il s'agissait seulement de faire ce qui était marqué là. Ce n'est pas important si, à la fin, les gens n'arrivent pas à se trouver. Ne pas se trahir, c'est ça qui est important.

Elizaveta Seller chercha pendant dix-neuf ans, trois mois et douze jours. Puis une dépêche venue d'Angleterre lui annonça qu'un circuit de dix-huit courbes, correspondant en tout point au dessin fourni par elle, gisait à moitié détruit au milieu des marais de Sinnington, un petit bourg du Yorkshire. Des photographies aériennes étaient jointes. Elizaveta ne voulut même pas les regarder. Elle partit le jour même, avec sept malles, trois domestiques, une jeune fille magnifique qui s'appelait Aurora, et un jeune garçon égyptien. À la gouvernante de sa maison de campagne elle dit qu'elle ne savait pas quand elle reviendrait. Mais elle recommanda qu'il y eût chaque jour des fleurs fraîches dans les vases, et que les allées du jardin fussent nettoyées des feuilles mortes. Elle partit sans se retourner. Elle avait soixante-sept ans, parce qu'elle avait beaucoup vécu pendant toutes ces années, sans mourir, jamais.

Son agent anglais était un petit homme tout maigre qui s'appelait Strauss. Jeune homme, après la guerre, il avait monté une agence d'investigation avec un camarade d'école, un bellâtre pas très finaud. Au bout de quelques années le camarade d'école s'en était allé en emportant ce qu'il y avait de plus vide dans l'agence : la secrétaire et la caisse. Aussi n'y avait-il maintenant sur la porte de l'agence qu'un seul nom. Strauss.

L'Angleterre pullulait de circuits automobiles car les sévères limitations de vitesse avaient depuis toujours découragé les courses sur route. Strauss avait donc dû aller explorer tout le pays, rencontrer les gens les plus loufoques, se coltiner une infinité de repérages sur des tracés qui ne lui évoquaient pas grand-chose. Il ne conduisait pas et en voiture, généralement, vomissait.

Et pour ne pas perdre de temps il avait donc pris l'habitude de bien préciser, avant toute chose, que seuls l'intéressaient les circuits comptant dix-huit courbes.

— Vous confondez avec le golf, lui dit un jour un chauffeur écossais, visiblement homosexuel. Et il s'agit de trous, pas de courbes, avait-il ajouté.

Certains circuits étaient toujours en fonction, beaucoup s'étaient vus déchoir, transformés en parking ou en décharge. Souvent ils n'étaient plus qu'un souvenir, remplacés par de petits immeubles populaires remplis de banlieusards et d'enfants en couches. Même quand c'était inutile, Strauss prenait note et envoyait des rapports scrupuleux à l'adresse romaine d'Elizaveta Seller. Il ne lui avait jamais parlé directement et n'avait pas la plus petite idée de la raison pour laquelle une dame russe avait un besoin si impérieux de retrouver un circuit automobile. Comme il ne disposait que d'une fantaisie mesurée, il s'était imaginé une milliardaire excentrique désireuse d'entrer dans le business des courses. Mais un soir qu'il était un peu soûl, il se mit à penser à une artiste, probablement d'avant-garde, qui sculptait des circuits, comme si c'étaient des statues. Il n'avait pas une idée précise, d'ailleurs, de ce que signifiait le mot *avant-garde*.

À Sinnington il arriva par hasard, en suivant la suggestion apparemment saugrenue d'un taxi de Liverpool. Le taxi parlait beaucoup et voulait lui faire dire quel métier il faisait.

— J'ai une agence d'investigation, avait dit Strauss.

— Fantastique! Vous cherchez un assassin?

— Non, un circuit.

Il apparut que le taxi avait fait la guerre dans l'aviation. Un jour de nostalgie virile il était retourné à la piste d'où il avait décollé tant de fois du temps où il était un héros et non pas un raté. La piste était toujours là, mais tout le reste avait beaucoup changé. Ils y avaient fait un truc complètement absurde, qui ressemblait à un circuit. Strauss avait déjà passé tout le Royaume-Uni au peigne fin et ne savait plus quoi inventer pour justifier les notes de frais qu'il envoyait régulièrement en Italie. Il se fit donner le nom de l'endroit.

Quand il arriva à Sinnington, il pleuvait et il soufflait un vent du nord qui ne pardonnait pas. Il monta sur une petite colline et jeta un coup d'œil alentour. On ne comprenait pas très bien, mais il y avait indéniablement les traces d'un circuit. Il demanda au village, au cas où quelqu'un saurait quelque chose. Dans ces coins-là les gens n'aiment pas bavarder, et Strauss avait inéluctablement l'air d'un flic. Mais quelqu'un laissa tomber qu'en effet, il y avait bien eu un dingue, des années plus tôt, qui avait acheté l'aéroport et en avait fait autre chose. Strauss demanda s'ils se rappelaient le nom du dingue. Un type dit que c'était un Italien.

— Il s'appelait Primo, ou quelque chose dans ce genre, dit-il, sans conviction.

Elizaveta Seller descendit de voiture et poursuivit à pied afin de monter sur une petite colline d'où l'on pouvait mieux voir. Elle s'était fait accompagner uniquement par Strauss et par un ingénieur du coin qui avait un beau nom. Il s'appelait Bloom. Il y avait un beau soleil. Elle marcha sans lever les yeux parce qu'elle ne voulait pas se gâcher la surprise. Elle ne se faisait pas trop d'illusions sur ce qu'elle trouverait, mais elle savait que la ligne d'horizon, devant elle, serait celle-là même qu'avaient vue, des années plus tôt, les yeux d'Ultimo. C'était un bel endroit d'où recommencer.

Ils arrivèrent au sommet de la colline et se tournèrent vers la campagne. Pendant quelques instants ils restèrent silencieux. Puis l'ingénieur, qui s'était préparé, dit ce qu'il savait.

— C'est un terrain marécageux. Il fallait être idiot pour avoir l'idée d'y construire quelque chose.

Elizaveta Seller évita de commenter. L'ingénieur poursuivit.

— Avec le temps, l'eau en a repris pas mal. Dans les parties que vous voyez là-bas, avant le bois, ils avaient fait un pavage en briques. Là, il en est resté quelque chose. Mais là où c'était de la terre battue, la boue a tout englouti.

Puis il indiqua une petite colline un peu de travers sur laquelle on devinait le tracé d'une route sombre.

— Certains détails sont sincèrement étonnants. La petite colline est artificielle, posée sur une structure en bois. Elle est en mauvais état, mais elle est restée debout.

Strauss fit un pas en avant. Il avait quelque chose à dire.

— C'est la petite colline qui m'a convaincu. Dans le dessin elle est exactement pareille, et croyez-moi, il n'y a pas beaucoup de pistes avec des bosses de ce genre.

Elizaveta Seller fit signe que oui, de la tête. Puis elle dit quelques mots à voix basse qu'on n'entendit pas bien.

— Pardon ? fit l'ingénieur.

— Poursuivez, dit Elizaveta Seller en continuant à fixer la campagne.

L'ingénieur dit que certaines courbes avaient été rehaussées, et que sur de longues portions le circuit se trouvait maintenant sous le niveau des étangs, quoique suffisamment reconnaissable. Il indiqua une bande blanche qui dessinait une ample et lente courbe et précisa que là ils avaient essayé un sol de pierres et de gravier, une technique qui remontait aux années vingt. C'était pour résoudre le problème de la poussière. Il dit que d'un point de vue strictement technique, ce devait être une piste impossible à conduire. Trop de courbes, il n'y avait pas de vrai rythme, et certaines parties semblaient franchement dangereuses. Peut-être qu'avec les automobiles d'aujourd'hui ça pourrait se faire, dit-il, mais avec les voitures de l'époque ça ne pouvait pas marcher. Il ajouta qu'il avait cherché dans les archives du journal, mais qu'il n'y avait vraiment aucune preuve qu'une course y ait jamais eu lieu, sur ce circuit. Probable qu'ils l'ont construit et puis abandonné, sans même l'essayer, dit-il. Puis il se tut.

Elizaveta Seller fit quelques pas en avant. Il régnait enfin un grand silence. Elle regarda les restes de la piste, qui affleuraient çà et là des marais. Et elle comprit qu'elle ne s'était pas trompée, ni sur le compte d'Ultimo ni sur le sien propre. Elle pensa à deux enfants perdus sur les routes d'Amérique avec un fourgon rempli de pianos, et les vit purs et forts comme elle ne les avait jamais vus. Elle savait maintenant que, même si la terre entière s'était donné beaucoup de mal pour brouiller tous les horizons, elle avait été linéaire et simple, leur route, et propre, au-delà de ce qu'on pouvait dire. Pour tant de gens, ç'avait été une folie, alors que ce n'était qu'un geste exact, arraché au chaos de la contingence, et qu'ils avaient fait ensemble. Il n'y a rien, pensa-t-elle, rien qui puisse égaler le fait d'être ici, en ce moment. Remettre le monde en ordre.

Elle resta là assez longtemps, à regarder. Il y avait tant de choses qu'elle était seule capable de voir. C'était comme lire une lettre écrite en une langue que deux personnes seulement parleraient, dans le monde. À la fin une petite brise se leva, venue de nulle part, et elle se dit que c'était l'heure de partir. Elle embrassa encore une fois, du regard, le rêve d'Ultimo, puis se tourna. Les deux hommes se tenaient immobiles, avec un air plutôt solennel. Ils ne le savaient pas, mais il restait encore quelque chose à faire, pour remettre vraiment tout à sa place. Elizaveta Seller s'approcha de l'ingénieur et sortit de son sac une grande feuille, pliée en huit. Elle la lui tendit.

— Asséchez ce foutu marais et reconstruisez le circuit. Je le veux identique à ce qu'il était.

L'ingénieur avait un aplomb anglais qu'il se vantait de ne jamais perdre, même aux pires moments.

— Je ne suis pas sûr d'avoir compris, dit-il.

Elizaveta Seller le regarda comme elle aurait regardé une flaque de vomi dans le hall d'un hôtel cinq étoiles.

— J'ai dit que vous allez reconstruire ce circuit, identique à ce qu'il était, et vous le ferez en trois mois, quand bien même ce serait la dernière chose que vous feriez.

Strauss, le détective, laissa échapper comme un petit cri. Il avait depuis longtemps perdu le contact avec certains de ses rêves de jeunesse et il avait l'impression que vivre n'était désormais plus guère qu'une manière honorable de limiter les dégâts. L'attitude de la milliardaire russe ressuscita en lui une chose pour laquelle il n'avait même plus de nom. Ce soir, sans doute, il prendrait une cuite et dirait à Mme Mac-Govern qu'elle avait un cul à rendre fou.

Elizaveta Seller descendit la colline en commentant l'incurable négligence de la campagne anglaise. L'ingénieur la suivait, quelques pas en arrière, cherchant en lui-même une formulation élégante pour manifester son effroi. Quand ils arrivèrent à la voiture, il prit son courage à deux mains.

— C'est une folie, dit-il, synthétique.

— Monsieur, vous n'avez pas la plus petite idée de ce que

peut être véritablement une folie, répondit Elizaveta Seller, du ton dont on use pour les condoléances.

L'ingénieur se vengea en disant ce qu'il pensait.

— Jamais personne n'y courra, sur une piste pareille.

Strauss, le détective, fit un pas en avant, car il ne voulait pas perdre la réplique.

— C'est moi qui y courrai, et cela suffit, dit Elizaveta Seller.

Les travaux coûtèrent une somme décidément curieuse et durèrent six mois et vingt-sept jours. C'était bien plus que prévu, mais l'ingénieur Bloom réussit à démontrer que faire les choses plus rapidement était humainement impensable. À moins d'engager Superman, précisa-t-il. Selon ses paramètres, c'était une plaisanterie. Et assez bonne, même.

Elizaveta Seller s'installa dans un hôtel de luxe à trente-deux milles du circuit et n'en bougea plus. Elle ne voulut pas voir le chantier, pas plus qu'elle ne montra d'intérêt pour les destinations touristiques qui ne manquaient pourtant pas, dans les environs. Elle passait ses journées à marcher dans les jardins de l'hôtel ou à fixer le vide, tranquillement, installée dans un fauteuil en osier, dans la véranda. Les mains sur les genoux, cachées sous un châle de soie indienne, elle se délectait à jouer du Schubert, sans que personne le sache.

Elle partageait une suite au dernier étage avec le garçon et la fille qui l'avaient accompagnée. Le personnel de l'hôtel n'avait pas manqué de juger avec sévérité un tel *ménage à trois** *, mais les pourboires d'Elizaveta Seller avaient quelque chose de spectaculaire et au bout de quelques semaines le seuil de pudeur, entre les murs de l'hôtel et dans tout le village, se révéla d'une étonnante souplesse. Tous finirent par prendre en affection cette dame d'âge mûr qui parlait d'un ton rogue mais dont les mouvements étaient doux, et qui était exempte de toute mélancolie. Beaucoup s'étaient forgé la conviction qu'elle était là pour affaires, et le bruit courait qu'un imposant casino allait se bâtir à côté du circuit. Mais les vieux qui, dans la journée, venaient lorgner le chantier, debout, accrochés aux grillages métalliques, nourrissaient le soupçon qu'en réalité, dans ces marais, elle cherchait un trésor. En un certain sens, ils n'étaient pas loin de la vérité. Un jour, Strauss, le détective, lui dit qu'à lui au moins, qui l'avait trouvé, elle pouvait dire pourquoi elle s'intéressait tellement à cet absurde enchevêtrement de courbes où nul ne pouvait conduire.

— Ce n'est pas un circuit, c'est une vie, laissa-t-elle échapper.

Strauss n'avait ni l'imagination ni l'optimisme nécessaires pour en tirer aucune conclusion.

— Une vie ? demanda-t-il.

Pendant un instant Elizaveta Seller eut la tentation de lui raconter tout, d'un bout à l'autre, sans ambages. La perspective perfide l'attirait, de violenter l'âme domestique de cet homme, en lui révélant combien une passion peut être profonde, et un destin sophistiqué. Mais elle regretta aussitôt après sa présomption et tenta de se souvenir que tous les amants se croient uniques, et qu'aucun ne l'est. Ce ne fut pas facile, mais elle y parvint.

— Vous ai-je jamais dit que vous êtes Gloria Swanson tout craché ? dit-elle.

Le 7 mai 1969, l'ingénieur Bloom se présenta à sa table, pendant le petit déjeuner, et l'informa, non sans une pointe d'acrimonie, que le circuit était prêt. Elizaveta Seller était en train de beurrer une tranche de pain grillé. Elle posa le couteau et leva les yeux vers l'ingénieur. Elle fut attendrie, car il avait travaillé comme une mule pour construire une chose dont il ne saurait jamais ce qu'elle était.

— Je vous dois des excuses, ingénieur Bloom, dit-elle.

Bloom s'inclina un peu.

— Je vous ai souvent traité avec une âpreté inutile. Je ne peux pas dire que je le regrette, mais je conviens que ce fut de ma part une légèreté absolument gratuite. Je vous dois au contraire une grande reconnaissance.

Bloom s'inclina de nouveau.

— Vous allez m'offrir un des plus beaux jours de ma vie.

Puis elle s'aperçut que ce n'était pas tout à fait exact.

— Bien qu'*offrir* ne soit pas le terme le plus approprié, techniquement, ajouta-t-elle.

Elle passa la journée comme si c'était une journée quelconque. Le soir elle s'enferma dans son salon et sortit d'un sac un vieux cahier, relié en cuir. Il y avait des feuilles décousues qui dépassaient un peu et elle les remit patiemment à leur place. Puis elle commença à lire, et lut tout, du début à la fin. Sans se presser. Quand elle arriva à la dernière ligne, elle ferma son journal et resta là longtemps, dans le silence de la nuit, à réfléchir. Puis elle alla au bureau, prit une plume, rouvrit le journal à la première page blanche et se mit à écrire. Elle le fit pendant des heures, sans jamais se corriger ni effacer, simplement écrire, comme cela lui venait. Depuis combien de temps, pensait-elle, avais-je besoin d'écrire cette histoire. Deux heures du matin avaient déjà sonné quand elle s'aperçut qu'une heureuse lassitude était descendue sur ses yeux. Elle écrivit encore une ligne, en souriant, puis elle ferma le journal et alla le ranger dans son sac. Elle s'endormit dans le fauteuil, sans même se changer. Quand la lueur de l'aube la réveilla, elle décida de tout faire silencieusement, pour ne pas réveiller les deux jeunes gens qui dormaient à côté. Elle se lava, se maquilla, et passa une robe élégante et appropriée qu'elle avait apportée avec elle pour l'occasion. La coupe en était masculine, ce qui était inévitable étant donné l'usage qu'elle allait en faire. Mais il n'y manquait ni la splendeur ni l'audace d'une robe de soirée. Elle sortit de la chambre sans faire de bruit, se présenta dans la salle des petits déjeuners, et demanda un café au lait, disant qu'elle ne prendrait rien d'autre. Il n'y avait dans la salle qu'un couple de Français, qui discutaient de la prétendue supériorité de la marmelade anglaise. Quand elle sortit de l'hôtel elle trouva Strauss qui l'attendait. Il s'était habillé avec élégance et avait mis trop de brillantine. Elizaveta Seller pensa qu'il ressemblait à Gloria Swanson à qui on aurait versé un bol de gélatine sur la tête.

Elle avait eu tellement de temps pour préparer ce jour qu'elle n'avait négligé aucun détail. Naturellement elle pensait bien ne pas la conduire elle-même, la voiture, mais même l'idée de la confier à son chauffeur habituel lui avait paru inadéquate. Pendant quelque temps elle avait pensé à un vrai pilote, puis elle avait imaginé les commentaires superflus sur l'étrangeté de la piste. À la fin elle avait opté pour un pilote d'essai. Elle l'avait voulu jeune et, si possible, pas vilain. Strauss le lui avait trouvé. Quant à la voiture, elle savait qu'elle ne pouvait pas choisir n'importe laquelle. Les voitures modernes, elle les avait écartées d'instinct, sûre que d'un point de vue pour ainsi dire *stylistique* elles n'auraient pas convenu. Elle essaya de se rappeler si Ultimo avait jamais laissé filtrer quelque préférence pour un modèle en particulier, mais la vérité est que les automobiles il ne les voyait quasiment pas, les considérant comme un corollaire futile à la beauté des routes. Ainsi, pour finir, elle opta pour la Jaguar XK120. C'était une magnifique deux-places découverte qu'elle avait achetée en 1950. À l'époque, elle venait tout juste de recommencer à vivre, et parmi les choses absurdes qu'il lui avait paru nécessaire de faire, il y avait eu celle de participer à une course de fous, qui avait lieu en Italie, et qui s'appelait les Mille Milles. C'était une course pour les professionnels mais aussi pour les amateurs. Elle se courait sur les routes normales, celles de tous les jours. Elle avait acheté la Jaguar et choisi pour compagnon un gentilhomme russe, veuf lui aussi, qui avait un passé sportif. Pour finir, cela lui avait tellement plu que, la course terminée, elle avait voulu garder l'automobile, en souvenir. Elle était couleur argent. Sur le capot, et sur les côtés, il y avait le numéro, en rouge. C'était un beau numéro. 111. Au moment voulu, il lui sembla que c'était la voiture qu'il fallait pour le circuit d'Ultimo. Alors que le chantier était encore en effervescence, elle se l'était fait envoyer d'Italie, par bateau. Elle la retrouva là-bas, ce matin-là, sur la ligne droite du départ, splendide, étincelante. Avec le pilote d'essai au volant. Immobile sur ses quatre roues de caoutchouc brillant. Une merveille, pensa-t-elle.

Elle dit à Strauss et à Bloom de débarrasser le plancher et se dirigea vers la Jaguar. Il n'y avait ni témoins ni public, elle avait été intransigeante sur ce point. Elle fit un signe au pilote pour lui faire comprendre qu'elle allait monter toute seule et prit place sur le siège vide, en cuir rouge. Elle ferma la portière, savourant le doux déclic mécanique garanti par la scrupuleuse technologie anglaise. Elle se tourna vers le pilote.

— Splendide journée, n'est-ce pas?
— On ne se croirait pas en Angleterre.
— D'où êtes-vous, jeune homme?

— France. Du Midi.

— Très beaux endroits.

— Oui, madame.

Elizaveta Seller le regarda avec attention. Elle eut une pensée reconnaissante pour Strauss. En effet, celui qu'il avait trouvé n'était pas mal du tout.

— Vous êtes pilote d'essai.

— Oui, madame.

— Quelle sorte de métier est-ce donc?

Le jeune homme haussa les épaules.

— Un métier comme un autre.

— Oui, mais que faites-vous précisément?

— Concrètement nous conduisons une voiture jusqu'à ce qu'elle meure. Nous faisons des milliers de kilomètres et nous prenons note de tout ce qui se passe. Quand elle meurt, nous avons terminé.

— Ça n'a pas l'air très excitant.

— Ça dépend. L'usine, c'est pire.

— C'est vrai.

Il n'y avait que leurs voix, au milieu de ce grand nulle part. On aurait dit une cathédrale vide et sans toit.

— On vous a dit ce que nous allons faire, jeune homme?

— Je crois que oui.

— Résumez.

— On part et on tourne. On s'arrête quand vous voulez.

— Parfait. Vous l'avez déjà essayé, le circuit?

— Quelques tours. C'est un peu bizarre. Ça ne ressemble pas à un circuit.

— Non?

— Ça ressemble plutôt à un dessin. Comme si quelqu'un avait voulu dessiner quelque chose dans la campagne.

— C'est vrai.

— Vous avez une idée de qui l'a fait, et pourquoi ?

Elizaveta Seller hésita un instant. Elle regarda le jeune homme dans les yeux. Ses yeux étaient noirs, et il avait de belles lèvres. Dommage que ce soit trop tard, désormais.

— Non, dit-elle.

Puis il lui demanda si elle voulait juste parcourir le tracé ou si ça l'intéressait de le faire vite, comme si c'était vraiment une course. Allez le plus vite que vous pourrez, dit-elle, et ne vous arrêtez que quand je vous l'indiquerai. Il fit signe qu'il avait compris, mais ajouta encore quelque chose.

— Je dois vous avertir que comme circuit ce n'est pas très sûr, surtout à grande vitesse.

— Si je voulais être tranquille, je serais restée chez moi faire des origamis.

— D'accord. On y va ?

— Juste un instant.

Elizaveta Seller ferma les yeux. Elle essaya de s'imaginer Ultimo, assis au volant, un jour d'il y avait si longtemps, au départ de son circuit. Le moteur qui tourne à vide, dans le silence de la campagne. Aucun témoin, pas une âme. Rien que lui et ces dix-huit courbes, distillat de toute une vie.

— Ciao, Ultimo, pensa-t-elle.

J'y ai mis un peu de temps, mais me voici. J'ai tout étudié. Le circuit, je le connais par cœur, et les notes que tu as écrites pour chacune de ces courbes, je pourrais les réciter du début à la fin. Tout ira bien, je vais me perdre dans ta vie, comme tu le voulais. Il y a du soleil. Et aucune possibilité de se tromper.

Elle rouvrit les yeux.

— Nous pouvons y aller, maintenant.

Il n'y eut pas de prélude, ni même de début à proprement parler : l'auto fut aussitôt dans la course, à cette vitesse où la largeur de la piste n'est plus qu'un nerf tendu qu'on doit garder serré entre les roues. Au terme de la ligne droite, Elizaveta Seller pensa que tout était en train de finir avant même d'avoir commencé, et qu'ils allaient s'écraser dans la campagne, comme un projectile devenu fou. Elle était déjà morte, quand la Jaguar enfila miraculeusement une longue courbe sur la gauche, étroite et longue. Elle s'y jeta et Elizaveta eut un peu de mal à comprendre qu'elle retrouvait son salut dans le ventre du U d'Ultimo, tel que l'avait écrit, en rouge, Florence, sur la boîte en carton des secrets de son enfant. En vérité, elle avait imaginé quelque chose de plus tranquille. Comme le plaisir intellectuel de voir coïncider un objet et sa description. Elle n'avait pas pensé à la vitesse. Là tout était fulgurant, brutal et rapide, brûlant, et dangereux. Il n'y avait pas de raisonnement, ce n'était qu'émotion. Elle tomba presque sans respirer d'une courbe dans une autre, comme dans un abîme, et s'aperçut qu'elle n'était pas en train de lire la vie d'Ultimo, mais de la vivre, à un rythme d'enfer. Il y avait tout ce qu'elle savait déjà, mais l'automobile allait plus vite que son cerveau et arrivait toujours avant, si bien que chaque fois c'était une surprise, un coup de fouet au cœur. Elle monta les tournants de Colle Tarso comme si c'étaient les pas d'un tango brutal, elle descendit stupéfaite le long du cou d'une femme superbe et comme une longue respiration parcourut la courbe douce du front d'un vieux mathématicien qui cherchait son fils. Sans s'en rendre compte elle se retrouva sur le dos-d'âne de Piassebene, hurlant au moment du saut, et comprenant ce que ça veut dire, d'avoir la froideur de hurler son nom quand la terre vous lance dans le ciel. Elle se reposa dans la longue ligne droite

qui avait mené Ultimo à l'hôpital, auprès de son père, et qui en vérité lui donna, l'espace d'un instant, l'impression réelle que dorénavant tout allait être sous contrôle. Mais elle eut de nouveau le souffle coupé dans le S étiré et souple de la ligne d'une fourchette qu'Ultimo avait sauvée du désastre d'une retraite, et qu'il avait choisie comme la courbe unique pour toute une guerre. Elle brûla des courbes qui étaient des dos d'animaux, et des bouts de sourires, et des couchers de soleil. Elle devint anse du fleuve et trace sur un coussin, et elle fut pour un instant la femme qui voyageait cachée dans la première automobile que cet enfant eût jamais vue. Elle remonta la quille d'un navire, l'échine d'une lune américaine et la panse d'une voile au vent de la Tamise. Elle fut la balle et le tir, à une vitesse inconcevable, jusqu'à voir en face d'elle la courbe ultime, celle qui était expliquée dans le dessin par un seul, un simple mot : *Elizaveta*. Elle s'était demandé tant de fois ce qu'il pouvait y avoir de commun entre elle et cette courbe si ordonnée, si impersonnelle. Elle eut à peine le temps de comprendre, des yeux, ce qu'elle sentit se précipiter tout à coup sur elle, avec l'automobile qui montait le long du mur souple et qui, projetée par la force centrifuge, faisait tournoyer dans l'air l'aimable acrobatie de quatre roues caoutchoutées suspendues à une courbe parabolique. Elizaveta sentit que tout son poids disparaissait, et elle s'aperçut qu'elle était en train de voler sans quitter la terre. Respirer était impossible. Mais elle dit tout doucement, et en souriant :
— Salaud.
Puis elle sentit la courbe se diluer dans la ligne droite d'où ils étaient partis, avec une douceur qui n'était même pas pensable dans la vie. Un instant et elle était de nouveau dans le souffle coupé d'Ultimo, sur cette piste d'aviation, sous les coups des bourreaux, au milieu des prisonniers, là où tout

avait recommencé. Elle ne bougea pas. Elle laissa l'automobile pointer à nouveau sur le désastre pour trouver tout au bout le réconfort d'une courbe en U, peinte en rouge, sur une boîte en carton.

Elle continua à tourner, l'automobile, pendant un temps qu'aucune aiguille ne mesura jamais. Elizaveta ne compta pas combien de fois elle vit la ligne droite de l'arrivée, mais elle s'aperçut peu à peu qu'il était en train d'arriver ce qu'Ultimo avait si souvent essayé de lui expliquer. Elle sentit chaque courbe se diluer graduellement dans l'ordre illogique d'un geste unique, et elle trouva à l'intérieur d'elle-même le cercle qui n'existait que pour elle. Au cœur de la vitesse, elle trouva la perfection d'un simple anneau. Elle pensa alors au chaos infini que sont toutes les vies, et à l'art incomparable de ce qui est capable de l'exprimer en une figure unique, achevée. Et elle comprit ce qui nous émeut dans les livres, dans le regard des enfants et dans les arbres solitaires, au milieu de la campagne. Quand elle s'aperçut qu'elle était descendue dans le secret de ce dessin, elle ferma les yeux, vit les yeux d'Ultimo, et sourit. Puis elle posa la main sur le bras du garçon qui conduisait. L'automobile ralentit comme si elle s'était détachée de la force invisible qui l'avait emportée jusque-là. Sur son élan elle parcourut encore deux courbes, qui recommencèrent, dans cette antique lenteur, à ressembler à des courbes. Puis, arrivée sur la ligne droite, la voiture s'arrêta.

Le garçon éteignit le moteur.

Un silence revint, qu'on aurait cru à jamais perdu.

Elizaveta Seller arrangea sa robe, ébouriffée par l'air et par la vitesse.

— Très bien, dit-elle.

— Merci.

— Vous avez été très bien.

Elle descendit de la Jaguar et se dirigea d'un pas lent vers les deux hommes qui l'attendaient sur la colline. Elle avait tout à coup l'air fatigué, et peut-être même indécis. Elle en eut d'ailleurs conscience, mais n'avait pas envie de se montrer différente de ce qu'elle était. Elle monta la colline lentement, car elle réfléchissait. Pour la première fois elle éprouvait une grande envie de serrer Ultimo dans ses bras et de le toucher, et de sentir son corps. Rien n'a d'importance, pensa-t-elle, c'est la seule chose que je veux. Je veux quelque chose qui est perdu, se dit-elle.

Quand elle arriva devant l'ingénieur Bloom, Elizaveta Seller ne s'arrêta même pas. Elle continua à marcher et fit seulement un geste en direction du circuit en se contentant de dire, d'un ton péremptoire :

— Détruisez-le.

L'ingénieur Bloom avait bien changé, durant ces six mois.

— Comme vous voulez, madame, dit-il.

Elizaveta Seller mourut onze ans plus tard, sur la rive d'un lac, en Suisse. C'était un de ces lacs qui semblent dessinés par la main d'un chirurgien, comme des pansements de la terre. Un de ces lacs dont nul ne sait vraiment s'ils dispensent la paix ou la souffrance. Puisque Elizaveta Seller vivait là, ce fut là que son cœur s'arrêta.

NOTE

C'est peut-être le moment de préciser, pour les plus avisés et les plus curieux, que dans ce livre — comme dans tous mes livres, d'ailleurs — les informations historiques sont presque toujours exactes, ou du moins voudraient l'être, mais cohabitent avec des variations imaginaires qu'il m'a plu de semer ici ou là. Ainsi, par exemple, l'histoire de l'Itala est essentiellement fidèle à la réalité, mais M. Gardini a fini par devenir la synthèse de nombreux pionniers différents, et donc un personnage imaginaire. L'Ouverture raconte une course qui a bien eu lieu, mais rassemble aussi un grand nombre d'histoires qui, le lendemain, contribuèrent à faire de cette course une légende. En ce qui concerne Caporetto, je n'ai rien eu à inventer car la réalité y dépassa largement la fiction. La base militaire de Sinnington n'a jamais existé, mais il y en eut de nombreuses similaires, qui devinrent souvent, en temps de paix, des circuits automobiles. La maison Steinway & Sons crut effectivement que les pianolas mettraient hors jeu les pianos et conçut véritablement l'idée d'envoyer en tournée des professeurs pour offrir des leçons de piano ; je ne puis assurer toutefois que ce fut pendant la période et selon les modalités décrites dans ce livre. Je pourrais continuer encore, mais l'important est que l'on comprenne que l'Histoire, dans ces pages, est un peu moins réelle que celle qu'on voit sur *History Channel*, mais beaucoup plus que celle qu'on peut trouver dans *Cent Ans de solitude*. (D'ailleurs, la frontière entre fidélité historique et invention fait, bien souvent, des détours assez surréalistes. Quand j'écrivis *Soie*, j'inventai le nom de la petite ville où vivaient les protagonistes en combinant deux noms pris dans un atlas. Cela donna celui de Lavilledieu. Des années plus tard, le maire d'un village du sud de la France m'écrivit. Ce village s'appelait Lavilledieu. Dans sa lettre, le maire m'expliquait qu'au XIXe siècle, dans ces coins-là, on vivait de l'élevage des vers à soie. Il m'invitait également à l'inauguration de la nouvelle bibliothèque municipale. Naturellement, j'y suis allé. Je m'en souviens comme d'une grande et belle journée. Une autre fois, il arriva qu'une lectrice anglaise reconnaisse, dans un des personnages d'*Océan mer*, une sœur qui avait depuis longtemps disparu dans le néant. Elle était convaincue que je l'avais rencontrée, et que j'écrivais son histoire dans mon livre. Elle me demandait si je pouvais l'aider à la retrouver. Écrire une réponse, dans un cas pareil, est une affaire qui peut demander jusqu'à des semaines.)

Composition Firmin Didot
Achevé d'imprimer
sur Timson
par Normandie Roto Impression s.a.s.
61250 Lonrai.
Dépôt légal : juin 2007
Numéro d'imprimeur : 07-1680
ISBN 978-2-07-078150-8 / Imprimé en France

145323